D0571425

Monica
la mitraille

DU MÊME AUTEUR

Un minou fait comme un rat, Leméac, 1982.

Croquenote, La Courte Échelle, 1984.

De Laval à Bangkok, Québec/Amérique, 1987.

Guy Lafleur. L'Ombre et la Lumière, coédition Art Global/Libre Expression, 1990.

Overtime, Viking, 1991.

Christophe Colomb. Naufrage sur les côtes du paradis, Québec/Amérique, 1991.

Le Moulin Fleming, LaSalle et ministère des Affaires culturelles, 1991.

Québec-Québec, Art Global, 1992.

Inuit. Les Peuples du froid, Libre Expression, 1995.

Le Génie québécois. Histoire d'une conquête, Libre Expression et Ordre des ingénieurs du Québec, 1996.

Céline, Libre Expression, 1997.

Le Château, Art Global, 2001.

Les Coureurs des bois, Libre Expression et Musée canadien des civilisations, 2003.

Georges-Hébert Germain

Monica
la mitraille

Libre Expression
QUEBECOR MEDIA

Catalogage avant publication de la Bibliothèque nationale du Canada
Germain, Georges-Hébert, 1944-
Monica la mitraille 2e éd.
Publ. antérieurement sous le titre: Souvenirs de Monica. [1997].
ISBN 2-7648-0127-0
1. Monica, la Mitraille, 1940-1967. 2. Vol de banque - Québec (Province).
3. Criminels - Québec (Province) - Biographies. 4. Voleurs - Québec (Province) -
Biographies. I. Titre. II. Titre: Souvenirs de Monica.
HV6248.M58G47 2004   364.15'52'092   C2004-940453-9

Publié initialement chez Libre Expression
sous le titre de *Souvenirs de Monica.*

Page couverture
REPRODUCTION DE L'AFFICHE DU FILM *MONICA LA MITRAILLE*

Produit par
CITÉ-AMÉRIQUE, LORRAINE RICHARD ET LUC MARTINEAU

Distribué par
ALLIANCE ATLANTIS VIVAFILM

Réalisé par
PIERRE HOULE

Photo des acteurs
VÉRO BONCOMPAGNI

Conception de l'affiche
ALLIANCE ATLANTIS VIVAFILM

Maquette du titre
GRAPHÈME

Photo de l'auteur
© PANNETON-VALCOURT

Maquette de la couverture
FRANCE LAFOND

Infographie et mise en pages
SYLVAIN BOUCHER

Les Éditions Libre Expression remercient le ministère du Patrimoine canadien, le Conseil
des arts du Canada, la Société de développement des entreprises culturelles du Québec
(SODEC) et le Programme de crédit d'impôt du Gouvernement du Québec du soutien
accordé à son programme de publication.

Les Éditions Libre Expression
7, chemin Bates
Outremont (Québec) H2V 4V7

Dépôt légal
2e trimestre 2004

ISBN : 2-7648-0127-0

À Ginette Smith.

Avertissement au lecteur

Même si la toile de fond de ce roman, librement inspiré de la vie de Monica la Mitraille, est authentique, j'ai prêté pensées, paroles, sentiments, actions et passions à tous les personnages, certains proches du réel, d'autres de pures inventions.

Mother, you had me
But I never had you

John LENNON

PREMIÈRE PARTIE

1

Longtemps Debbie Burns a cru que sa mère était toujours vivante, même si elle l'avait bel et bien vue morte dans son cercueil. Elle pensait qu'une autre femme qui lui ressemblait vaguement avait pris sa place au dernier moment, s'était fait tuer par la police en pleine rue, embaumer, exposer, inhumer sous son nom. Ou qu'un mannequin fabriqué par sa mère elle-même, avec l'aide de «Memére» et du grand-père «Téo», avait été mis dans son cercueil, grossièrement maquillé à son image et à sa ressemblance.

Memére avait emmené Debbie et Steve au salon funéraire, où se trouvaient des oncles et des tantes, des amis, plein de gens qui parlaient à voix basse, pleuraient ou riaient, parfois se disputaient, se taisaient un moment quand ils apercevaient les enfants. Et Debbie s'était mise à genoux devant le cercueil où reposait cette femme qui ne pouvait pas et ne devait pas être sa mère. Elle faisait des prières et pleurait abondamment, comme Memére et ses tantes, les jumelles Arlette et Lola, et Paula qui sanglotait.

Le grand-père Téo, lui, ne pleurait pas. Mais il ne parlait à personne. Et il n'a pas pris Debbie sur ses genoux comme il faisait toujours, il ne l'a pas chatouillée non plus. Il lui a donné des petites tapes dans le dos et lui a passé les mains dans les cheveux tout doucement.

Il faisait très chaud. Le parfum des fleurs et la fumée des cigarettes donnaient mal à la tête et au cœur. Steve pleurait lui aussi, même s'il était encore trop petit pour comprendre tout à fait ce qui se passait.

Debbie avait plusieurs bonnes raisons de croire que la morte n'était pas sa mère, même si elle portait sa robe rouge feu. Son visage était badigeonné de fond de teint, et on avait tiré autour de sa bouche un trait net qui lui faisait des lèvres pincées, trop minces, trop dures. Elle avait des cheveux qui n'étaient pas à elle, blond platine, comme ceux de la tante Hélène. Et une grosse bosse sur le front, juste au-dessus de l'œil gauche dont la paupière mal fermée laissait paraître un croissant jaunâtre qu'on devait de temps en temps essuyer parce qu'il en coulait des larmes. La tante Arlette disait que les morts pleuraient parfois et que leurs cheveux continuaient de pousser.

Debbie avait assez souvent regardé sa mère se maquiller et se coiffer pour savoir qu'elle ne se mettait presque jamais de fond de teint, ni de rouge à lèvres, et très peu de rimmel, juste assez pour allonger ses yeux et mettre du mystère dans son regard. Elle avait la peau mate et sombre, les lèvres pleines et roses, les cils très noirs et les sourcils bien dessinés. Elle était très fière de pouvoir être belle sans avoir à se maquiller beaucoup. Et elle disait à sa fille qu'elle aussi serait comme ça plus tard, parce qu'elle avait de beaux sourcils et de longs cils bien fournis et très noirs, et qu'elle pouvait se compter chanceuse d'être brune comme les Sparvieri plutôt que d'avoir l'air d'un blanc d'œuf comme la plupart des Lafontaine.

La mère de Debbie portait souvent une perruque, un chignon ou des nattes postiches, mais elle ne se maquillait pas vraiment. Elle se déguisait, ce qui n'est pas du tout la même chose. En blonde, en rousse ou en brune, et parfois même en grise. Ses cheveux à elle, qui étaient noirs comme jais, elle les gardait depuis quelque temps très courts, presque en brosse, même si ce n'était plus tellement la mode depuis que les hommes se laissaient pousser les cheveux jusqu'aux épaules comme les femmes. Debbie reconnaissait toujours sa mère au premier coup d'œil, même quand elle portait des lunettes noires, des gants et un foulard de tête ou une perruque qu'elle n'avait jamais vus.

La seule chose que sa mère n'aimait pas, c'était ses mains, parce qu'elle se rongeait les ongles jusqu'au sang. Elle avait tout essayé pour se guérir de cette manie, mais elle n'y était jamais arrivée... C'est pourquoi elle portait souvent des gants, même tard au printemps ou tôt à l'automne. Devant les étrangers, elle cachait ses doigts dans le creux de ses mains, elle les mettait derrière son dos ou elle tirait les manches de son chandail ou de sa veste pour les couvrir.

Debbie n'a pu retenir ses yeux. Son regard a glissé vers les mains croisées sur la poitrine de la morte, elle a vu en un éclair les doigts aux ongles rongés et, sur le poignet gauche, une cicatrice très fine qui ressemblait à un Y. Elle a failli crier de peur et de peine, et elle a tout de suite détourné son regard; mais, avant qu'elle ne chasse cette image de son esprit, elle avait eu le temps de penser que sa mère aurait préféré qu'ils lui cachent les mains ou qu'ils lui mettent des gants, pour qu'on ne voie pas ses ongles rongés. Elle n'a rien dit cependant, elle n'a plus regardé les mains de la morte et s'est rappelé de toutes ses forces que ce n'était pas sa mère qui se trouvait dans le cercueil, qu'une autre femme était morte à sa place, et qu'il fallait quand même pleurer, comme Memére et les tantes Paula, Arlette et Lola sa jumelle, et Ti-Moineau et tous les autres qui faisaient semblant eux aussi, pour tromper les croquemorts et garder secrète cette autre vie que devrait désormais mener sa mère.

Debbie pleurait avec eux, pour faire semblant mais aussi parce qu'elle savait que quelque chose qui dans sa vie avait été infiniment doux serait à jamais changé. Sa mère n'était pas morte, mais elle devrait désormais se cacher plus que jamais. Elle ne viendrait plus les voir, Steve et elle, que très rarement, seulement la nuit peut-être pour les regarder dormir un court moment. Elle les surveillerait de très loin… Et tous ceux qui l'avaient aimée devraient faire comme si elle n'existait plus.

Quand elle se rendra à l'école, Debbie ne se retournera même pas pour voir si quelqu'un la suit, une belle femme blonde ou rousse avec des lunettes noires au volant d'une Camaro ou d'une Mustang décapotable. Elle finira par croire dur comme fer que sa mère est réellement morte et qu'elle ne reviendra jamais. Elle fera semblant de pleurer, puisque sa mère fait semblant d'être morte.

Depuis longtemps déjà, elle ne venait plus les voir à Repentigny. Elle envoyait des hommes les chercher, elle et Steve. Ils arrivaient la nuit, le plus souvent. La gardienne réveillait les enfants et les habillait en vitesse. Les hommes les prenaient dans leurs bras.

Ils sentaient la cigarette et la bière. Ils les plaçaient sur le siège arrière de leur voiture et ils roulaient dans la nuit. Longtemps. Les hommes ne parlaient pas. Ils écoutaient de la musique et ils fumaient. Les enfants s'endormaient. Et au bout de la nuit leur mère les attendait avec mille baisers tout chauds. Les hommes partaient et elle les prenait dans ses bras tous les deux. Ils restaient ensemble pendant deux ou trois jours, dans une chambre d'hôtel ou dans un chalet à la campagne. Et ils dormaient avec elle, toute la nuit, un de chaque côté d'elle, tous les deux collés contre elle. Personne au monde n'a jamais senti aussi bon que leur mère. Quand elle passait la nuit contre son corps tout chaud et infiniment doux, Debbie ne mouillait pas son lit.

Ils étaient déjà restés enfermés à l'hôtel des jours entiers, en chemise de nuit et en pyjama, parce qu'il pleuvait ou qu'il faisait trop froid pour sortir. Ils se faisaient servir à manger dans la chambre, au lit. Et Steve et Debbie chatouillaient leur mère. Un jour, elle les a déguisés. Elle a mis une perruque rousse à Debbie, et une blonde bouclée à Steve, qui l'a gardée sur la tête jour et nuit et qui s'est mis à hurler et à se rouler par terre quand il a dû l'enlever pour rentrer à Repentigny. Par la suite, chaque fois qu'ils revoyaient leur mère, il voulait porter cette fameuse perruque blonde. Il était encore si petit qu'elle lui couvrait tout le dos et les fesses et traînait presque par terre, ce qui faisait rire tous ceux qui le voyaient.

Debbie pleure en se rappelant tout cela qui ne reviendra pas avant très longtemps. Elle tient Memére par la main. Elle ne regardera plus la femme morte. Elle voudrait être petite comme Steve pour ne pas porter ce lourd secret qu'elle ne pourra jamais partager avec personne, pas même avec ceux qui, comme elle, savent la vérité.

Le jour des funérailles, quand les croquemorts ont commencé à enlever les fleurs, Memére s'est penchée sur la morte et l'a embrassée, puis elle a pris le crucifix qu'elle tenait dans ses mains, elle lui a enlevé ses boucles d'oreille et la bague qu'elle portait au doigt. Et elle a dit à Debbie : «C'est pour toi, tout ça, mon bébé. Je vais te les garder pour quand tu seras grande.»

Et Debbie fait signe que oui et se dit encore que tout cela n'est qu'un jeu pour tromper les croquemorts, pour qu'ils croient que cette morte qu'ils vont emporter au cimetière et qu'ils vont enterrer est réellement la mère de Debbie, de Steve et de Ti-Nou, Monica Sparvieri, la femme que la police a descendue mardi dernier dans l'avant-midi, boulevard Pie-IX. Debbie a huit ans et demi. Elle a tout compris. On ne lui a rien caché. Pas même que sa mère n'était pas morte, ce qui, selon elle, ne devrait surprendre personne. Monica Sparvieri était trop intelligente et trop forte pour se faire prendre et mourir. Et elle n'aurait jamais abandonné ses enfants, tout seuls avec leur gardienne Nicole qui n'avait que seize ans et qui pleurait elle aussi à chaudes larmes ou avec Memére qui était trop vieille et fatiguée et qui ne pouvait plus les garder comme autrefois.

Leur mère reviendra les chercher un jour, quand la police aura renoncé à la chasser ou qu'elle aura trouvé quelque part dans le monde une cachette sûre où ses enfants pourront être heureux… Mais il ne faut pas le dire. Il ne faut pas y penser, ne pas y croire, jamais, ni chercher à savoir combien de personnes savent ce qui s'est réellement passé, ni même attendre ce grand jour. Il faut faire comme si tout était irrémédiablement fini.

Ce soir-là, quand elle est montée à sa chambre, Debbie ne pleurait plus, elle était vidée de larmes. Steve, qui pour la première fois de sa vie avait lui-même demandé à se coucher, dormait déjà, roulé en boule au creux de son lit. Memére était partie, mais la maison était encore pleine de monde. Debbie avait compris que ses tantes, Ti-Moineau et le grand-père Téo étaient en train de décider où ils iraient vivre, Steve et elle, en attendant le retour de leur mère. La tante Paula était soûle, elle pleurait et parlait très fort. Ti-Moineau lui disait de se taire, que les enfants pouvaient entendre. Mais Paula ne se taisait pas, elle continuait de dire : «Je suis la seule à l'avoir vue. Tu m'entends? Je suis la seule ici à avoir vu ce qu'ils ont fait à notre sœur.»

Mais Debbie n'écoutait plus. Elle regardait sa mère qui se tenait au pied de son lit. Elle portait la blouse bleu pâle que Debbie aimait tant, avec comme d'habitude les trois boutons du haut détachés et le col empesé bien droit contre son cou, et elle avait un pantalon noir moulant et une ceinture très large qui la faisait paraître encore plus élancée. Ses vrais cheveux tombaient en boucles légères sur ses épaules. Elle n'a pas dit un mot; elle a seulement fait un geste vers Debbie avec la main tendue, comme si elle lui montrait sa paume grande ouverte, un geste qu'elle faisait souvent dans la vie pour dire que tout serait correct, que tout était O.K., pour dire : «C'est beau, c'est beau, calme-toi.» Et Debbie s'est endormie.

Elle n'a jamais revu sa mère aussi clairement, avec autant de netteté, mais elle a souvent rappelé cette image à sa mémoire. Parce qu'elle savait qu'elle allait empêcher toutes les autres d'y entrer, celles du cercueil, celles dont avait parlé la tante Paula. Même si ce n'était pas vraiment des images de sa mère mais de cette autre femme qui avait bien voulu mourir à sa place, Debbie ne voulait pas les voir ni savoir qu'elles existaient.

Quelques jours plus tard, elle a téléphoné à la petite Annie Charron, sa meilleure amie. C'est le père d'Annie qui a répondu. Il a reconnu la voix de Debbie et lui a dit de ne plus rappeler, qu'il ne voulait plus que sa fille la voie. Puis des élèves du secondaire qui rentraient chez eux après l'école se sont arrêtés devant la maison de Debbie qui jouait dans la cour avec Steve et Nicole, leur gardienne. Ils ont lancé de la terre et des cailloux dans la piscine, ils ont cassé une vitre. Et pendant qu'ils s'enfuyaient, ils criaient à Debbie que sa mère était une criminelle et que la police avait bien fait de la tuer.

Debbie avait eu énormément de peine, mais au fond de son cœur elle se réjouissait : le secret tenait, les enfants de son école semblaient vraiment croire que sa mère avait été descendue par la police. Et Debbie savait que ce ne serait que lorsque tout le monde, absolument tout le monde, elle comprise, serait persuadé que Monica Sparvieri était réellement morte qu'elle pourrait revenir voir ses enfants. Mais il faudrait beaucoup de temps. Car Debbie elle-même n'arrivait pas encore à faire semblant d'y croire tout à fait. Elle ne pouvait s'empêcher de rêver à sa mère. Elle la voyait bien vivante, avec chaque fois des détails très précis, telle robe rouge, ses cheveux naturels ramassés en queue de cheval, bien lisses, une agrafe dorée, des boucles d'oreille en écaille, un chandail en mohair bleu pâle. Elle était parfois au volant de sa Camaro bleue ou elle marchait dans le petit bois derrière la maison ou elle sortait du magasin d'alimentation qui se trouvait devant la cour de l'école… Elle était toujours seule et ne semblait pas se rendre compte que Debbie l'observait.

2

Memére Lafontaine et les tantes Sparvieri ont décidé que Debbie et Steve iraient vivre chez Paula et Ti-Moineau en attendant que leur père puisse les faire venir en Angleterre, dans un an, peut-être plus. Michael Burns devra d'abord sortir de la prison canadienne où il est incarcéré depuis le printemps, puis se refaire une vie dans son pays, trouver ensuite un logement convenable et, s'il doit recommencer à naviguer, quelqu'un pour s'occuper de ses enfants… Ti-Nou, qui a encore la couche aux fesses, a été recueilli par la famille de son père, Gaston Lussier, qui est en prison lui aussi. Les Lussier ne veulent plus rien savoir ni des Lafontaine ni des Sparvieri, ce qui fait énormément de peine à Memére qui croit qu'on ne reverra peut-être plus jamais Ti-Nou.

Debbie s'est retrouvée dans une grande école où elle ne connaissait pas un chat. Personne heureusement ne faisait attention à elle, personne ne lui parlait, pas même ses maîtresses. Elle ne comprenait rien à rien. Quand elle sortait de classe, elle n'aurait jamais su dire de quoi la maîtresse avait parlé, ni même à quoi elle avait pensé pendant tout ce temps, assise bien sagement parmi les autres écolières.

Elle se sentait indifférente et insensible, presque invisible; elle était soulagée, au fond, que personne ne s'occupe d'elle, soulagée aussi de ne pas être allée tout de suite chez son père, même si elle n'aimait pas vraiment vivre chez Paula qui, lorsqu'elle avait trop bu, ce qui se produisait presque immanquablement chaque fois que Ti-Moineau s'absentait, rendait la vie impossible à tout le monde.

Elle commençait par écouter Jimi Hendrix et les Rolling Stones en haussant le volume à chaque bière, puis elle s'engueulait avec les voisins qui avaient le malheur de se plaindre, et avec Debbie ou Steve ou sa fille Lynda ou qui que ce soit qui osait la regarder. Si bien que, des après-midi et des soirées entières, pendant que Paula se soûlait, les enfants devaient faire attention à ne jamais poser les yeux sur elle. Si, par malheur, quelqu'un laissait filer un regard dans sa direction, elle éclatait, disant : «Je le sais que je suis laide, t'as pas besoin de me regarder», ou «Dis-le que tu me trouves laide, vas-y, dis-le»… et ça n'avait plus de fin.

Pourtant, parce qu'elle savait être si drôle, si touchante parfois, tous ses proches avaient oublié déjà la laideur de Paula, même Ti-Moineau qui l'avait tendrement aimée et avait fait avec elle trois enfants. Et tout le monde disait que Paula, quand elle était à jeun, avait un cœur d'or. Mais elle ne se consolait pas de ne pas être une beauté fatale comme sa sœur Monica. Elle ne supportait pas que tout le monde parle sans cesse d'elle, de sa mort, des coups qu'elle avait faits, de ce qu'elle avait dit… Et elle finissait presque toujours par déblatérer d'une manière ou d'une autre contre elle et par l'accuser de tous les crimes de la terre. Elle répétait à Debbie que sa mère s'était prostituée pendant des années et qu'elle n'avait jamais aimé son père, Michael Burns, qui était, selon elle, un minable de la pire espèce, même pas capable de parler français. Elle disait qu'elle l'avait elle-même vendu à la police à deux reprises et que le jour où il avait été expulsé du Canada avait été un jour de fête dans la famille.

Puis elle se promenait flambant nue dans la maison et sur le balcon, parfois même jusque sur le trottoir, devant les voisins et les passants. Et alors il fallait que tout le monde la regarde, même les enfants. Quand finalement arrivaient les policiers que les voisins avaient appelés, elle leur offrait son corps, sachant qu'ils allaient refuser et rire. Elle leur disait qu'elle se serait prostituée avec plaisir elle aussi si elle avait eu un corps moins repoussant, un beau corps lisse et parfait comme celui de sa sœur Monica. «Tu la connais, ma sœur? Tu sais ce qu'ils ont fait à ma sœur?» Puis elle les traitait de chiens sales, elle les accusait d'avoir assassiné et dépecé sa sœur bien-aimée. À la fin, elle se mettait à pleurer. Elle allait se cacher dans sa chambre. Et les enfants la laissaient pleurer sans dire un mot. Elle finissait par s'endormir. Sa fille Lynda allait se coucher avec elle. Et le lendemain matin, elle manquait l'école pour soigner sa mère, la consoler.

Debbie rêvait de pouvoir cajoler sa mère elle aussi. Elle se disait, certains jours, qu'il était fou de penser qu'elle se cachait encore quelque part dans le monde et qu'elle reviendrait un jour la sortir de cette misère. Et en même temps, dans l'espoir qu'elle revienne, elle s'efforçait de croire qu'elle était vraiment morte. Elle était déchirée entre le désir de revoir sa mère vivante et le besoin qu'elle avait, pour que ce soit possible, de croire qu'elle avait disparu pour toujours. Certains indices pourtant imposaient sans équivoque l'évidence : les ongles rongés, cette cicatrice en forme de Y que Debbie avait malheureusement aperçue sur le poignet gauche de la morte, les larmes des grands qui avaient duré des jours et des jours. Et surtout cette absence durable et sans faille, sans aucun signe, même plus en rêve…

L'école était finie. L'été passait. Ils allaient bientôt partir, elle et Steve, vivre en Angleterre chez leur père qu'ils connaissaient si mal, qui leur faisait si peur avec ses colères, ses silences, ses regards qui entraient en eux, s'y posaient, froids, durs, écrasants.

Au cours des jours qui ont précédé leur départ, Debbie s'était remise à croire, à son grand désarroi, que sa mère était bien vivante et qu'elle les attendait en Angleterre où elle vivait avec leur père sous un autre nom. Debbie saurait la reconnaître, même si elle s'était refait un visage, et teint en blond les cheveux, les cils et les sourcils, et laissé pousser les ongles, et même si elle avait changé de parfum.

Elle ne pensait plus qu'à être élégante et belle pour ces retrouvailles. Un jour, elle a entraîné Paula sur l'avenue du Mont-Royal pour lui montrer, dans la vitrine d'un magasin, la robe rouge que portait un mannequin de petite fille au visage rose et tout en joie, aux gestes et au regard gracieusement suspendus. Paula l'a traitée de pauvre folle et lui a dit qu'elle-même n'avait pas les moyens de se payer une robe de ce prix-là. Debbie est quand même retournée la voir à plusieurs reprises, seule ou avec Steve. C'était une petite robe de lainage, droite et courte, très sage, mais d'un rouge vif et gai, avec un collet et des poignets blancs. Debbie savait qu'elle serait en joie, elle aussi, comme le mannequin de petite fille, si elle portait cette robe-là. C'était de cette joie, plus que de la robe, qu'elle avait envie.

La veille de leur départ, quand le grand-père Téo est arrivé chez Paula avec un grand sac à la main et qu'il a dit à Debbie : «Si tu devines ce qu'il y a là-dedans, c'est à toi», Debbie a tout de suite répondu : «C'est ma robe rouge.» Que son désir soit ainsi réalisé lui apparaissait comme un heureux présage, un signe. Il suffisait donc de vouloir très fort quelque chose, d'y croire vraiment, pour finalement l'obtenir.

Le grand-père Téo, qui savait tout faire, a lui-même ajusté la robe, il l'a raccourcie un peu, tiré une pince dans le dos pour qu'elle tombe parfaitement. Il avait aussi acheté à Debbie des bas de cachemire blanc. Et à Steve des bottes et un imperméable marine. Et il est venu avec Ti-Moineau et Paula les reconduire à l'aéroport de Dorval. Il était seul. Heureusement pour tout le monde ! La tante Paula, qui détestait passionnément la seconde femme de son père, avait juré qu'elle lui casserait la gueule avec plaisir si jamais elle la rencontrait.

3

LA FEMME qui accompagnait Michael Burns venu chercher ses enfants à l'aéroport de Londres ne pouvait pas être la mère de Debbie et de Steve. Elle avait la taille épaisse et de longs ongles vernis, le visage rond et mou, le souffle court. Elle a pris Steve par la main. Et Steve s'est laissé faire. Pas Debbie. Jamais Debbie ne donnerait la main à cette femme; elle lui adresserait la parole le moins possible, et ne lui ferait pas le moindre sourire. D'ailleurs, elle allait bien vite prendre l'habitude de ne presque jamais parler à qui que ce soit. Sauf à son père, parce qu'elle avait peur de lui et qu'elle n'osait pas ne pas lui répondre; et à Steve, qui avait besoin d'être protégé.

Quand elle est entrée au Royal Caledonian Boarding School, une très bonne école où les Écossais de la région de Londres envoyaient leurs enfants, son père lui a rappelé qu'elle avait intérêt à bien se conduire. Et à apprendre vite et bien à parler l'anglais. Si on lui posait des questions sur ses parents, elle devait répondre que son père était officier de marine. Et que sa mère était morte dans un accident d'auto au Canada. C'était simple. Mais son père ne cessait de lui répéter qu'elle devait faire attention à ce qu'elle disait, si bien que, même si elle ne voyait pas vraiment le mal qu'elle aurait pu causer en racontant la vérité, Debbie souhaita longtemps ne pas se faire d'amie, de crainte de se laisser aller à des confidences regrettables.

Elle et Steve ont vécu longtemps très proches l'un de l'autre, comme s'ils n'avaient qu'une seule âme. À l'école, ils se voyaient tous les jours, même s'ils n'étaient pas dans la même classe et si les garçons et les filles avaient des activités séparées. Ils se cherchaient du regard dans la cour de récréation, au réfectoire, ils s'envoyaient la main, des sourires. Dès qu'ils pouvaient s'approcher l'un de l'autre, ils se parlaient en français, même les week-ends devant leur père et Gina, sa nouvelle femme. Personne autour d'eux ne pouvait comprendre ce qu'ils se disaient. Ils avaient leurs jeux, leurs secrets, leur langage. Quand ils étaient séparés, ils pensaient sans cesse l'un à l'autre. Et à leur mère.

Il arrivait encore à Debbie, à treize et à quatorze ans, de se laisser aller à imaginer qu'elle reviendrait, qu'elle était simplement en fuite, au Brésil ou à Las Vegas ou sur la Côte d'Azur, bien vivante. Parfois même, le soir, juste avant qu'elle ne sombre dans le sommeil, elle l'apercevait au pied de son lit, silencieuse, radieuse et sereine. En jeans noir serré et talons hauts, une blouse blanche à collet monté, bien empesé, les cheveux remontés en chignon, ses vrais cheveux, noirs, lustrés, épais. Parfois aussi, Debbie entrait dans sa chambre après l'école et y trouvait, très pur, le parfum de sa mère…

Dans les rues de Londres ou de Brighton ou de Plymouth, et même à Édimbourg et à Glasgow, où elle allait chaque été dans la famille de son père, elle apercevait parfois une femme belle, élégante, qui disparaissait dans la foule après lui avoir lancé un regard furtif. Perruque blonde ou rousse, lunettes noires. C'était elle, c'était sa mère. Elle ne pouvait approcher ses enfants, parce que la police l'aurait arrêtée. Elle se laissait cependant voir par Debbie, pour la rassurer, pour qu'ils sachent, elle et Steve, qu'elle veillait sur eux.

Toute sa vie en Angleterre, quand elle était au Royal Caledonian Boarding School ou plus tard au Bushey Manor School, ou qu'elle traînait dans les rues de Worthing ou qu'elle travaillait l'été dans les hôtels et les hospices pour vieillards de Brighton, Debbie continuait de jouer avec cette idée que sa mère n'était pas morte, qu'elle reviendrait un jour les chercher. Et elle souffrait parfois de ne pouvoir dire la vérité qu'elle connaissait, les deux vérités, en fait : que sa mère avait été officiellement abattue par la police et qu'elle était toujours vivante. Même si le temps passait, même si, au fond, elle savait bien que n'importe quel autre enfant du monde aurait démissionné et en aurait voulu à sa mère de prendre tant de temps à revenir, elle attendait. Sans y croire. Parce qu'il ne fallait pas.

Quand quelqu'un lui demandait de parler de sa mère, elle répondait qu'elle s'était tuée dans un accident d'auto à Montréal, qu'un gros camion conduit par un chauffeur ivre avait écrasé la petite voiture sport dans laquelle elle se trouvait. Même aux travailleuses sociales qui sont venues à la maison quand Debbie s'est mise à faire des fugues, elle ne disait que des mensonges. Steve, par contre, croyait réellement ce qu'il disait, que sa mère était morte écrasée par ce gros camion. N'ayant jamais connu la vérité, il ne pouvait mentir.

Avec le temps, Debbie s'est mise à inventer. Elle parlait de sa mère comme d'une brillante femme d'affaires qui possédait des commerces importants dans la mode, des boutiques de vêtements, des salons de coiffure... Elle gardait la vérité bien enfouie tout au fond d'elle. Elle la cachait très loin, si loin qu'elle finit par sentir qu'il n'y avait plus vraiment de danger. La vérité était désormais si bien protégée et scellée qu'elle-même n'y avait pratiquement plus accès; elle commençait en effet à croire réellement que sa mère avait été une brillante femme d'affaires et qu'elle était morte dans un accident d'auto... Ayant oublié la vérité, Debbie pouvait enfin se faire des amies.

Au Stone Pound House, une école de réforme avec barreaux où elle a été placée après avoir fugué trop souvent, Debbie s'est amusée un jour avec trois filles de sa classe à invoquer les esprits. Elles s'étaient fabriqué une tablette oui-ja, en peignant les vingt-six lettres de l'alphabet en arc de cercle sur un panneau de contreplaqué. Elles sont descendues au sous-sol du collège, dans l'atelier du concierge, où, sous la blafarde lumière qui n'entrait que par deux soupiraux grillagés, s'agitaient dans tous les coins et recoins des formes étranges, merveilleusement menaçantes...

Assises autour d'une petite table, leurs mains droites posées sur le verre renversé qu'elles ont dérobé à la cuisine, elles appellent à tour de rôle l'esprit d'un mort célèbre. Charles Dickens d'abord, qui vient de la région et dont on étudie à l'école le roman *Oliver Twist*; Charlie Chaplin, qui est né tout près, lui aussi; Jimi Hendrix et Brian

Jones, des Rolling Stones, qui sont morts il n'y a pas longtemps. Le verre se promène beaucoup. Mais de façon si désordonnée que les filles sont incapables de former des mots cohérents.

Quand vient le tour de Debbie, elle propose tout de suite d'invoquer l'esprit de sa mère. «Esprit de Monica Sparvieri, es-tu là?» Le verre ne bouge pas du tout... Debbie se dit que c'est peut-être la preuve que sa mère n'est pas morte. «Esprit de Monica, es-tu là?» Toujours rien. Mais les filles semblent subjuguées, elles gardent toutes leurs bras tendus, leurs doigts effleurant le verre toujours immobile, jusqu'à ce que brusquement, violemment, mû par une force irrépressible, il soit projeté sur le mur. Il y a une énorme détonation et un flash aveuglant. Les filles s'enfuient, effrayées.

Debbie est sortie la dernière en gardant précieusement ce bruit en tête. Et le soir, dans son lit, elle l'a ouvert bien délicatement, comme une noix, elle l'a décortiqué en prenant garde qu'aucune miette ne tombe. Elle l'a clairement compris, saisi dans sa structure, l'a décomposé. C'était un assemblage de plusieurs bruits, un choc, un fracas d'accident d'automobile, de longs crissements de pneus d'abord, puis le bruit de la tôle froissée de la voiture que conduisait sa mère contre le lourd autobus, bruit de verre brisé, bruit mat du corps de sa mère, sa poitrine contre le volant, sa tête heurtant le pare-brise. Debbie est entrée dans ce bruit tout entière. Elle a entendu, cette nuit-là, les cris des gens, les sirènes de police tout au fond... et deux détonations très rapprochées, le souffle d'un homme, des pas, et au premier plan, tout contre son oreille, tout doux, tout chaud, le dernier soupir de sa mère. Sa mère morte dans cette cacophonie.

Dans la lumière, par contre, dans ce flash aveuglant qui avait accompagné l'explosion du verre, Debbie n'a jamais réussi à distinguer quoi que ce soit. Qu'une lumière blanche, vide, déserte...

C'est alors seulement qu'elle a commencé à penser que sa mère était réellement morte. Et qu'elle a peu à peu cessé de croire qu'elle reviendrait un jour.

4

LE POLICIER qui a tué Monica Sparvieri, le 19 septembre 1967, s'appelait Boisvert; le sergent Gérard Boisvert, de la police de Montréal-Nord. Il était tout jeune encore, à peine vingt et un ans, et n'avait que quelques mois de service. Il a été profondément troublé. Pas sur le coup. Mais au cours des semaines et des mois qui ont suivi. À tout bout de champ, il revoyait, chaque fois plus lentes, plus nettes et précises, les images de la mort qu'il avait donnée à une jeune femme à peine plus âgée que lui.

Il se revoyait, boulevard Pie-IX, s'approchant de l'auto accidentée dont les portières s'étaient ouvertes au moment de l'impact. Une femme se trouvait sur la banquette avant. «Elle a bougé, votre honneur. J'ai tiré.» Il lui a fait deux trous rouges à la poitrine. Elle l'a regardé dans les yeux. Et il a vu le sang jaillir tout à coup sur sa chemise. Dès lors, il était sûr qu'elle était en train de mourir. Elle semblait essoufflée, elle regardait derrière lui, comme si elle cherchait quelqu'un ou comme si elle voulait se souvenir de tout, revoir une dernière fois le ciel qui était d'un bleu très pâle ce jour-là, et toutes ces autos arrêtées boulevard Pie-IX, l'autobus contre lequel elle avait jeté sa voiture, et les gens qui s'approchaient, silencieux, sérieux, excités, pour la regarder mourir... Elle le savait, elle aussi, il en était sûr, qu'elle était en train de mourir. Et lui, Boisvert, son revolver à la main, était resté debout devant elle, «à deux pas de l'auto, votre honneur», immobile, figé. Elle tenait dans sa main droite un 45 qu'elle a posé doucement sur la banquette, contre sa cuisse. De l'autre main, elle détache sa blouse et palpe ses seins sous le soutien-gorge, elle touche ses plaies. Et elle le regarde. Elle n'aurait qu'à tendre le bras, le viser, tirer. À deux pas de l'auto. Il mourrait. Il pense qu'il mourrait. Il est sûr qu'il mourrait, si elle se ressaisissait et tirait. Il sait fort bien qu'elle n'a pas tiré une seule fois. Il voit fort bien que son revolver est armé, et certainement chargé. Elle n'a pas eu le temps de tirer, tout occupée qu'elle était au volant de sa Plymouth lancée à fond de train dans cette course folle qui les a menés à travers les rues de Montréal-Nord. Elle le regarde longtemps, longtemps, dans les yeux, sans un mot, sans un cri, sans un pleur… Et lui, le bras toujours tendu, tenant son revolver vide braqué sur elle, essoufflé lui aussi, non pas tellement d'avoir couru, mais à cause de toutes ces émotions qu'il vit. Il essaie de compter mentalement les balles qu'il a tirées pendant cette chasse, il se dit que son revolver est probablement vide, sûrement même. Il a tiré sa dernière balle, celle qui est en train de tuer Monica, il y a une éternité déjà. Elle est entrée, brûlante, au creux de son corps…

Un autre policier était là, l'agent Gilbert Dorion, vingt-trois ans, aussi de la police de Montréal-Nord. Il a raconté au coroner : «Après que le sergent Boisvert a tiré, je me suis approché, j'ai vu la femme assise sur le siège avant de la Plymouth 67, elle nous regardait, elle saignait beaucoup à la poitrine, et avec sa main gauche elle défaisait les boutons de sa chemise. Et puis ses paupières ont battu très vite et elle est tombée à la renverse. Tout le haut de son corps a glissé en dehors de l'auto par la portière du côté du chauffeur qui s'était ouverte au moment de l'accident. Et le sang a continué de couler. J'ai fait le tour de l'auto, je me suis approché d'elle, elle avait les yeux ouverts, je l'ai vue lâcher son dernier soupir, votre honneur.»

* * *

«Ma nièce est morte parce qu'elle en savait trop», a dit la tante Hélène qui, après la mort de Margot Turner et jusqu'au début de l'été 1967, jusqu'à trois mois avant sa mort, en fait, a été la plus proche amie de Monica. Celle-ci l'a beaucoup aidée. Elle l'a convaincue d'arrêter de boire et l'a souvent accompagnée chez les AA. Et elle lui donnait de l'argent quand elle était dans le besoin, comme elle en donnait à plusieurs femmes qui étaient seules avec des enfants. De l'argent et des vêtements, des jouets aussi. «Elle tenait ça de son père. Elle donnait beaucoup. Pour qu'on l'aime, je crois.»

Hélène est persuadée que Monica a été trahie. Par qui? Pourquoi? Elle ne le sait pas vraiment. Mais elle dit qu'il n'y a qu'à regarder les circonstances de sa mort pour voir que quelque chose d'étrange s'est produit. La police l'attendait, elle et ses amis, les frères Simard, avec qui elle venait de braquer la Caisse populaire Saint-Vital. Pas tout de suite quand ils sont sortis de la banque, mais trois minutes plus tard, quand ils sont arrivés à la voiture de rechange qu'ils devaient utiliser pour leur fuite. Les policiers se trouvaient déjà là et les attendaient.

«Ça ne pouvait pas être un hasard, répète la tante Hélène. Ils avaient été avertis. Quand elle les a aperçus, ma nièce s'est sauvée, parce qu'elle savait qu'elle était perdue, qu'ils la descendraient, de toute façon, elle et ses amis, les frères Simard, qui étaient recherchés eux aussi et qui étaient beaucoup plus dangereux qu'elle.

«Quand les policiers sont arrivés près d'elle, après l'accident, elle était déjà très blessée, mourante peut-être. Le coroner et le médecin légiste l'ont dit : elle avait une fracture du crâne et le foie perforé. Ils l'ont achevée. Ils l'ont tirée en plein cœur parce que des gens haut placés en avaient donné l'ordre. C'est pour ça qu'ils l'ont exécutée, parce qu'elle en savait trop. Ils avaient leurs raisons. Ils avaient des ordres. Quelles raisons? Les ordres de qui? Je ne saurais le dire. Mais je sais qu'une voleuse ordinaire, la police ne l'aurait jamais abattue.»

* * *

«Moi, je ne veux pas chercher à comprendre ce qui s'est passé, a dit Memére Lafontaine. Tout le monde a ses secrets, sa face cachée, des péchés à se faire pardonner; chacun a son jour, et chacun a sa nuit. Mais moi, je sais une chose : je n'ai jamais vu ma petite-fille faire de mal à qui que ce soit. Et dans le monde entier je suis la personne qui l'a le plus vue. Je l'ai vue naître, je l'ai presque élevée, et même quand elle a été mariée, elle a continué à venir me voir régulièrement. Chaque fois, elle m'apportait quelque chose, du chocolat, des oranges, des fleurs. Chaque fois, elle me demandait si je voulais de l'argent. Et si j'étais le moindrement dans le besoin, elle m'en donnait. Ou elle m'emmenait au magasin, elle m'achetait des robes, un manteau, des souliers. Un jour, pas longtemps avant sa mort, elle m'est arrivée avec une télé flambant neuve. Le toasteur que j'ai me vient d'elle, le gros cendrier en verre soufflé et le centre de table en dentelle qu'il y a dessous, plein de choses me viennent d'elle… Et je ne suis pas la seule qu'elle a couverte de cadeaux. La veille de sa mort, elle est venue me voir avec son ami Gérald, qui était très beau et très gentil. Mais moi, j'ai toujours trouvé qu'il était triste, même s'il riait tout le temps. C'était un air qu'il se donnait.»

* * *

Réjeanne Bureau est l'une des femmes que Monica a aidées. Elles avaient été voisines pendant tout un hiver, rue Beaudry, à l'époque où Monica tirait le diable par la queue. Son frère et son mari étaient en prison; elle avait deux enfants en bas âge, Debbie, quatre ans, et Steve, deux ans; et personne pour la soutenir, pas d'argent, elle manquait de tout. Réjeanne aussi. Même d'huile à chauffage. Pendant trois semaines, dans le plus froid de l'hiver 63, Monica et ses enfants sont allés vivre chez Réjeanne. Ils étaient six (Réjeanne avait aussi deux enfants, des garçons de quatre et trois ans) dans un logement minuscule. Elles ne sortaient jamais. Elles refaisaient de vieux puzzles. Elles jouaient aux cartes et regardaient la télé. Elles tricotaient des foulards et des chandails de laine ou elles roulaient des paquets de cigarettes pour se faire un peu d'argent…

Quand Monica est sortie de cette misère, elle a continué de voir Réjeanne, jusqu'à ce que ce ne soit plus possible. Et après, quand elle était recherchée par la police, elle lui faisait parvenir de l'argent ou des sacs d'épicerie, des vêtements. Réjeanne, elle, ne s'est jamais sortie de la misère. Elle s'est quelquefois trouvé des hommes, mais ils étaient tous fauchés et ils profitaient d'elle quand elle avait un peu d'argent. Elle était timide et naïve, elle avait peur de tout et se laissait faire par tout le monde. Elle admirait Monica qui, elle, ne se laissait jamais marcher sur les pieds.

«Je savais qu'elle aimait vivre dangereusement, dit Réjeanne Bureau. La dernière fois que je l'ai vue, elle m'a dit qu'elle croyait qu'elle ne s'en sortirait pas. Que si ce n'était pas la police qui la descendait, ce seraient des gars du milieu ou des hauts placés qui avaient peur qu'elle parle. Elle savait plein de choses sur eux. Au début, j'ai cru qu'elle disait tout ça pour se vanter, pour me faire peur. Elle m'a fait croire qu'elle se tenait sur la *Main*, le boulevard Saint-Laurent, et je pensais qu'elle frayait probablement dans la haute société, à Westmount ou à Outremont. C'était possible. Elle était assez belle pour ça. Et elle parlait anglais, parce qu'elle avait marié un marin écossais. Je n'aurais jamais pensé qu'elle pouvait participer à des vols à main armée, encore moins en organiser. J'ai été la première surprise quand elle est morte et qu'on a su qu'elle était la fille que la police avait recherchée pendant tout l'été. Elle a vécu dangereusement. Mais je suis sûre d'une chose : elle n'a jamais fait de mal ni de tort à personne.»

* * *

Un jour, la tante Hélène a découvert chez Monica une véritable collection de déshabillés. Cinq ou six *baby-dolls* : un bleu, un rose, un noir… «J'avais encore un beau corps dans ce temps-là, raconte-t-elle. Et j'ai demandé à ma nièce de m'en donner un, le noir. À mon grand étonnement, elle a refusé, elle qui donnait toujours tout. Elle m'a dit qu'elle en avait besoin pour travailler. Elle avait des clients dans la haute, des gros bonnets, des juges, des ministres, même des curés, je crois. Quand ils l'appelaient, elle partait avec un *baby-doll* sous son manteau de fourrure, un soutien-gorge pigeonnant, jambes nues dans ses bottes aux genoux. Les hommes devenaient fous en la voyant, parce qu'elle était bien bâtie et que même en hiver elle avait une belle peau satinée et bronzée. Elle aimait faire ça, parce qu'ils la payaient bien, mais surtout parce qu'elle avait un pouvoir sur eux. Ma nièce a toujours été intéressée par le pouvoir. Mais des jours, ça lui faisait peur. Elle se disait qu'ils devaient craindre, eux, que si jamais elle se faisait arrêter, elle se mette à parler. Et ce qu'elle aurait raconté n'aurait pas été beau à entendre. Il y a beaucoup de pervers parmi les gens de la haute.»

Hélène dit aussi que sa nièce était une véritable aventurière, qu'elle essayait tout, risquait tout, qu'elle aurait même couché avec des femmes. Pour de l'argent, bien sûr. Mais surtout pour aller au bout de quelque chose, à la limite. Pour changer de vie. Changer la vie. Trouver la mort.

* * *

«C'est vrai. Ma sœur cherchait partout sa mort, pense Mario Sparvieri. Même quand on était petits, elle en parlait souvent. Et elle aimait aller voir les morts. Je me souviens, quand notre grand-père Lafontaine est décédé, puis maman et nos petits frères, elle passait son temps à les regarder dans leur cercueil… Même les voisins qui mouraient dans le quartier, elle allait les voir au salon funéraire. Et elle leur parlait. Elle aimait la mort. Si ce n'était pas arrivé cette fois-là, à Montréal-Nord, ça ne pouvait pas tarder. Elle voulait mourir.

«Mais elle ne s'est jamais prostituée. Sauf peut-être quand elle avait quatorze ou quinze ans et qu'elle a pu être amoureuse d'un proxénète. Mais même là, je ne suis sûr de rien. Et si elle l'a fait, ce n'était pas vraiment de la prostitution professionnelle. C'était de l'amour, simplement. Si elle avait vraiment donné dans la prostitution, je le saurais et je le dirais, parce que je trouve qu'il n'y a rien de honteux là-dedans. C'est un métier comme un autre. Si elle a raconté des histoires de prostitution à ma tante Hélène, qui est naïve à pleurer, c'était pour faire diversion, pour couvrir ses activités de voleuse de banque et expliquer pourquoi elle avait beaucoup d'argent. Parce que cet été-là, l'été de sa mort et de l'Expo, elle en a dépensé comme jamais. Probablement au-dessus de cent mille dollars. Ce qui ferait peut-être pas loin d'un million aujourd'hui. Elle donnait à tout le monde. Pour le plaisir de donner, pour rendre service, mais aussi, d'après moi, pour montrer qu'elle était riche, et pour se faire aimer… Notre père était comme ça. Il volait et il mentait à tout le monde, mais il aimait donner. Quand tu donnes, on te respecte, on t'aime.»

Téo, le père de Monica et de Mario, travaillait dans son jardin, à Mont-Tremblant, quand sa seconde femme est venue lui dire que sa fille aînée venait d'être abattue par la police. Il n'a pas pleuré. Téo ne pleurait jamais que de joie. Quand il avait de la peine, il se taisait.

Michael Burns, le mari de Monica, le père de Debbie et du petit Steve, était alors incarcéré à Parthenais, parce qu'il était rentré au Canada illégalement et y avait fait encore quelques mauvais coups. Il avait été condamné pour avoir enfreint la loi sur l'immigration. Depuis sa cellule du douzième étage, il pouvait voir la maison où habitait autrefois Memère Lafontaine et où il avait fait l'amour avec Monica dix ans plus tôt, presque jour pour jour.

Gaston Lussier, de qui elle avait eu Ti-Nou, qui avait un peu plus d'un an, s'était fait arrêter six mois auparavant pour avoir participé à un vol dont on avait beaucoup parlé dans les journaux, non seulement au Québec mais même en Europe et aux États-Unis, le vol du siècle, qui avait rapporté à ses auteurs une fortune et une grande considération parmi les criminels, un vol propre, spectaculaire, un chef-d'œuvre inoubliable, avait-on dit dans le milieu… jusqu'à ce que les gars se fassent prendre. Quant à Gérald Simard, son dernier amant, qui venait de passer presque dix ans en prison, il se trouvait avec elle et avec son frère Bob le jour où elle a été descendue. Sauf que lui, les policiers ne l'ont pas tué. Pas ce jour-là.

* * *

Le lendemain de la mort de Monica, Paula est allée identifier le corps de sa sœur à la morgue, la vieille morgue de Montréal, rue Notre-Dame, devant l'ancien Palais de Justice, tout près de la prison Craig où se trouvait son frère Mario. Un homme en sarrau blanc est descendu avec elle dans les caves aux murs de métal froid, nu, gris. Monica était couchée dans un tiroir coulissant sous un grand drap gris. L'homme ne disait pas un mot.

«Je pense qu'il avait peur de moi, raconta Paula. Il a fait glisser le tiroir. Il a soulevé le drap juste un peu pour que je voie la tête de ma sœur. Et il s'est éloigné de quelques pas. Elle avait les cheveux très courts. C'était mon amie Banane qui lui avait coupé les cheveux, parce qu'elle était recherchée par la police et qu'elle portait souvent des perruques et que l'été une perruque sur des cheveux longs, c'est insupportable. Elle avait aussi un gros bleu sur le front, juste au-dessus de l'œil gauche, qui était mal fermé. Et elle était toute jaune. Plus tard, un docteur m'a expliqué qu'elle devait avoir la jaunisse, parce que dans l'accident elle avait eu une rupture du foie. Elle avait été écrasée contre son volant.

«J'ai écarté le drap. Et ce que j'ai vu m'a tuée. Elle avait une grosse entaille qui allait du cou jusqu'en bas du nombril. Ils l'avaient ouverte, puis ils l'avaient recousue sommairement, avec du gros fil noir. J'ai craqué. J'ai engueulé l'homme au sarrau, je l'ai frappé, parce qu'ils avaient ouvert ma sœur en deux comme ils font avec les animaux de boucherie pour les vider. Ils avaient vidé ma sœur. Puis j'ai pleuré. Et, je me souviens, je me disais que si au moins j'avais pu avoir sa peau au lieu de la mienne qui est toute ratatinée et fripée, ma vieille peau qui fait peur au monde. Parce que ma sœur Monica, c'est vrai qu'elle avait de beaux cheveux, de beaux yeux, de beaux seins fermes et gros, de belles jambes bien fuselées, c'est vrai qu'elle était très belle, mais ce qu'elle avait de plus extraordinaire, c'était sa peau, satinée, parfaite, et sans aucune marque, parce qu'elle n'avait jamais eu un seul bouton, et qu'elle ne s'était jamais fait nulle part de blessure qui laisse des marques, à part sa cicatrice au poignet... La seule chose : ses ongles, qui n'étaient vraiment pas forts et qu'elle se rongeait au sang. Ça, c'est une chose que je n'ai jamais comprise : comment elle, si fière et si soignée, n'était pas arrivée à se guérir de cette manie-là.»

* * *

Le 29 septembre 1967, dix jours après la mort de Monica, le coroner Laurin Lapointe a entendu les policiers, le directeur de la Caisse populaire Saint-Vital, Roméo Préfontaine, Albert Tremblay, et tous les policiers qui avaient participé à l'opération.

Le docteur Ilona Kerner, qui avait examiné le corps de Monica, est venu présenter son rapport. Il y avait six blessures. D'abord, deux plaies d'entrée de balles et deux de sortie. Un bleu au front, du côté gauche. La peau est déchirée. Et il y a une petite rupture du foie. En fait, une déchirure superficielle et sans gravité de la substance même du foie, qui a causé une petite hémorragie dans la cavité abdominale.

Une balle a causé des blessures très mineures en traversant le sein droit sans entrer dans le thorax.

Une autre balle, la balle mortelle, a pénétré dans le thorax à gauche en avant et est ressortie du corps dans le dos à droite, après avoir traversé les deux poumons et sectionné l'aorte, le plus grand vaisseau qui sort du cœur du côté gauche. L'hémorragie qui a suivi cette dernière blessure a été la cause directe et très rapide de la mort.

Le jour même, le coroner a conclu à une mort violente sans responsabilité criminelle.

* * *

«J'ai peut-être tiré un peu vite, avouera l'agent Boisvert. Et depuis, je me suis souvent demandé si j'aurais pu faire autrement. Me cacher derrière ma voiture et attendre un peu. Mais mettez-vous à ma place. Dans le feu de l'action. Et rappelez-vous que le gars qui était avec elle dans la Plymouth, Gérald Simard, avait tiré sur moi au moins une demi-douzaine de fois avec un fusil de calibre 12 à canon scié. J'avais peur. Et tout s'est passé trop vite. De Prieur à Dickens sur le boulevard Pie-IX, ce n'est quand même pas si long ; deux, trois kilomètres peut-être. Et on a roulé par moments à plus de cent trente à l'heure, en pleine ville, avec la circulation, les piétons, les autobus. Quand je me suis approché de l'auto, je l'ai aperçue sur le siège avant. Elle a bougé, votre honneur. J'ai tiré.»

5

QUAND Memére Lafontaine a compris qu'elle allait bientôt mourir, elle a demandé à voir Debbie, qui est venue de Londres, grande et fraîche jeune fille de quinze ans. Le jour de son arrivée, Memére ne lui a pas beaucoup parlé. Elle s'est presque tout de suite endormie en gardant la main de son arrière-petite-fille dans la sienne. Et Debbie est restée un long moment debout auprès d'elle. À se souvenir du temps où elle était petite, et de ce lointain été, quand elle avait quatre ou cinq ans, la première fois que sa mère l'avait abandonnée et qu'elle était allée vivre chez Memére, rue Parthenais, alors qu'elle ne comprenait déjà plus la vie, qui lui semblait trop grande, et qu'elle avait peur de s'y perdre.

Sa mère était partie très loin voir son père, cet homme étrange et sombre qu'elle connaissait si peu mais dont on lui parlait souvent, qui allait, qui venait, qui était parfois tendre, parfois dur et froid. Debbie avait peur qu'ils se disputent là-bas où ils se retrouveraient, de l'autre côté de l'océan, comme disait Memére. Ou qu'ils les oublient, elle et Steve, et qu'ils ne reviennent jamais, ni l'un ni l'autre. Et elle demandait à Memére pourquoi sa mère était partie là-bas toute seule. Et pourquoi son frère n'était plus là.

Pourtant, Memére était douce et bonne. Elle racontait toujours plein d'histoires. Toutes les histoires que Debbie connaît lui viennent d'elle. *Le Petit Chaperon rouge, Le Petit Poucet, Hansel et Gretel, Cendrillon, Blanche-Neige, Les Trois Petits Cochons, Les Trois Petits Minous*. Parfois, pour rire, Memére changeait certains éléments de l'histoire, elle faisait le petit chaperon vert, jaune ou bleu, à carreaux ou rayé ou même transparent. Et Cendrillon était une souillonne bête et méchante ; ses sœurs, les deux pimbêches, devenaient de belles et gentilles jeunes filles. Et Blanche-Neige était Noire-Suie.

Debbie feignait d'être fâchée de ces changements que Memére apportait au récit. Elle aurait voulu que Memére reprenne toujours les mêmes mots très exactement. Que l'histoire du petit chaperon rouge commence toujours de la même manière : « Il était une fois, dans la grande forêt de Nulle Part… » Et plus loin, il y aurait cet épisode fantastique : le petit chaperon rouge marche dans la forêt, tout va bien, le soleil est haut et chaud. Et alors, prenant une voix sourde, lente, frémissante, Memére dirait : « Quand soudain… une ombre bouge… » Puis elle ferait un silence, en roulant de gros yeux affolés. Debbie frissonnerait. Memére ajouterait brusquement : « C'est le loup. » Alors Debbie se blottirait dans ses bras et Memére la serrerait très fort. Et elles riraient toutes les deux.

Memére Lafontaine portait toujours des robes à pois, une bleue à pois marron clair, une noire à pois blancs, une bourgogne à pois gris perle. Elle sentait le foin séché. Elle portait une perruque, parce qu'elle n'avait pas de cheveux ; elle n'en avait jamais eu, ni cheveux, ni sourcils, ni ongles, comme plusieurs de ses frères et de ses sœurs et tous ses enfants, sauf Marie-Ange, qui était la grand-mère de Debbie. Elle parlait beaucoup, d'une voix très douce, feutrée. Et souvent de Monica, sa petite-fille, la mère de Debbie, qu'elle avait presque élevée, comme tous les enfants de sa fille Marie-Ange, Mario, Paula, les jumelles, qui étaient tous nés ici, dans cette maison de la rue Parthenais. Et les tout-petits aussi, morts avec leur mère dans un grand feu qui n'était pas celui de l'enfer.

Il faisait beau et chaud. Memére avait posé un oreiller sur le rebord de la fenêtre et passait des heures, ainsi accoudée, à regarder le gros chantier de construction juste devant chez elle et les gens qui passaient dans la rue, qui entraient dans les maisons, en sortaient. Parfois Debbie descendait jouer sur le trottoir, elle dessinait une marelle à la craie et s'amusait un moment toute seule. En face, on avait démoli plusieurs pâtés de maisons, la prison des femmes et la maison Sainte-Hélène, que tenaient autrefois les sœurs du Bon-Pasteur et où elles accueillaient des enfants abandonnés. À la place, on allait construire une immense prison de quinze ou vingt étages.

Les ouvriers, pendant leurs pauses, regardaient Debbie et lui souriaient. Debbie n'avait pas le droit de traverser la rue, parce qu'il y avait tous ces hommes et leurs machines qui étaient très dangereuses, mais souvent elle marchait jusqu'au coin, jusqu'à la rue Logan. Parfois aussi Memére l'emmenait rue De Montigny et rue Sainte-Catherine, où on voyait, très haut, du côté de la ville, la gigantesque structure de béton et d'acier du pont Jacques-Cartier, métal hurlant et frémissant… Steve était encore tout petit, mais quand il venait chez Memére, c'était cette énorme et bruyante chose de fer qui le fascinait et l'effrayait, vers laquelle il voulait toujours aller. Un jour, ils s'étaient rendus sous le pont, seuls, lui et Debbie, entre les piliers gigantesques qui semblaient sans cesse basculer contre le ciel avec une lenteur infinie, dans un vacarme assourdissant. Ils s'étaient mis à pleurer. Un vieil homme les avait ramenés à la maison et il s'était disputé avec Memére parce qu'elle avait laissé les enfants sans surveillance.

Debbie y était quand même retournée, seule parfois. Pour regarder, pour avoir peur. Même la couleur du pont, ce vert poussière et mat, l'effrayait. Et le grondement, le hurlement dément du métal. Elle rentrait en courant chez Memére et demandait : «Où est maman? Où est Steve? Qu'est-ce qui se passe?» Il y avait tant de choses cachées dans le monde.

Chez Memére Lafontaine, Debbie pouvait veiller tant qu'elle voulait. Elle dormait quand elle avait sommeil; elle mangeait quand elle avait faim. Memére Lafontaine ne mangeait jamais beaucoup et ne dormait jamais. Parfois Debbie se réveillait au milieu de la nuit et restait allongée sur le divan. Memére regardait la télé ou lisait le journal ou parlait à voix basse avec la tante Hélène, qui buvait de la bière à même la bouteille. Ou elle se lavait à l'évier de la cuisine; Debbie voyait son crâne nu, tout lisse…

La fenêtre qui donnait sur la rue était toujours grande ouverte, parce qu'il faisait très chaud. On voyait la lune toute ronde au-dessus de l'immense chantier de construction. Et de l'autre côté, les masses grises du couvent et de l'église Saint-Vincent-de-Paul. Memére disait que la lune était plate comme une pièce de dix cents et qu'on en voyait toujours le même côté, le côté face. L'autre, le côté pile, jamais personne ne l'avait vu depuis que le monde est monde et jamais personne ne le verrait. «C'est comme dans la vie, disait Memére. La moitié des choses sont cachées. La moitié des choses et du monde, on n'y comprendra jamais rien. Et ça ne vaut même pas la peine d'essayer.»

Souvent Memére parlait de l'âme des gens, qu'elle décrivait comme une petite chose que chacun porte en soi et qu'elle voyait certains jours comme une jolie petite fleur, d'autres jours comme un animal noir, velu, avec des antennes, des pinces et des dards empoisonnés. Et elle parlait des mystères, qui sont des choses qu'on ne peut pas comprendre, qu'on n'a même pas le droit de chercher à comprendre…

Elle avait raconté cette histoire à Debbie : «Il y avait une fois un petit garçon qui voulait comprendre les mystères. Mais il n'y arrivait pas et il était triste. Un jour, il va jouer au bord de la mer. Il creuse un trou dans le sable et avec un coquillage y verse de l'eau de la mer. Arrive un ange, l'archange Gabriel, qui le regarde faire un moment et lui demande : "Penses-tu vraiment pouvoir mettre toute l'eau de la mer dans le trou que tu as creusé? – Bien sûr que non, répond le petit garçon. – C'est la même chose avec les mystères, lui dit l'archange. Tu n'arriveras jamais à les comprendre, pas plus que le trou que tu as creusé dans le sable ne peut contenir toute l'eau de la mer. Ton cerveau est trop petit."»

Memére avait raconté aussi l'histoire de la colombe Éternité. Il y avait une boule de fer grosse comme la Terre. Tous les mille ans, la colombe Éternité, qui est un oiseau tout blanc, parfaitement blanc, sans une tache, venait frôler cette boule du bout de son aile. «À chaque frôlement, l'aile use un peu la boule de fer, presque rien. Le jour où elle l'aura complètement usé, dans des millions de millions de millions d'années…» Et ici, immanquablement, Memére faisait une pause, levait le bras, pointait le doigt vers le ciel, ouvrait tout grands les yeux et disait, en détachant bien les mots : «… ce jour-là, mon bébé, l'éternité ne fera que commencer.»

Plusieurs fois, parmi les pigeons qui nichaient sous le pont Jacques-Cartier, Debbie avait cru apercevoir la colombe Éternité qui volait parmi tous les autres. Mais ou bien elle la perdait de vue, ou

bien elle se rendait compte qu'elle n'était pas tout à fait blanche…
Et elle continuait de la chercher. Comme elle cherchait tous les soirs
le petit bonhomme qui scie du bois dans la lune et qu'il n'est pas
donné à tout le monde de voir.

Une infirmière est venue réveiller Memére pour lui faire prendre des pilules qu'elle a refusé d'avaler. La vieille femme semblait
tout à coup lucide et alerte. Et Debbie a senti un peu de chaleur dans
sa main. Comme si elle avait lu dans les pensées de Debbie, Memére
lui a demandé si elle cherchait encore le petit bonhomme qui scie
du bois dans la lune. Debbie n'a pas répondu. Elle a seulement demandé où se trouvait sa mère cet été-là qu'elle avait passé chez
Memére. C'est ainsi qu'elle a su que son père avait été arrêté et expulsé, en 1963, quand elle avait quatre ans.

«Ils l'ont renvoyé dans son pays, a dit Memére. Et je t'ai
gardée, mon bébé, pendant que ta mère est allée le voir en Angleterre. Et Paula a gardé ton frère Steve.»

Quelques jours plus tard, Memére lui faisait remettre par la
tante Hélène une grande enveloppe cartonnée contenant des photos
et des lettres, le passeport de sa mère, des coupures de journaux racontant ses vols et sa mort, un crucifix, des boucles d'oreille en
forme de roses, une bague en or ornée d'une petite perle. Et une
boîte à chapeau contenant cinq perruques et une tresse postiche.
Debbie a regardé tout cela très rapidement et a refermé l'enveloppe
et la boîte. Elle avait quinze ans et voulait vivre sa vie. Elle n'avait
plus envie de se remettre à penser à sa mère comme autrefois.

6

MEMÉRE a mis près de deux mois à mourir. Quand Debbie a compris que son père craignait, si elle ne rentrait pas en Angleterre, qu'elle rate son année scolaire, elle a décidé de rester ici jusqu'à la fin, malgré le grand désir qu'elle avait de revoir Steve. Elle aurait échoué de toute façon. Et elle préférait que son père attribue son échec à son absence plutôt qu'à son ignorance et à sa paresse, à son dégoût profond de l'étude. Elle avait toujours détesté mentir, sauf à son père, qu'elle prenait plaisir à tromper, à leurrer, même si elle avait toujours aussi peur de lui...

Elle s'est installée chez Ti-Moineau, où elle partage la chambre de sa cousine Lynda qui a son âge à quelques jours près, qui aime l'école, qui est sage comme une image, qui continue de voir sa mère Paula, de l'aimer, de l'aider, de la défendre, même si Paula, depuis qu'elle est séparée de Ti-Moineau, sombre de plus en plus souvent, de plus en plus profondément, dans l'alcool et la drogue.

Ti-Moineau a repris son atelier de débosselage, il s'est trouvé une autre compagne, il a obtenu la garde des enfants, il a recommencé sa vie... Mais, comme dit Mario, Ti-Moineau n'a jamais été un vrai voleur. Il faisait ça pour le sport, pour le plaisir. Jamais par besoin. C'était un voyou de bonne famille. Ces gars-là finissent toujours par s'en sortir, parce qu'il n'y a pas de justice en ce monde, pas plus que dans la nature. Mario croit que la justice est un mensonge inventé par les gros riches pour se justifier. Selon lui, les vrais malfaiteurs ne peuvent pas et au fond ne veulent pas s'en sortir. Il n'y a que dans la misère et les embarras qu'ils se sentent réellement chez eux. S'ils s'en sortent, ils seront des étrangers dans un monde étrange qu'ils ne connaissent pas et où tôt ou tard ils se feront écraser par les autres. Ou par l'ennui.

Tous les jours, Debbie va voir Memére, chez qui elle retrouve Hélène et parfois l'oncle Julien, qui ne parle jamais à personne, sauf à sa mère qui ne l'écoute pas la moitié du temps ou qui le fait taire, parce qu'il veut toujours revenir sur les malheurs de la famille Lafontaine et qu'il cherche à comprendre ce qui a bien pu se passer pour que tout tourne si mal.

«Arrête de rouvrir tes plaies, Julien. Tu m'épuises.» Julien se ferme la trappe. Et Memére demande à Hélène de lui raconter un film ou un téléroman.

Debbie a compris que l'oncle Julien déteste les Sparvieri, surtout le grand-père Téo, qu'il semble tenir responsables de la mort tragique de sa sœur Marie-Ange et de la disparition inexpliquée de son frère Laurent. Debbie est contente que Memére le fasse taire. Elle n'a pas envie de savoir ce qui s'est passé, pas envie de se pencher sur ce grand trou noir qu'est le passé de sa famille.

Pourtant, plein de gens lui parlent de sa mère, qui fait l'objet d'une véritable obsession tant chez les Sparvieri que chez les Lafontaine. On la honnit, on la vénère, on lui prête des faits et gestes constituant une formidable légende. Le grand-père Téo, tous les oncles et les tantes et même Memére Lafontaine, tous veulent raconter à Debbie comment sa mère a vécu, comment elle est morte. Mario dit que si sa sœur avait réussi tous les coups qu'on lui attribue dans la famille, elle aurait été plusieurs fois millionnaire.

Debbie écoute avec plus ou moins d'intérêt ce qu'on lui raconte. Elle sait trop bien que plus on lui parlera de sa mère, plus celle-ci lui manquera. Elle aimerait pouvoir l'oublier tout à fait. Non plus comme autrefois pour qu'elle puisse lui revenir un jour, mais pour vivre en paix comme tout le monde, sans ce vide immense autour d'elle.

Or, tout lui parle de sa mère, les gens et les lieux, tous ces objets, ces bibelots qui se trouvent dans la maison de Memére. Et avec Mario ou chez Paula et Ti-Moineau, elle ne peut éviter ces hommes qui ont autrefois travaillé avec sa mère, qui ont braqué des banques sous ses ordres et l'ont vue à l'œuvre. Ils ne peuvent s'empêcher, lorsqu'ils voient Debbie, d'évoquer des souvenirs… mais ils ne vont jamais jusqu'au bout. Souvent même ils s'interrompent brusquement au beau milieu de leur récit, ils regardent par terre, rient timidement, se taisent…

Les anciens bandits n'aiment pas parler de leur passé et des coups qu'ils ont faits, qu'ils les aient réussis ou pas. Comme on n'aime pas parler de ses anciennes amours qui ont mal tourné ou qui sont finies tout simplement. Non pas qu'ils craignent quoi que ce soit, mais ils ont réellement oublié, comme les amoureux ont oublié ce qui autrefois les unissait, la passion, l'amour, le plaisir. Ils ont la tête ailleurs. Quelques-uns songent même à se ranger. Ils ont payé, ils ont fait leur temps, c'est fini. Ils n'ont rien à dire. D'autres, comme Mario, sont toujours actifs. Ça se voit, ça se sent, à leur manière d'être, de parler, de regarder autour d'eux, de s'habiller. Et ça enrage le vieil Alfonso, le grand-oncle de Debbie, qui déteste le crime et les criminels. Mais il se sent obligé de parler à Mario, parce que celui-ci est son filleul et le seul fils resté vivant de son frère Téo.

Il est venu le voir un soir où Debbie se trouvait chez lui. Il l'a longuement regardée sans dire un mot. Puis il lui a carrément tourné le dos et s'est mis à parler à son neveu. Comme si elle n'était pas là. Quand Mario lui a dit : «Tu pourrais parler à ma nièce, mon oncle», il a répondu, toujours sans la regarder : «Je n'ai rien à lui dire, à ta nièce. J'espère seulement qu'elle prie pour que le démon qu'il y avait dans sa mère ne soit pas en train de la posséder elle aussi. C'est à cet âge-là que ça commence. Tu es bien placé pour le savoir.» Mario a ri. Et après que son oncle fut parti, sans avoir salué Debbie, il lui a dit qu'Alfonso était un vieux fou, qu'il ne fallait pas lui en vouloir, qu'on ne le changerait pas.

Debbie a voulu revoir Ti-Nou, son demi-frère qu'élevaient les parents de Gaston Lussier avec qui sa mère avait vécu les deux dernières années de sa vie. Gaston ne voit plus personne, pas même Mario ni Ti-Moineau, dont il a été autrefois si proche. Il n'y a plus de femme dans sa vie. Debbie croit qu'il n'en a pas eu depuis sa mère. Les gars qui passent trop de temps en prison n'arrivent plus à s'entendre avec les femmes. Ils ne savent plus comment leur parler; ils ne peuvent plus les supporter. Gaston fait du taxi dans l'est de

Montréal. Il a obtenu son pardon du procureur général. Il veut tout oublier. Et qu'on l'oublie. Il a fait son temps, il a payé, il considère qu'il ne doit plus rien à personne. Et qu'il a droit à la paix. Même ses anciens compagnons, il ne veut plus les voir. «Faut pas lui en vouloir, dit Mario. Il va mal. La prison l'a rendu sauvage.»

Debbie a cependant vu Ti-Nou, par curiosité, pour voir si elle retrouverait sur le visage et dans le regard ou sur la peau de ce petit garçon de sept ans, comme chez son frère Steve, quelque chose qui pourrait lui rappeler sa mère. Mais il lui a semblé que Ti-Nou avait tout de Gaston : le teint pâle, le cheveu fin, l'œil bleu, fuyant, triste déjà…

* * *

Debbie a porté les boucles d'oreille en forme de roses aux funérailles de Memére. Elle n'a pu se résoudre cependant à se passer la bague au doigt. Elle la conservera dans un petit étui de cuir, toujours au fond de la poche gauche de son jeans.

Deux jours après l'enterrement, tous les journaux annonçaient en gros titre la mort de Richard Blass, dit le Chat. En pleine nuit, pendant qu'il dormait, sans lui laisser la moindre chance de s'en sortir, les policiers se sont approchés en silence, ils ont cerné le petit chalet de Val-Morin où Blass s'était réfugié avec sa compagne, ils ont défoncé portes et fenêtres de tous bords, tous côtés, ils ont braqué dans la chambre à coucher leurs grosses lampes aveuglantes, leurs carabines. Blass est mort criblé de balles, les armes à la main. «Bon débarras!», disait la radio.

Debbie a vu son oncle Mario pleurer à chaudes larmes, comme si Blass était un proche parent. En fait, il avait été autrefois l'ami de cœur de Monica. Il lui avait déjà sauvé la vie, et celles de Debbie et de Steve, quand Michael Burns, Mario et Ti-Moineau et tous ceux qui auraient pu protéger Monica et ses enfants étaient en prison. Debbie a vu les photos dans les journaux, le cadavre de l'ami de cœur de sa mère criblé de balles, de l'homme qui lui avait autrefois sauvé la vie. «Je te raconterai ça un jour», lui a dit Mario.

Debbie a finalement compris, au cours de cet hiver à Montréal, qu'elle n'échapperait pas à sa mère, à ce vide, à ce gouffre terrifiant.

Sa mère ne reviendrait jamais en chair et en os, mais elle resterait toujours présente dans sa vie, où qu'elle aille. Vertigineusement, amoureusement présente.

7

DEBBIE n'est rentrée en Angleterre qu'au printemps, beaucoup trop tard pour rattraper à l'école le temps perdu. Elle n'avait rien à faire, le temps était doux et mouillé. Elle passait ses après-midi et ses soirées dans les pubs de Worthing à boire du café, à fumer, à écouter de la musique, souvent seule.

Bientôt son père s'est mis à lui faire des scènes parce qu'elle rentrait au milieu de la nuit, parce qu'elle dormait jusqu'à midi, qu'elle s'entêtait à parler français avec Steve, qu'elle n'aidait jamais Gina à mettre la table, à tenir maison, à faire la lessive, qu'elle écoutait trop souvent et trop fort *Exile on Main Street* des Rolling Stones et *Changes* de David Bowie sur le petit tourne-disque de sa chambre.

Certains soirs, Michael Burns éclatait sans raison, alors qu'elle ne s'y attendait pas, qu'elle ne faisait rien du tout. Elle se tenait debout simplement, une main sur la hanche, l'autre bras ballant contre sa cuisse ou le coude appuyé sur le comptoir de la cuisine, une jambe légèrement repliée. Ou encore elle se croisait les jambes et balançait négligemment son soulier qui ne tenait plus que par le bout de son pied. Devant la télé, elle s'assoyait sur ses mains ou repliait ses jambes sous elle. Son père la regardait et tout d'un coup il éclatait. Il lui criait de ne pas se tenir de cette façon, qu'elle le faisait exprès : « *You fuckin' bitch.* »

Gina prétendait alors que, pour narguer son père, Debbie cherchait à imiter sa mère et qu'elle s'ingéniait à prendre ses mimiques et ses gestes, qu'elle se tenait comme sa mère, se coiffait comme elle, se maquillait et parlait comme elle. «Ton père n'a plus envie de penser à cette femme-là; et bientôt il n'aura même plus envie de te voir, parce que tu lui rappelles trop de mauvais souvenirs qu'il ne peut plus supporter.»

Debbie fut à la fois choquée et émerveillée. Choquée que son père s'imagine qu'elle faisait exprès pour ressembler à sa mère, émerveillée de réaliser que les gestes et les airs de sa mère étaient passés en elle, qu'ils y étaient restés, bien vivants. Pour faire enrager davantage son père et sa grosse Gina, elle s'est mise à exploiter le répertoire des gestes et des poses de sa mère qu'elle a pu reconstituer en s'inspirant des photos que Memére lui avait remises avant de mourir et qu'elle n'avait jamais vraiment regardées.

Elle les a étalées un soir sur son lit et s'est mise à observer minutieusement les mimiques, les regards, le sourire de sa mère. Elle s'est appliquée à lui ressembler, jusqu'à se mettre à se ronger les ongles comme elle, à porter, même le soir, des lunettes noires… Elle s'est fait couper les cheveux comme les portait sa mère avant d'être forcée de se raser la tête; elle les ramassait en un chignon noué très haut qui dégageait le cou et la nuque. Elle s'est maquillée comme elle, à la Cléopâtre : pas de fond de teint, pas de rouge à lèvres ni de rimmel, sauf cette ligne qui prolongeait et allongeait les yeux démesurément.

Pour la première fois, Debbie a feuilleté le passeport de sa mère. En page 2 se trouvaient les «notes sur le titulaire», qui l'ont fait sourire : «Monique Burns, née Sparvieri, le 25 février 1940, 5 pds 3 pcs. Yeux bruns cheveux noirs. Occupation : maîtresse de maison.» À la page 7, une note manuscrite rappelait que le passeport avait été délivré le 2 août 1963 par *The Department of External Affairs of Canada* et qu'il allait expirer le 2 août 1968. «Près d'un an après la mort de ma mère», songea Debbie. Puis il y avait des pages et des pages toutes blanches. Et à la toute dernière, tout à fait en haut à gauche, débordant sur la marge, les sceaux d'entrée et de sortie du Service de l'Immigration britannique attestant le séjour de Monica Burns à Londres du 6 au 26 août 1963, «pendant que j'étais chez Memére», se souvint Debbie. La photo du passeport était la seule où on voyait en gros plan le visage de la mère de Debbie, son regard très net qui suivait Debbie même quand elle s'éloignait de la photo vers les côtés. Elle en a fait tirer un agrandissement qu'elle a encadré et placé sur sa table de chevet.

Il y avait une lettre aussi que sa mère a écrite à son père ; elle ne portait pas de date, pas d'adresse. Memère avait dû égarer l'enveloppe. L'écriture était maladroite et l'orthographe complètement fautive. «*Dear Michael, ay am sending yous this letter tout lest you not ay am arith... every thing is arith, an don worry, Monique.*» Et il y avait des X, plusieurs rangées de X, qui sont des baisers.

L'enveloppe contenait quarante-six photos. La plupart, les moins belles, les plus floues, étaient en couleurs. Sur plusieurs d'entre elles, surtout sur celles prises en été, on pouvait apercevoir une automobile. Il y avait même cette photo fameuse dont Monica avait envoyé une copie aux journaux à l'été 1967, quelques semaines avant sa mort. Elle porte un bikini blanc, des verres fumés à contours blancs, un grand sourire, ses cheveux sont coupés très ras. Elle est appuyée, bras croisés, sur une grosse Buick noire. Dans sa main droite, elle tient négligemment un revolver de calibre 38.

Il y a souvent un chien aussi sur ces photos. Les Sparvieri en ont toujours eu un, parfois plusieurs. D'ailleurs, dès qu'elle a pu, dès qu'elle s'est sortie de la misère où elle était née et avait grandi, la mère de Debbie a eu des chiens de race. Elle était folle des animaux. On la voit sur une photo avec ses caniches dans les bras, un blanc qui s'appelait Black, un noir qui s'appelait Willy.

Sur ces photos, Debbie retrouve aussi des visages qui éveillent en elle des impressions confuses. Surtout celui de cet homme qui apparaît trois fois, très grand et très blond, toujours en costume-cravate, même quand les autres sont en jeans. Ici, on ne voit que sa tête, parce qu'il se tient de l'autre côté de la Chevrolet Biscayne (ou est-ce une Pontiac Parisienne ?) 1964 ou 1965. Ailleurs, il est assis dans un bar avec Gaston Lussier, Michael Burns, Monica, Mario, Ti-Moineau, la bande au grand complet. Puis il marche le long du fleuve, sur la plage Drolet, qui se trouvait en bas de la rue Notre-Dame du côté de Pointe-aux-Trembles. Il parle avec le père de Debbie qui, lui, est en maillot de bain. Ils ont l'air très sérieux tous les deux. On les voit de profil. Derrière eux, il y a des arbres, de grands ormes comme il n'y en a presque plus, et le fleuve. L'homme est un peu penché vers le père de Debbie, il a les deux mains levées, presque jointes, à la hauteur des épaules dans un geste que font ceux qui parlent avec véhémence ou qui supplient. Et le père de Debbie l'écoute, très calme. On voit qu'il sort de l'eau. Il a les cheveux mouillés. Ils ne savent certainement pas qu'ils sont photographiés. Debbie a montré cette photo à son père. Il a dit qu'il se souvenait de ces journées à la plage Drolet, mais qu'il ne voyait pas qui était cet homme. «Un gars qui voulait un renseignement, j'imagine.» Debbie a failli lui répondre : «Il cherchait le mont Royal, peut-être! En costume-cravate sur une plage.»

Chaque fois qu'elle aperçoit cet homme en regardant ses photos, elle a un frisson sinistre. Son père ne sait pas ou ne veut pas lui dire de qui il s'agit. Elle se demande quel rôle il a pu jouer dans la vie et dans la mort de sa mère. Était-ce un ami, un ennemi? Serait-ce lui qui a vendu Monica à la police, qui est responsable de sa mort? Mais alors pourquoi son père ne le lui dirait-il pas? Comment peut-on avoir oublié un homme qui même en photo prend autant de place et fait autant d'effet? Debbie croyait, non sans raison, que son père lui cachait quelque chose, qu'il lui refusait sa confiance.

Au cours de l'été, elle avait commencé à fuguer. Un jour, un policier de Brighton qui l'avait arrêtée pour vagabondage trouva dans la poche gauche de son jeans le petit étui de cuir contenant la bague de sa mère. Il accusait Debbie de l'avoir volée. Elle a rassemblé tout son courage, mobilisé toutes ses forces, son intelligence, son charme. Et elle a réussi à dissuader le policier de la lui enlever. Elle a dit, pour une fois, la première fois, toute la vérité. Elle a raconté que sa mère avait été abattue par la police après un vol de banque. Et que cette bague était le seul souvenir qu'elle gardait d'elle, avec quelques photos, son passeport et une lettre d'amour à son père.

Le policier a fini par accepter de téléphoner à Michael Burns à Worthing. C'est Gina qui a répondu. Pour une fois, elle a été correcte. Elle connaissait l'existence de cette bague. Et elle a dit au policier que tout ce que lui avait raconté Debbie était vrai. Michael Burns est même venu chercher sa fille au poste de police. Il ne l'a pas disputée. Il a seulement dit qu'il avait été très inquiet. Et Debbie a failli pleurer, même si elle savait que cette douceur ne durerait pas. Son père ne pouvait pas rester longtemps doux et gentil, même avec ceux qu'il aimait. On aurait dit que chaque fois, brusquement, il se mettait à regretter. Et tôt ou tard il faisait payer ceux qui avait profité de sa gentillesse. Même Gina.

Celle-ci, quand elle était triste, cachait la photo de Monica que Debbie avait fait encadrer et qu'elle avait placée bien en vue sur sa table de chevet. Debbie rentrait de l'école, elle voyait que la photo de sa mère avait disparu, elle ne disait rien, elle fouillait placards et tiroirs, créait dans toute la maison un méticuleux désordre et finissait toujours par retrouver la photo, qu'elle replaçait sur son bureau. Gina n'a jamais osé la détruire; elle avait peur de Debbie, et elle se doutait bien que Michael Burns avait toujours beaucoup d'affection et de tendresse pour Monica et qu'il n'aurait pas supporté qu'on touche à quelque chose d'elle.

Quand son père était en mer, Debbie prenait plaisir à terroriser Gina. Ou à l'ignorer complètement. Elle passait des jours sans lui adresser la parole, laissait tout traîner, écoutait les Rolling Stones et les Kinks à tue-tête pendant que Gina essayait de regarder la télé.

Un soir, en rentrant de l'école, Debbie trouve Steve au lit. Il a mal à la tête, il a vomi plusieurs fois déjà. La moindre lumière, le plus petit bruit, l'odeur la plus ténue le font hurler de douleur. Comme si on lui enfonçait des aiguilles dans les yeux, les oreilles, le nez. Il voudrait être dans le noir, le froid, l'inodore, l'incolore, l'insipide, la mort, autrement dit. Debbie lui apporte de l'aspirine, de la glace. Il pleure, il lui dit, dans un souffle : «Fais de l'air, Debbie, ça me fait trop mal, va-t'en.» La grosse Gina croit qu'il s'écoute, qu'il devrait se secouer un peu. «Il suffit de cesser de penser à son mal pour qu'il s'en aille», dit-elle. Elle prépare à manger, ses chaudrons font un bruit d'enfer et les odeurs lourdes d'épices et de friture se répandent partout dans la maison, jusque dans la chambre de Steve. Debbie croit que Gina veut laisser mourir son frère qui s'est mis à délirer, qui ne lui répond plus…

Au milieu de la soirée, Gina finit par appeler le médecin. Une heure plus tard, Steve entre d'urgence à l'hôpital. Le médecin qui l'a examiné a diagnostiqué une méningite. Steve a vraiment failli mourir. Il restera plusieurs semaines dans un demi-coma.

Et après, tout aura changé entre eux. Comme si Steve était devenu vieux tout d'un coup. Ou étranger. Il ne rit plus jamais avec Debbie. Il a basculé dans le camp de Gina qu'il appelle *Mom*; il la laisse le cajoler. Il refusera bientôt de parler français à Debbie. Il est devenu méfiant. Il lui en a toujours voulu depuis ce temps, comme s'il la tenait responsable de sa maladie. Et de tous les malheurs qu'il a connus par la suite.

Après sa méningite, Steve n'a plus jamais cru au bonheur. Il a toujours voulu se jeter en bas des plus hautes tours, en bas de tous les ponts, en bas de la vie. Et Debbie a pensé souvent que sa belle-mère abhorrée avait jeté un sort à son frère, qu'elle l'avait envoûté pour qu'il s'écarte d'elle.

8

Au printemps de ses vingt ans, Debbie est venue vivre à Montréal, chez sa tante Paula, laissant à Worthing une belle-mère soulagée, un père triste et en colère, son emploi de serveuse dans un hospice pour vieillards et un amant maladivement jaloux qui la harcelait et la terrorisait. Non seulement il ne pouvait souffrir qu'elle regarde un autre homme, mais il ne supportait pas qu'un autre pose les yeux ni même ses pensées sur elle. Il se mettait alors à parler entre ses dents, il serrait les poings, frappait les objets, les tables et les murs autour de lui. Et dès qu'ils étaient seuls, il engueulait Debbie, lui promettant, si elle continuait, les pires sévices. À deux reprises, il avait cassé la gueule de pauvres gars qui avaient eu le malheur de faire de l'œil à Debbie. Celle-ci, il est vrai, était incapable de ne pas répondre à un sourire. Quand un homme la regardait, elle fondait littéralement, ses yeux brillaient d'un nouvel éclat, ses lèvres se gonflaient, ses joues rosissaient ; son amant la trouvait alors terriblement désirable et, s'il y avait autour d'eux quelque autre mâle, il se mettait en colère.

À défaut de pouvoir se rendre invisible et insensible, Debbie avait décidé de s'effacer pendant quelque temps. À son grand étonnement, son frère Steve l'avait suivie. Ils s'étaient installés, elle chez l'oncle Mario, lui chez la tante Paula.

Quinze jours plus tard, Debbie était vaguement amoureuse d'une connaissance de Paula que Mario n'aimait pas trop, Xavier, un immigré français qui avait près de deux fois son âge, une grosse voiture de l'année et un bar de danseuses nues mal famé situé au fond d'un petit boisé qui donnait sur la rivière des Prairies. Il n'eut aucune peine à convaincre Debbie, qui avait déjà une certaine expérience dans le domaine, qu'elle ferait une bonne barmaid. Début juin, après quelques soirées d'entraînement, elle était promue danseuse nue.

Les heures étaient longues, mais le travail était bien rémunéré, et pas du tout désagréable. Debbie servait aux tables. Elle devait faire la conversation avec les clients, les écouter, repousser leurs avances et en même temps tout faire pour les provoquer. Son tour venu, elle montait sur scène, où elle dansait et posait toute nue devant les hommes attentifs et captifs. Elle se sentait alors libérée de toute pression.

La vie de danseuse est souvent dangereuse ; le milieu est dur, sans cœur, sans pitié ; la concurrence est féroce. Mais lorsque sur scène Debbie se déshabille, qu'elle exhibe son jeune corps souple et lisse, elle oublie les plus tristes vicissitudes de sa vie, les peurs, les regrets. Elle se laisse envelopper, avaler doucement par les regards avides des hommes. Et cet amour infini qu'ils lui portent, ce désir violent et contenu qu'ils ont d'elle la rassure, la repose, la console des innombrables infidélités de l'homme qu'elle aime, lequel considère son écurie de danseuses comme son harem privé, couche d'autorité avec plusieurs de ses filles, les plus jeunes, les plus timides, qu'il prête à l'occasion à ses amis...

Tout le monde dit que Debbie danse remarquablement bien. Elle bouge facilement, elle a le sens du rythme. Elle n'a qu'à écouter, qu'à se laisser emporter par la musique. Elle n'arrive cependant pas à simuler la passion comme ces filles qui dansent aux tables et laissent croire aux clients qu'elles les désirent ardemment. Elles ont ce sourire un peu sadique qui trouble les hommes, qui fait naître en eux une intolérable et voluptueuse souffrance. Elles leur passent la main dans les cheveux, leur soufflent à l'oreille des mots doux. Et pour faire durer leur douleur, elles s'ouvrent le sexe avec les doigts, sous leurs yeux, doucement, avec un sourire et des soupirs, elles se caressent, elles simulent le plaisir le plus intense, l'extase. Parfois les gars se caressent aussi. Ou ils essaient de toucher les filles, leurs seins, leurs cuisses, leur sexe. Et certaines se laissent faire. Parfois même elles ne refusent pas de «faire un peu de bien» aux hommes qui leur en demandent, qui leur donnent de l'argent, beaucoup d'argent…

Debbie est incapable de ces contacts intimes. Danser nue devant trente hommes plus ou moins soûls, ça peut toujours aller. Devant un seul, jamais. Elle se déshabille, simplement, se laisse voir telle qu'elle est, prend devant tous son bain de vérité. Danser nue n'est pas mentir. C'est tout le contraire. C'est offrir aux autres sa vérité… La nudité est une armure.

Paula raconte que vers l'âge de seize ans, avant son mariage avec Michael Burns, sa sœur Monica a dansé au *St. John's Café*, dans le bas de la rue Saint-Laurent. Elle avait un cache-sexe en paillettes et des pendeloques fixées au bout des seins, qu'elle faisait tournoyer dans un sens puis dans l'autre. Et même, par une savante rotation des épaules, elle réussissait à faire tourner un sein dans le sens des aiguilles d'une montre et l'autre dans le sens inverse.

«Ta mère avait plus de courage que toi, disait Paula. Elle essayait toujours tout. Elle aurait dansé nue devant mille hommes aussi bien que devant un seul. C'était une vraie aventurière. Il suffisait qu'on lui dise : "Tu n'as pas le courage de faire ça" pour qu'elle le fasse.»

Mario, qui avait été très proche de Monica à cette époque, ne se souvenait aucunement de l'avoir vue danser au *St. John's* avec des pendeloques au bout des seins. Il disait que Paula avait imaginé tout ça, «comme elle a imaginé bien d'autres choses», quand elle était dans le coma à l'hôpital. «Mais c'est vrai que ta mère dansait bien, disait-il à Debbie. Toutes les danses, le rock-and-roll, le cha-cha-cha, le *locomotion*, le twist, le *monkey*… Elle ne se trompait jamais dans ses pas, même sur une musique qu'elle n'avait jamais entendue de sa vie.»

Debbie non plus ne se trompait jamais dans ses pas. Elle était heureuse de bien danser. Elle voyait dans cette facilité qu'elle avait de suivre un rythme un autre indice qu'elle ressemblait à sa mère, que sa mère n'était pas morte mais continuait de vivre en elle. «Quand on a eu des enfants, pensait-elle, on n'est jamais tout à fait mort.»

Mais ce maudit amour qu'elle avait laissé grandir dans son cœur pour ce salaud de Xavier, elle aurait donné cher pour qu'il crève, qu'il disparaisse sans laisser de traces.

À l'automne, Michael Burns, muni du passeport de l'un de ses frères, est venu passer deux semaines à Montréal. Un dimanche, Debbie et lui sont montés avec Mario chez le grand-père Téo, qui habitait alors à Mont-Tremblant dans un vieux chalet qu'il avait retapé et autour duquel il avait fait de larges plates-bandes et un immense jardin où il ne restait plus que des citrouilles. C'était une magnifique journée de l'été des Sauvages, sèche et chaude.

Paula était là avec Steve. Pour la première fois depuis des années, toute la famille était réunie, même Lola et Arlette qu'on ne voyait presque jamais. Et les enfants des deux lits de Téo, ceux de Marie-Ange et ceux de Françoise, Gilles et Normand, qui avaient plus ou moins l'âge de Debbie, ont passé l'après-midi ensemble. En apercevant sa petite-fille, qu'il n'avait jamais vue si ronde, Téo lui avait dit : «Ma foi, Debbie, on dirait quasiment que tu es enceinte.» Elle avait ri et rougi. Elle avait menti. «Moi enceinte, grand-papa? Jamais de la vie. Je ne suis même pas amoureuse.»

Quand, le lendemain soir, ils avaient laissé Michael Burns à l'aéroport de Mirabel, Debbie avait eu peine à retenir ses larmes. Ça lui avait pris tout d'un coup, une énorme bouffée de tendresse pour cet homme, son père, qu'elle croyait avoir toujours détesté et qu'elle avait soudainement envie de mieux connaître, à qui elle regrettait cette fois d'avoir menti, qui lui semblait horriblement seul et triste… Quand Steve lui avait annoncé qu'il restait lui aussi, elle avait été contente et rassurée; elle espérait que renaîtraient entre eux la complicité, la chaleur, la douceur d'autrefois, dont elle avait besoin plus que jamais. Le gars qui l'avait mise enceinte ne voulait plus rien savoir d'elle. Il l'avait échangée sur le marché des danseuses nues. Et Debbie s'était retrouvée dans un bar du centre-ville de Montréal, où le métier, s'il était plus payant, n'était certainement pas plus facile. Elle venait d'entrer dans une sinistre jungle, un monde inquiétant de voyous et de truands. Elle cherchait une issue et n'en trouvait nulle part.

* * *

Katy est née prématurément le 24 février 1980, quarante ans moins un jour après sa grand-mère Monica Sparvieri, à qui Debbie n'avait cessé de penser durant toute sa grossesse. Elle avait même cru qu'elle accoucherait le 25, et que sa fille serait la réincarnation de sa mère. Elle lui ressemblerait, elle serait forte, intelligente et belle comme elle. Et Debbie la protégerait, elle la pousserait de toutes ses forces hors du cercle de misère et de malheur où avaient toujours vécu les Burns et les Sparvieri.

Mais, trois jours après son accouchement, elle se retrouvait seule et défaite. Pendant un bon moment, elle aura une terrible envie de mourir. Et que sa fille meure aussi. Même Mario, même la tante Hélène et bien sûr Steve lui disaient de ne pas la garder, de la placer n'importe où, de l'oublier bien vite… Mais Debbie savait qu'elle n'oublierait pas son enfant. Pas plus qu'elle n'avait oublié sa mère. Elle est restée enfermée pendant dix jours, une longue nuit de dix jours, sans répondre au téléphone, presque sans manger, sans même appeler à l'hôpital pour prendre des nouvelles de Katy, toute seule, assise ou allongée sur un divan défoncé, dans un triste appartement de la rue Lacordaire, stores baissés, jusqu'à ce que Mario et Ti-Moineau, inquiets, viennent frapper à sa porte et, n'obtenant pas de réponse, défoncent une fenêtre pour la trouver à moitié folle, maigre, sale… Ils l'ont conduite à l'hôpital, où elle a mangé et dormi. Le lendemain, elle a demandé à voir son enfant. Elle avait décidé de l'aimer, de la garder, même si elle était trisomique. Elle allait changer de vie, retourner à l'école pour faire son cours de se-crétaire et se trouver ensuite un vrai travail dans un bureau ou dans une banque.

Steve l'a traitée d'idiote.

«Moi, si je retournais à l'école, ce serait pour devenir ingénieur nucléaire ou astrophysicien, disait-il. Rien de moins. Je ferais au moins cent mille dollars par année. Toi, tu vas te fendre en quatre pour un salaire de crève-la-faim. Avec quinze jours de vacances par année. Et un boss chiant, qui va essayer de te mettre la main au cul. Tu te prépares une vie d'imbécile. J'espère que tu le sais.

– Comme si danser nue devant des hommes soûls n'était pas une vie d'imbécile!», lui répondit Debbie.

9

A U PRINTEMPS, Mario a placé Steve dans une petite entreprise de ravalement dont deux de ses amis, praticiens de l'extorsion, du chantage et du racket de la protection, avaient pris le contrôle. D'avril à octobre, huit ou dix heures par jour, cinq ou six jours par semaine, sauf par grand vent ou trop lourde pluie, Steve se retrouvait suspendu à la gigantesque structure du pont Jacques-Cartier, à plus de cent mètres au-dessus du fleuve, des docks ou des rues de Montréal, un fusil à air comprimé dans les mains, des grattoirs à la ceinture, la peur au ventre.

Les plus anciens prenaient plaisir à lui raconter qu'il y avait eu déjà de graves accidents. Tous considéraient qu'il fallait, pour faire ce métier, une bonne dose de courage et une certaine sagesse ; savoir aussi garder la tête froide et maîtriser ses émotions.

Parmi les ouvriers se trouvaient plusieurs Amérindiens Mohawks qui faisaient ce métier de père en fils. On disait qu'ils n'avaient pas le mal des hauteurs et ne connaissaient pas le vertige. Steve, lui, avait peine, certains jours, à résister à l'appel du gouffre. Il devenait soudainement obsédé par l'idée de détacher son harnais et d'aller marcher sur les poutrelles… Et alors ses mouvements se faisaient désordonnés, il était distrait, il avait du mal à distinguer la verticale de l'horizontale, et quand on lui parlait, que ce soit en français ou en anglais, il semblait ne pas comprendre.

Il s'est tout de suite senti proche des Mohawks, qui l'ont vite adopté, parce qu'il était le seul Blanc qui parlait couramment l'anglais. Ils ne cherchaient pas à le terroriser, au contraire. Ils lui ont appris à maîtriser le vertige, à aimer le danger et le vide, pour lequel ils semblaient éprouver un mélange de mépris et de respect. Certains lui parlaient souvent avec colère. Quand il y avait beaucoup de vent et que le danger grandissait, que le vide sous eux se mettait à s'agiter et à gronder, ils l'apostrophaient, comme pour l'impressionner, comme on ferait avec un chien méchant. Ils l'appelaient Jeffrey. «*Quiet, Jeffrey*» ou «*Down, Jeffrey*», «*Lay, Jeffrey, you son of a bitch*», toujours fermement, avec beaucoup d'autorité. Mais le vendredi soir, quand ils allaient à la taverne, ils l'appelaient «*Good ol' Jeffrey*» ou même «*My very dear Jeffrey*»…

Steve s'en était fait un ami, lui aussi. Et l'hiver, la compagnie de Jeffrey lui manquait. La vie devenait fade. Alors, il buvait, il fumait du hash, et il tombait ivre mort ou il était emporté par d'aveugles et sourdes colères.

Il s'était fait une amie, Roseline, une fille maigre et timide qu'il croyait aimer à la folie. Elle aussi l'aimait sans doute beaucoup. À sa manière, gentiment, prudemment, petitement. Mais Steve gâchait tout entre eux à sans cesse lui répéter qu'elle ne l'aimait pas assez fort. Il lui disait qu'il cherchait le grand amour. Quand il avait bu, il parlait de mourir avec elle. Ou de partir au bout du monde. De changer de vie complètement. À Longueuil, de jeunes amoureux s'étaient suicidés à la suite d'un pacte. Passionné par cette histoire, Steve demandait à Roseline : «Est-ce que tu le ferais avec moi, Rosy Babe? Est-ce que tu viendrais avec moi te jeter en bas du pont Jacques-Cartier? Ou te faire écraser par un train? Ou te tirer une balle dans la tête?»

Roseline ne comprenait pas, ne voulait pas, ni mourir, ni partir au bout du monde, ni changer de vie. Parce qu'elle n'en avait pas les moyens, qu'elle ne savait pas comment. Partir! Mais pour où? Avec quel argent? Changer de vie! Mais pour quelle autre vie? Elle l'aurait fait peut-être si elle avait compris ce qu'il voulait. Mais elle l'écoutait sans rien dire. Et Steve croyait que c'était parce qu'elle ne l'aimait pas assez. Il aurait voulu que la vie soit changée tout à coup, comme par magie; qu'ils soient ailleurs, à Vancouver, à Bali, à Naples ou à Perth, ou quelque part dans la constellation du Centaure, comme les personnages de *Star Trek* dont il suivait avec passion les aventures sidérales. Il disait que les *trekkers* étaient bons et purs, parce qu'ils n'avaient aucune attache, qu'ils étaient toujours en mouvement, jamais arrivés nulle part. Et que c'était ainsi qu'il fallait vivre, comme des pierres qui roulent. Il croyait que les humains étaient comme l'eau, qu'ils croupissaient dès qu'ils cessaient de courir. « Quand tu ne bouges plus, c'est que tu es mort, disait-il. La vraie nature des humains est d'être sans cesse en mouvement. Dès qu'on s'arrête, on devient méchant et on meurt. » Et il rageait quand il voyait Roseline décorer le petit appartement qu'ils avaient loué à Tétreaultville, un trois-pièces et demie au-dessus d'une pizzeria où il ne pouvait imaginer faire sa vie. Il n'avait pas levé le petit doigt, lui pourtant si habile de ses mains comme son père et son oncle Mario, pour repeindre les murs de la chambre à coucher et coller du papier peint dans la cuisine. Parce qu'il ne voulait pas rester, pas stagner et croupir, pas mourir.

Il avait acquis peu à peu une grande admiration pour les peuples nomades, gitans, tsiganes, zingari, tous les manouches qui erraient encore à travers l'Europe, et plus encore pour les *Voyagers*, ces itinérants de génie qui, en Irlande et en Écosse, vivaient dans des roulottes, mendiaient, jetant partout autour d'eux une sorte d'effroi, même s'ils n'étaient pas méchants. Il en avait aperçu quelquefois du côté de Caherciveen et de Gallway, où il était allé un été avec son père. Ils avaient les cheveux longs, des barbes, leurs femmes portaient des jupes longues et des bijoux de pacotille, ils parlaient un anglais bizarre, mâtiné de celte ou de gaélique, presque incompréhensible. Ils faisaient des feux sur les grèves ou au fond des champs. Et après quelques jours ils disparaissaient, presque toujours pendant la nuit, de sorte que jamais personne ne savait de quel côté ils étaient partis.

Un hiver, Steve s'est fait pincer alors qu'il revendait un kilo et demi de hash liquide. Il a plaidé coupable et s'est retrouvé en prison…

Il avait encore plus de six mois à purger quand la douce Roseline est venue lui annoncer ce dont il se doutait depuis longtemps : elle ne pouvait plus l'attendre et elle s'était trouvé un autre homme avec qui elle aurait des enfants et mènerait la vie simple à laquelle elle avait toujours aspiré. Steve s'est alors laissé glisser dans le plus profond désespoir. Il s'est drapé dans sa peine. Il s'est mis à écouter de la musique western, tristes mélopées d'hommes abandonnés, bannis, trahis…

À sa sortie de prison, il a repris son travail au pont Jacques-Cartier. Mais Jeffrey, lui semblait-il, n'était plus le même. Cet été-là, il n'y avait pas un seul Amérindien dans l'équipe de ravalement du pont. Les Mohawks étaient occupés à tout autre chose. Ils étaient restés à Oka et à Kanawake, où ils faisaient la guerre aux Blancs, guerre que Steve considérait comme sainte et parfaitement justifiée. Beaucoup parce qu'elle était menée contre les Québécois, «*those fuckin' French Canadians*» qu'il ne portait pas dans son cœur.

«Ces gens-là n'ont pas d'honneur, disait-il. Ils se vendent les uns les autres. C'est un peuple de lâches et de délateurs. Les hommes de la génération de mon père savaient se taire. Mon père sait plein de choses qu'il ne racontera jamais à personne. Moi aussi.»

Depuis quelques années, en effet, dès qu'un gars du milieu se faisait prendre par la police, il se mettait à table et vendait jusqu'à ses meilleurs amis, ce qui, aux yeux de Steve, était la plus grande infamie qui soit. Steve avait la nostalgie d'un monde criminel très pur et noble, respectueux des codes. Il considérait qu'on ne pouvait plus se fier à personne. Il n'y avait plus de fraternité, plus de solidarité. Fier de ne pas appartenir à ce petit peuple insignifiant, pleutre et menteur, il ne manquait jamais une occasion de rappeler que sa mère était italienne, son père écossais, et que lui-même n'était ici que de passage, qu'il avait de grands projets qui le mèneraient très loin, qu'il ne ferait pas longtemps ce travail. Debbie était souvent tentée de lui demander pourquoi il ne retournait pas vivre en Angleterre avec son père et la grosse Gina. Mais elle savait bien que ça n'aurait rien changé. Steve n'était jamais heureux là où il était. Pour aimer son père, il avait fallu qu'il s'en éloigne.

* * *

Quand il faisait beau et qu'on pouvait travailler six jours de suite, Steve pouvait facilement tirer près de deux mille dollars par semaine à gratter, poncer et peinturer les poutrelles du pont Jacques-Cartier. Mais ce n'était jamais assez à son goût. Il s'ennuyait. De plus, il était équipé de la gueule de bois presque tous les matins.

Pendant une couple d'heures, il ne parlait à personne et ne souffrait pas qu'on lui parle. Dès que son mal de tête se dissipait, il devenait intarissable et intraitable. Il racontait par le menu les coups qu'il rêvait de faire, ou il parlait des fortunes que sa mère Monica avait amassées et dilapidées, volant les riches, donnant aux pauvres, de la puissance de sa famille, les Sparvieri… Il présentait sa mère comme une héroïne extraordinaire, plus grande que nature, lui prêtant des faits et des prouesses à la limite du croyable, des vols de banque hautement spectaculaires en Ontario, aux États-Unis, dans tous les coins et recoins du Québec. Il disait qu'elle faisait peur aux policiers, qu'elle leur envoyait des photos d'elle en bikini avec une mitraillette et une ceinture de balles. Elle était l'amie des frères Blass et des frères Provençal, leur chef.

Un jour, elle a braqué une banque dans la région de Vaudreuil. Toute seule. La voilà qui rentre à Montréal par la transcanadienne, au volant d'une Mustang qu'elle a fait voler la veille au soir par un de ses hommes. Comme elle arrive près de l'échangeur Décarie, elle se rend compte qu'une voiture de police l'a prise en chasse. Elle fait un tête-à-queue, roule en sens inverse sur l'autoroute Métropolitaine, tricote entre les autos. Il y a plusieurs accrochages et des carambolages, elle réussit à se faufiler sur une voie d'accès qu'elle emprunte à contre-courant, forçant les automobiles qui montent à se ranger d'un bord ou de l'autre ; rendue en bas, après un autre dérapage parfaitement contrôlé, elle se retrouve sur la voie de service ; en moins de deux minutes, les policiers l'ont perdue de vue.

Une autre fois, elle perd la maîtrise de sa voiture sur la chaussée glissante. Il avait plu, puis gelé et plu encore. Elle a fait un tonneau, sa Chrysler renversée a percuté un pilier. Elle en sort en tenant un fusil à canon tronçonné d'une main, un sac rempli d'argent de l'autre. Et elle court dans la neige sous l'autoroute, zigzague entre les piliers, saute dans le trafic, arrête une voiture, fait descendre le conducteur et se pousse avec son véhicule.

Dans l'Outaouais, un jour, elle est prise en chasse par une voiture de police. Ses hommes la suivent quand même, pas très loin derrière. Elle se laisse rattraper par les policiers, qui tentent de la doubler pour l'intercepter. Quand ils se trouvent à sa hauteur, elle donne un coup de volant et freine brusquement ; les deux voitures, la sienne et celle des policiers, prennent le champ et s'enlisent dans les labours. Les policiers sortent en vitesse, ils croient qu'ils ont enfin coincé Machine Gun Molly, mais la voiture de ses amis arrive en trombe, ralentit à la hauteur de Monica qui saute dedans et tous s'enfuient.

Et Steve reprenait inlassablement ses récits, les polissait, leur donnait du rythme, ajoutait çà et là des rebondissements, quelques carambolages… On en prenait, on en laissait.

Il s'est fâché un jour après qu'un gars lui eut avoué qu'il ne connaissait pas Machine Gun Molly ni Monica la Mitraille. Il l'a traité de menteur. Il refusait de croire qu'on pouvait ne pas connaître sa mère. Il disait qu'elle avait eu raison de faire ce qu'elle avait fait, et qu'il en avait assez, lui, son fils, de perdre son temps et de risquer sa vie pour un salaire de famine en compagnie d'une bande de demeurés. Un jour, il partirait…

Il flambait presque tout l'argent qu'il ne buvait pas pour se donner un look, celui d'un caïd au-dessus de ses affaires. Il voulait toujours qu'on croie qu'il était plein aux as, qu'on se dise en le voyant que la petite vie d'ouvrier ou de commis de bureau n'était pas pour lui. Il était toujours bien mis, très souvent avec cravate et veston, chapeau mou, souliers vernis. Il ressemblait à Debbie, mais, bizarrement, très peu à leur mère, dont Debbie était pourtant le portrait tout craché. Il avait les yeux de son père, Michael Burns, des yeux très noirs, sans éclat, sans lueur. On aurait dit qu'ils absorbaient la lumière. Des yeux mats, secs, peu mobiles. Il avait son caractère aussi. Et ce souci étonnant de l'ordre, de la propreté, de l'élégance.

Quand elle le voyait trop bien attifé, Debbie l'engueulait. Elle lui disait de revenir sur terre. «Arrête de te prendre pour un autre, Steve. T'es rien qu'un voyou.» Il arrivait parfois chez elle avec une bouteille de scotch qu'il buvait tout seul, devant elle, assis à la table de la minuscule cuisine. Quand elle le forçait à regarder la vie en face, sa pauvre petite vie de gars de vingt-huit ans pas instruit, fauché, en espérant qu'il se ressaisisse et se raisonne, il recommençait : «Je vais me tuer, Debbie, tu vas voir. Un beau matin, j'aurai ma face dans le *Journal de Montréal*. Je me serai jeté en bas du pont Jacques-Cartier. C'est assez haut pour qu'ils aient le temps de me voir descendre. Je monterai jusqu'au plus haut de la structure. Ils vont arrêter la circulation. Je vais leur donner un show, Debbie, tu vas voir. Je vais me tenir debout sur les poutrelles les plus hautes. Je l'ai fait déjà. Debout, j'ai marché de la courbe Craig jusqu'à l'île Sainte-Hélène. Tu peux voir jusqu'aux États-Unis, toute la ville, la montagne, le fleuve à perte de vue. Les policiers vont venir me parler. Puis ils iront te chercher pour que tu me fasses entendre raison. Je vais t'attendre, et quand tu vas arriver, je vais me jeter en bas du pont. Tu vas voir. Pendant ma chute, je vais vous faire le *fucking finger*. Je vais sauter debout. Tu vas me voir dans le journal, mon *fucking finger* entre ciel et terre.»

Il s'était d'ailleurs dessiné, petit bonhomme entre ciel et terre, arborant un sinistre sourire, le majeur bien ostensiblement dressé.

Il ne rêvait plus alors d'être toujours en mouvement. Il ne parlait plus des *trekkers*, des tziganes et des zingari. Il était devenu secret et renfrogné. Il aimait la compagnie de sa tante Paula, qui ne posait jamais de questions, n'avait aucun projet, pas de rêve, pas d'avenir, comprenait toujours tout et était capable des plus belles folies. Il aimait le regard qu'elle jetait avec morgue sur le monde.

10

Mario, qui a longtemps été un oiseau de nuit, ne sort presque plus, sauf pour aller aux réunions des Alcooliques anonymes, deux ou trois soirs par semaine. Parfois aussi, quand il a besoin d'étouffer la rage qu'il sent monter en lui, il va marcher au hasard des rues pendant une heure ou deux. Ou il court au vidéoclub du coin pour louer un documentaire sur quelque animal sauvage et rare. Mario aime les bêtes, infiniment plus que les humains. Il les a presque toutes vues, dans tous leurs états et leurs ébats, se faire la cour, s'accoupler, naître, se battre, mourir. Des antilopes et des anguilles, des ours polaires, des aïs et des gnous, des pingouins, des varans et des najas, des quetzals et des requins, des baleines bleues, des salamandres, des phasmes et des ophiures, des insectes gros comme des têtes d'épingle, même des protozoaires, des amibes...

Sa bête fétiche est le rat, le seul animal sur qui on n'a jamais fait un documentaire honnête. Il dit souvent que, s'il avait les moyens, il en ferait un. Et sur la blatte aussi, le cancrelat. Et, tant qu'à y être, sur le pou, la puce et le morpion. De vrais documentaires objectifs, comme on en fait sur le tigre du Bengale ou l'aigle à tête blanche, le glyptodon ou le panda. Avec de la musique, des images bien léchées. Pourquoi y aurait-il moins de grandeur dans une blatte en train de pondre que dans un scarabée en train de se faire un nid dans une bouse de vache? Et pourquoi s'extasier sur l'ingéniosité du merle qui fait son nid ou du castor qui se construit un barrage, quand on sait tout ce que le rat est capable de faire et de défaire? Voilà des questions que Mario aime bien se poser. Et poser aux autres.

«Le rat aime la compagnie de l'humain, dit-il. C'est un être très sociable. Mais l'humain ne peut pas blairer les animaux qui lui ressemblent le plus et qui vivent tout près de lui, collés à lui. À moins que ce ne soit un imbécile castré comme le chat ou un imbécile servile comme le chien. On ne veut pas d'un être aussi autonome et ingénieux que le rat, parce qu'on en a peur. Tout le monde pleure sur les espèces en voie de disparition. Mais l'extermination des cafards et des rats ne fait jamais de peine à personne.»

Et il rappelle que les gens qui s'opposent à la démolition des maisons de pierre grise, des maisons de riches de la rue Sherbrooke ou de Westmount, ont applaudi il y a quelques années quand les pauvres quartiers du bas de la ville ont été démolis en entier. C'était l'été des seize ans de Mario. Sa mère venait de mourir et avec elle quatre de ses petits frères et sœurs. Il avait compris déjà que les siens étaient des indésirables, des rats… D'ailleurs, il n'en avait jamais vu autant. Il en sortait de partout, chaque fois qu'un mur tombait. La ville avait entrepris de les exterminer. Mario, lui, a tenté de les sauver. Il peut prétendre aujourd'hui que, s'il y a encore des rats à Montréal, c'est un peu, beaucoup, grâce à lui.

Mario est entré chez les AA il y a deux ans, même s'il n'a jamais vraiment bu et pratiquement pas pris de drogue depuis sa sortie de prison. Il voulait se guérir de sa colère. Et la méthode des AA, de prendre un jour à la fois, est bonne pour tout : pour arrêter de boire, de fumer, de snifer, de pleurer sur soi, de vouloir tout casser ou se jeter en bas des ponts.

Il a quand même des moments de profonde tristesse, d'ennui, un ennui effrayant qui le prend presque toujours en fin de journée, quand il sent venir la nuit. La nuit qu'il a autrefois tellement aimée, quand il était proxénète et drogué, qu'il avait une grosse moto, plein de femmes et d'argent, des amis partout.

Mais il travaillait alors très fort. Le métier de voleur n'est jamais reposant. Ce n'est pas tout de s'emparer d'un camion de cigarettes, de briques ou de manteaux de fourrure. Il faut pouvoir écouler la marchandise, puis se débarrasser du camion, le vendre ou l'abandonner quelque part. Et il faut que l'opération soit profitable. Et après, il faut savoir vivre comme un homme honnête, un ouvrier qui gagne honorablement sa vie, comme si de rien n'était.

«Un voleur professionnel, c'est un acteur», dit souvent Mario. Voilà peut-être ce qui, à la longue, l'a fatigué ou ennuyé, cette obligation de toujours faire semblant qu'il était quelqu'un d'autre, qu'il était quelqu'un, alors qu'au fond il n'est personne, presque personne, un *nobody*, comme il dit. C'est ce qu'il commence à accepter : n'être personne, presque personne.

Il habite un petit deux et demi, à Tétreaultville, un quartier populaire de l'est de Montréal, pas très loin de chez sa sœur Paula. Il n'a plus d'auto, plus de moto, plus aucun revenu. À force de se faire passer aux yeux des voisins pour un monsieur honnête, un gars ordinaire, à force de jouer les imbéciles, il en est pratiquement devenu un. Il a perdu le goût de voler, le tour de voler…

Quand il est sorti de prison, Mario s'est mis à faire des colères pour rien, de pures colères, sans objet précis, sans raison, sans bon sens. Comme en faisait autrefois sa sœur Monica. Il pouvait être seul à la maison et se réveiller un matin, se mettre à penser à lui, à ce qu'il était devenu à quarante-huit ou quarante-neuf ans, sans job ni projet d'aucune sorte, sans auto, un paumé total, un rien. Et il pensait aux riches qui roulaient en Mercedes et qui allaient passer l'hiver dans le Sud. Et il devenait enragé pour la journée. Il pouvait alors frapper dans le mur. Il voulait tout casser, faire mal au monde. C'était le regret qui l'enrageait. Et l'impuissance, la peur, la honte. Toutes ces choses qui sont horribles à sentir et que ceux qu'il appelait «les pleins» ne connaissent pas et ne connaîtront jamais.

Mario voit encore parfois quelques-uns de ses vieux amis. Pendant un temps, il les a fuis, ce qui n'était pas bien difficile, eux-mêmes cherchant par tous les moyens à s'effacer, à se faire oublier, ou se laissant éparpiller aux quatre coins de la vie, cette vie qui leur semble maintenant trop grande, comme toujours aux gars qui sortent de prison. Ils ont souvent engraissé; en plus d'être démodés, leurs vêtements ne leur font plus. Leur vie, c'est le contraire, ils flottent dedans.

Ils sont maintenant dans la quarantaine avancée, certains ont plus de cinquante ans, quelques-uns frisent la soixantaine. Ils ont vécu leur jeunesse en fous, ils ont risqué gros, leur vie parfois, ils se sont fait prendre, presque tous, et deux ou trois fois plutôt qu'une, et ils ont payé, souvent fort cher, et se sont finalement retirés des affaires, presque tous. Tristes pour la plupart, leurs âmes comme des petites fleurs fanées ou des flaques d'eau trouble, aurait dit Memére. Ils traînaient maintenant leur passé comme un boulet. Ils ont perdu beaucoup d'amis, les uns descendus par la police, comme la mère de Debbie ou comme Richard Blass, qui a été un temps son ami de cœur, ou par des bandes rivales, comme Ti-Cul Bienvenu ou le gros Gendron, ou morts en prison, comme Frank Frappier, qui s'était fait arrêter en même temps que Ti-Moineau et Michael Burns, le père de Debbie; et d'autres, disparus, avalés par la vie, ayant réussi peut-être à échapper à toutes les polices de la planète et vivant quelque part dans le Sud, au soleil, menant la grande vie, avec les plus belles femmes du monde…

Aucun de ceux que Debbie a pu rencontrer chez Mario ne veut vraiment croire que même un seul d'entre eux ait pu réaliser ce grand rêve qu'ils ont tous caressé dans le temps, le rêve de ce grand-coup-qui-te-met-riche-pour-toujours que Michael Burns leur a inoculé comme une maladie. Quand ils se demandent ce qu'un tel est devenu, dont ils n'ont pas eu de nouvelles depuis plusieurs années, ils ne disent jamais : «Il doit avoir réussi, il doit faire la grande vie quelque part au soleil.» Ils disent toujours quelque chose comme : «Quelqu'un a dû lui mettre des pantoufles en ciment, il doit dormir au fond du fleuve», ou «Il moisit probablement en dedans quelque part en Ontario ou aux États-Unis», ou «Il se cache, il vit comme un rat. J'aimerais pas être à sa place». Ils n'aimeraient jamais être à la place de personne d'autre, même si leur vie n'a plus de sens, même s'ils sont presque tous des assistés sociaux et qu'ils vivent dans des sous-sol miteux et qu'ils n'ont pas toujours de quoi se payer une bière. Et eux qui autrefois risquaient leur vie pour de l'argent disent maintenant que l'argent ne fait pas le bonheur.

Ils continuent de mener ici leur petite vie désormais sans histoire, sans suspense aucun. Quand ils étaient jeunes, ils avaient de l'argent, les plus grosses voitures, les plus belles femmes de la ville, tout ce qu'ils voulaient. Et même un peu plus. Ils n'ont plus rien de tout cela. Les plus chanceux, les plus vaillants tiennent un dépanneur, ou ils font du taxi, ou ils travaillent au noir dans des garages ou des fonds de cour. Les autres ne font rien. Ils regardent la télé dans leurs minables petits appartements. Même Mario, que tout le monde disait si brillant, qui avait les plus belles voitures, des motos, toujours deux ou trois maîtresses en même temps, et jusqu'à six quand il était proxénète, le voilà vivant de la charité public, lui aussi, fauché, brisé. Il est fatigué. «Un voleur, c'est comme un athlète, dit-il. Il lui faut du sang-froid, des réflexes, la forme, la foi. Voler est un métier de jeune. À mon âge, c'est fini. Ou presque.»

Mario croit profondément qu'on ne peut sortir personne de son milieu. «Les requins vivent en mer, les truites dans les ruisseaux, et les rats dans les égouts. Mets une truite dans les égouts ou un rat dans l'eau claire d'un ruisseau, tu vas les tuer. C'est la même chose avec les humains. Les nègres devraient rester en Afrique, tout le monde sait ça… Moi, personnellement, j'ai un préjugé contre les étrangers. Ils ne sont pas à leur place, ce sont des traîneries dans la société. Le seul que j'ai pu endurer, c'est Frank, parce qu'il était notre ami. N'empêche qu'il n'était pas à sa place. Et c'est pour ça qu'il s'est fait descendre.»

Il dit aussi : «Nous autres, les Sparvieri, si on a si mal tourné, c'est parce qu'on a été transplantés. On était des macaronis, on aurait dû rester en Italie, au pays des macaronis. On était des éperviers, là-bas. Sparvieri, ça veut dire éperviers, en italien. Ici, on est devenus des rats. Je m'appelle Sparvieri mais je vis dans les bas-fonds, c'est chez moi. Je suis un mutant. Qu'est-ce que j'irais faire dans une maison de Westmount ? Je serais comme un rat dans l'eau claire d'un ruisseau, je mourrais. Même chose pour Michael Burns, le mari de ma sœur Monica. Dans son pays, tout lui réussissait. Ici, il se faisait prendre tous les six mois, parce qu'il n'était pas chez lui. Il avait du génie pour percer des coffres-forts. Aucun ne lui a résisté. Il avait de bons outils, des mèches, des perceuses, des pinces… Mais pour le reste, il n'était pas à sa place. Voler, c'est intime. C'est un peu comme l'amour. Tu ne fais pas ça à des étrangers. Parce que tu ne connais pas leurs cachettes, ni leur habitudes, ni leurs réactions, ni leurs armes.»

11

PAULA SPARVIERI a un corps incroyable et inoubliable, du jamais vu. Au *Vénus*, où les danseuses nues, des beautés parfaites aux seins et aux fesses bien fermes, aux cuisses et aux bras parfaitement galbés, se relaient sans cesse de deux heures de l'après-midi à trois heures du matin, elle a exhibé un soir ce corps unique, dans un numéro époustouflant qui a bouleversé tout le monde, même les serveuses et danseuses nues.

Depuis près de deux heures, elle était assise à l'écart avec son neveu Steve. Tous les deux légèrement drogués aux barbituriques, silencieux, fumant et buvant tranquillement leurs bières tièdes en regardant dans le vide. Les seules femmes présentes dans le bar, à part Paula, étaient les danseuses qui, entre leurs numéros, servaient aux tables ou dansaient dans les isoloirs devant des clients par qui elles se laissaient parfois furtivement caresser.

Autant Paula était, comme d'habitude, ostensiblement négligée, un vieux jogging délavé sur le dos, pieds nus dans de vieilles sandales, autant Steve était comme toujours tiré à quatre épingles. Il portait un complet de lin, des souliers de toile, un chapeau mou, son air ténébreux, créole. Sous les éclairages de couleur, son fin visage paraissait encore plus jeune. Il jetait de temps en temps un regard las et creux aux filles qui se déhanchaient avec art sur la petite scène, puis il se replongeait dans ses rêveries. Pendant un long moment, on aurait dit que tout sommeillait non seulement dans le bar, mais dans le monde entier. Comme si tout s'était arrêté en même temps dans une sorte de fin du monde, de petite mort. La danseuse avait étendu sa couverture sous les lumières pastel, elle ouvrait et refermait ses cuisses gracieusement fuselées et se caressait avec de belles langueurs sur une vieille musique fatiguée, fanée. Les hommes la regardaient, indifférents, ivres eux aussi, finis.

Il a suffi que Paula se lève et monte sur scène pour que tout recommence. Avec un grave sourire aux lèvres, elle a enlevé son chandail, son jogging, sa culotte, et elle a exhibé son corps fatigué et défait, ses gros seins trop lourds, son ventre marqué de vergetures, sa peau bistrée, striée, fripée, affreusement chiffonnée de grande brûlée. Tout de suite, des cris ont fusé de toutes parts. Avec les mêmes gestes lubriques que les danseuses qui l'avaient précédée, les mêmes ondulations harmonieusement lascives des hanches, Paula présentait au public ses énormes fesses.

Et elle a eu infiniment plus de succès que les parfaites nymphettes qui à tour de rôle étaient montées sur la scène et avaient montré leur joli petit cul avec des gestes stéréotypés de professionnelles. Elles étaient toutes pareilles, lisses et roses, avec leurs talons hauts, leur mini-culotte, leur mini-soutien-gorge, les voiles qu'elles enlevaient toutes avec les mêmes gestes, sur des musiques sirupeuses, sous des éclairages tamisés. Avec son gros corps mou de quarante-cinq ans, Paula a réveillé la salle. Quand le videur du *Vénus* est venu la chercher sur la scène, tout le monde a protesté. L'homme a été très doux avec elle, presque tendre, comme on l'est avec un enfant malade ou perdu.

Paula est une étrangère dans la vie, dans ce monde, une sorte d'immigrée. Pendant deux ans, quand elle était dans les affres de la douleur à l'hôpital Sainte-Justine, on lui a donné de la morphine, ce qui par moments rend tout agréable, même la douleur, le lent passage de la douleur à travers le corps, inoubliable, savoureuse sensation ! Et depuis Paula s'est toujours sentie comme une exilée, comme si cette voluptueuse douleur, aux confins de la vie, tout près de la mort, était restée son vrai pays, dont elle s'ennuie parfois douloureusement.

Et en même temps elle veut immigrer vraiment dans la vraie vie, malgré les marques qu'elle porte et que tous ceux qu'elle approche remarquent tôt ou tard, et dont souvent, presque toujours, ils ont peur et dégoût. Ils voient bien qu'elle n'est pas d'ici ; ils lui demandent d'où elle sort, par où elle est passée, ce qui lui est arrivé. Il est évident qu'elle vient d'ailleurs. Paula l'étrangère, la démunie, a été privée de sa beauté qu'on lui a arrachée au moment où, à treize ans, elle venait de la remarquer.

Elle habite maintenant un minuscule appartement, un demi sous-sol, rue Hochelaga. Les soupiraux donnent sur le trottoir. On voit les jambes des passants. Et, le soir, le clignotement des enseignes au néon, des feux de circulation, et le pinceau des phares des voitures qui tournent au coin de la rue. Un lit, un frigidaire, une table en stratifié, un vieux divan, une cuisinière électrique à deux ronds, une torchère dont l'abat-jour est déchiré. Seul luxe, une bonne chaîne stéréophonique. Paula aime la musique, le gros rock lourd et carré, dans la lignée d'Elvis et de Hendrix, des Stones et des Doors. Steve s'assoit à table, Paula sur le lit. Ils boivent des bières tièdes en silence, en regardant la rue en contre-plongée, en attendant la nuit, puis ils sortent, soit au *Vénus*, soit au *Zoom*, étrange couple.

Plus de la moitié de la surface du corps de Paula a été brûlée au troisième degré quand elle avait treize ans. Elle a passé six mois dans le coma, deux ans en enfer, dans des souffrances atroces. On lui a greffé de la peau de cinq personnes. Sa sœur Monica, son père Téo, son frère Mario, son oncle Alfonso lui ont donné quelques centimètres carrés de leur épiderme. Et un Mohawk aussi, qui vendait sa peau au pouce carré. Paula est la mémoire vivante de la famille Sparvieri, mémoire défaillante, souvent brouillée, mémoire qui fuit comme une outre percée, mémoire où se lèvent parfois d'étonnants mirages, mais mémoire vivante et touchante, parfois profondément attachante.

Même à jeun, Paula raconte n'importe quoi, à n'importe qui. Et, le lendemain, le contraire. Elle est incapable de garder un secret, contrairement à Steve qui les collectionne, qui en fabrique, qui se donne l'air d'en posséder des tas, des secrets rares et lourds, terribles, dont il parle sans jamais les découvrir…

Un jour de cuite, ils ont imaginé ensemble le vol d'une caisse populaire. Ils se sont fait un plan, ont préparé un horaire, sont même allés visiter les lieux. Le lendemain, Paula parlait à tout le monde de leur projet, qu'il fallut abandonner.

Elle a des versions contradictoires des grands événements qui ont marqué la famille. Sur le feu, par exemple, qu'il y a eu chez eux le 3 février 1958 et dans lequel elle prétend qu'elle est morte, comme sa mère, comme trois de ses petits frères et une de ses sœurs.

«Ce n'était pas un accident, ce feu-là, dit-elle un jour. Ce n'est pas la fournaise qui a explosé, comme on a écrit dans les journaux. La veille, mon père avait nettoyé le carburateur. De l'huile s'était répandue sur le plancher. Et il avait mal épongé, parce qu'il était négligent. Et qu'il était pressé de s'en aller chez sa maîtresse. Pendant la nuit, l'huile qu'il avait répandue sur le plancher a pris feu.»

Un autre jour, elle dit : «Ce feu-là, ce n'était pas un accident. C'est un gars qui s'appelle Hugues Je-ne-sais-plus-qui qui l'a parti exprès pour se venger de mon père. Je ne sais pas où il est rendu aujourd'hui, ni même s'il est encore vivant. Mais il a raconté à quelqu'un qui me l'a répété qu'il avait lui-même mis le feu chez nous. Parce qu'il était jaloux de mon père, qui avait la maîtresse qu'il aurait voulu avoir, lui, la petite Françoise Auger.

– Mais cette nuit-là, Paula, ton père n'était pas à la maison. Il était avec sa maîtresse justement. Ton Hugues Quelque-Chose devait sûrement le savoir!

– Bien sûr, qu'il le savait. Justement! Mais il ne voulait surtout pas que mon père meure. Il voulait qu'il ait du remords, qu'il souffre. C'est bien pire que la mort. Moi, je n'ai jamais eu de remords de toute ma vie. J'ai trop souffert. Mon enfer est fait, moi. Je suis déjà morte, moi. Quoi que je fasse, je n'aurai jamais de remords ni de regrets. Mais je sais, pour l'avoir entendu dire, que le remords pour ceux qui n'ont pas vécu leur enfer, c'est-à-dire presque tout le monde, est la pire chose qu'on peut connaître dans cette vie.»

Pendant qu'elle dansait sur la scène du *Vénus*, Steve cherchait, sur le corps de sa défunte tante, la peau de sa mère, quelque part dans ce patchwork de pelures et de cuirs. Certaines peaux sont très brunes, comme si elles avaient été cuites, d'autres très pâles; elles forment sur son dos un camaïeu de beige, de rose, de caramel et de café, d'ocre. Étrange manteau, dans lequel Paula enveloppe sa douleur, sa tristesse.

«Tu vois la touffe de poils que j'ai là, au milieu du dos? avait-elle dit un jour à Steve. C'est la peau de mon Mohawk. Je ne l'ai jamais revu. Mais le docteur m'a dit que c'était celle qui prenait le mieux.»

Paula arbore ses cicatrices comme des trophées, des blasons, ses armes, qu'elle brandit bien haut, pour effrayer, pour frapper. Paula est une icône. Elle porte le récit d'un épisode de l'histoire de sa famille, sa légende. Sur son omoplate gauche bizarrement épargnée, elle s'est fait écrire une date par un tatoueur amateur : 3/2/58. «La date de ma mort», dit-elle à qui l'interroge.

Ce soir-là, au *Vénus*, ils en ont eu plein la vue. Même soûls et abrutis, ils ont senti que quelque chose de grand et de très différent venait de se passer. La pauvre petite nymphette parfaite qui est montée sur scène après Paula a été pratiquement ignorée. Steve a été le plus heureux, le plus touché de tous. Il y avait enfin dans sa vie un peu de démesure et d'excès, de la folie. Depuis qu'il était sorti de prison, il avait l'âme en panne, le cœur en peine... Son amie Roseline aimait un autre homme, elle attendait un enfant. Et Steve se demandait si elle l'avait déjà aimé, vraiment aimé. Il se demandait si on pouvait jamais être certain d'être aimé, si l'amour existait réellement ou s'il n'était qu'une illusion, qu'un mirage, un leurre. Et il était de plus en plus en colère lui aussi. Mario voulait l'emmener chez les AA. Mais, contrairement à son oncle, Steve aimait sa colère et ne voulait pas en guérir.

* * *

Paula prétendait qu'elle n'avait jamais de remords. N'empêche qu'elle regrettait parfois ses écarts et ses excès. Comme ce show qu'elle avait donné au *Vénus*. Le lendemain, en fin d'après-midi, Steve s'était rendu chez elle pour lui dire son admiration, sa reconnaissance. Elle ne se souvenait pas bien de ce qu'elle avait fait. Il lui a tout raconté. Elle lui a dit : «Toi, tu ne parles de ça à personne. Si Ti-Moineau entend dire que je me suis montré le cul au *Vénus*, il ne voudra plus que les enfants viennent me voir. J'ai déjà assez de misère comme ça.»

Steve était déçu. Il recherchait toujours en toutes choses l'ultime *buzz*, comme il disait, le vertige, le grand frisson. Et il considérait que Paula lui en avait donné un puissant échantillon la veille au soir. Il avait connu grâce à elle quelque chose de fort qui lui faisait une petite joie au cœur et lui enlevait de la tête l'idée de se jeter dans le fleuve du haut du pont Jacques-Cartier. Le reste de sa vie n'était qu'engourdissement, fadeur, ennui et dégoût.

Il parlait maintenant de plus en plus souvent de ce grand saut de la mort qu'il effectuerait un jour du haut du pont Jacques-Cartier. Debbie était chaque fois bouleversée. Mais, un jour, elle lui a dit : «Je sais que tu ne le feras pas, t'es trop lâche, t'as trop peur. Alors, arrête de me casser les oreilles avec ça.»

Steve est passé chez elle le lendemain soir pour lui dire qu'il avait braqué une banque avec un de ses amis, qu'il en ferait d'autres et qu'il aurait bientôt fini de travailler comme un imbécile et de risquer sa vie au pont Jacques-Cartier. Debbie l'a plus ou moins cru. Mais, le soir, prise d'un doute, elle l'a rappelé :

«Où ça, la banque que t'as volée ?

— Secret professionnel, a-t-il répondu.

— J'y ai repensé, je ne te crois pas.

— Je le sais, tu me prends pour un imbécile. Mais attends, un jour, tu vas voir ce que je vais faire, tu vas voir.»

Et un jour, effectivement, Debbie a vu. Tout le monde a vu.

12

UN DIMANCHE D'OCTOBRE, Pierre et Debbie, avec Katy, sont allés faire un tour dans Lanaudière, du côté de Sainte-Mélanie, Saint-Félix-de-Valois, Saint-Jean-de-Matha. Pour voir le paysage, les érablières, les champs, le lac Saint-Gabriel, pour sortir de la ville où le dimanche il n'y a jamais rien à faire, et aussi pour que Katy prenne un peu l'air. Le docteur a dit que ça ne l'empêcherait pas de tousser, mais que ça lui ferait beaucoup de bien. Parce que, en plus de sa trisomie, Katy a des troubles pulmonaires. Elle est continuellement sous antibiotiques. Tabou était là aussi, le museau dans la fenêtre entrouverte, ses longues oreilles battant au vent.

C'était une belle journée, fraîche et ensoleillée, avec un ciel très sec, d'un bleu profond, immuable. Au retour, ils ont pris le rang du Point-du-Jour et les petites routes très vieilles et sinueuses qui se collent aux méandres de la rivière L'Assomption. Ils sont entrés dans Repentigny par-derrière, par les nouveaux quartiers. Ils allaient prendre l'autoroute pour passer sur l'île de Montréal et rejoindre la Métropolitaine quand Debbie a dit à Pierre : «Continue tout droit, tourne ici à gauche, à droite, va par là, à droite encore, arrête-toi, continue.» Pierre a vite compris qu'elle voulait revoir la maison de son enfance. Elle lui en avait beaucoup parlé au cours des deux semaines précédentes. Elle s'était réveillée un beau matin en disant que ça faisait vingt-cinq ans jour pour jour que sa mère, Monica Burns, avait été tuée par la police. C'était le 19 septembre 1967, vers onze heures et quart du matin. Il faisait beau et très chaud. Debbie s'en rappelle. Elle avait huit ans et demi. À cet âge, on n'oublie rien du jour de la mort de sa mère.

Debbie a une mémoire phénoménale pour les dates. Son frère Steve est du 26 février 1961, sa fille Katy du 24 février 1980, sa mère Monica était du 25 février 1940, et le dernier amant qu'elle a eu, qui était avec elle le jour où elle est morte, Gérald Simard, du 25 février aussi, mais pas de la même année, de 1935.

Très souvent, peut-être cent fois par année, Debbie se réveille en disant que c'est l'anniversaire de quelqu'un qu'elle connaît ou d'un événement plus ou moins proche d'elle. Elle dit, par exemple : «Il y a un an, jour pour jour aujourd'hui, Katy sortait de l'hôpital Sainte-Justine après sa double pneumonie», ou «Ma mère aurait eu cinquante-quatre ans aujourd'hui, deux fois l'âge qu'elle a vécu», ou «Quand on est partis, Steve et moi, pour aller vivre en Angleterre avec notre père, c'était un 3 septembre, il y a vingt-trois ans aujourd'hui exactement, mais c'était un mercredi, pas un samedi comme cette année», ou «Ça fera huit ans demain qu'on vit ensemble, Pierre et moi». Et elle ajoute souvent des détails sur la température, sur les vêtements que portaient les gens ou elle. Et elle pose des questions de tout ordre : «Est-ce que ma mère serait encore belle ? Est-ce qu'elle aurait des cheveux blancs ? Est-ce qu'elle aurait recommencé à vivre avec mon père quand celui-ci est sorti de prison ?»

Elle a aussi un sens de l'orientation comme on en voit rarement. Ce dimanche-là, à Repentigny, ils se sont retrouvés dans un quartier tout neuf qui n'existait pas il y a vingt-cinq ans quand Debbie habitait avec sa mère et son frère et son demi-frère, rue Mireault. On avait même construit un hôpital là où autrefois il n'y avait qu'un champ avec des vaches et leurs veaux. Elle est quand même arrivée à se repérer assez facilement. Ils ont d'abord retrouvé la petite école où elle a fait ses premières années de primaire, l'école Sainte-Marie-des-Champs. Elle-même ne comprenait pas trop comment elle avait reconnu les lieux même si tout était changé, même s'il y avait de nouvelles rues bordées de maisons entourées de parterres et que semblaient couver de grands arbres. Elle a reconnu le grand magasin d'alimentation. Elle a revu la grande cour asphaltée de l'école, les murs de briques rouges marqués de graffitis, les grillages aux fenêtres. Elle s'est revue petite fille…

Tous les jours, à midi ou après l'école, elle traversait la rue Notre-Dame, entrait au magasin, passait derrière la rangée des caisses enregistreuses pour se retrouver dans les galeries du centre commercial Repentigny. Peu d'enfants de l'école avaient le droit et les moyens de fréquenter comme elle cet univers. Ceux qui y venaient n'avaient jamais beaucoup d'argent et ils n'entraient nulle part, sauf à la tabagie pour s'acheter des bonbons et des chips. Debbie, elle, connaissait toutes les boutiques. Elle s'arrêtait au snack-bar, à la pâtisserie, au magasin de jouets. Elle passait parfois des heures, son sac d'école sur le dos, à flâner dans les allées du centre commercial Repentigny, avec Steve sur ses talons la plupart du temps. Elle regardait les gens, les vitrines. Certains jours, elle volait quelques bouteilles vides au Marché, sortait par l'autre bout du centre commercial, traversait le parking et retournait vendre ses bouteilles là où elle les avait volées.

Elle n'a jamais compris pourquoi elle faisait cela. Parce que ça l'excitait, peut-être. Ou pour le plaisir de mal faire. Ou parce qu'elle avait ça dans le sang. Pierre avait lu plein de choses là-dessus dans les journaux. Des savants avaient découvert qu'il y avait des chromosomes criminels qu'on se passait dans certaines familles de génération en génération. Debbie a pleuré pendant des jours quand Pierre lui en a parlé. Elle était dégoûtée, même si elle n'avait plus jamais rien volé à personne, pas même une épingle, depuis plus de vingt-cinq ans, depuis la mort de sa mère, en fait. Mais de savoir, de penser qu'elle avait peut-être cette horreur dans le sang, un chromosome criminel, qu'elle l'avait peut-être passé à sa fille, qu'il pouvait se réveiller n'importe quand, ça la tuait!

Quand elle était petite, Debbie n'avait jamais besoin d'argent. La gardienne lui en donnait tous les jours, cinq dollars ou même dix parfois, pour elle et Steve. Elle avait toujours des bonbons dans son sac d'école. Elle n'en mangeait pas beaucoup. Elle les collectionnait, elle les comptait, des bonbons clairs, des jujubes, des caramels, des pralines.

«Le jour où ma mère est morte, c'est comme si mon chromosome criminel était sorti de moi, disait-elle à Pierre pour se rassurer. Je ne m'en suis pas aperçue sur le coup, mais j'ai énormément changé. Je n'ai plus jamais eu envie de voler. Rien que l'idée me donnait une sorte de mal de cœur. Je n'ai plus jamais menti non plus, tu le sais. Et plus jamais mangé de bonbons. Aujourd'hui, les bonbons m'écœurent. Je n'aime plus le sucré.»

Un jour, beaucoup plus tard, elle vivait au milieu d'une bande de voyous et de voleurs qui opéraient autour du parc LaFontaine, des gars un peu plus vieux qu'elle et qui préparaient un méchant coup, leur premier gros vol de banque avec cagoules et revolvers. C'était la seule façon qu'ils avaient de s'en sortir. Elle aussi. Mais ça lui a tout à coup tellement chaviré le cœur qu'elle a appelé son oncle Ti-Moineau qui est venu la chercher, qui l'a sortie de ce milieu. Deux jours plus tard, elle avait toujours la nausée, des étourdissements. Paula l'a emmenée chez son médecin, qui lui a dit qu'elle était enceinte.

Elle n'a pas eu l'enfant dont elle avait rêvé, une fille belle, brillante et forte comme était sa mère, comme elle imaginait sa mère. Elle lui a cependant donné tout l'amour qui lui avait manqué à elle. Elle lui a donné la mère qu'elle avait toujours cherchée pour elle-même. Et Katy fait sa joie.

Mais depuis que Pierre lui a parlé de ce maudit chromosome, Debbie a toujours eu peur de l'avoir quelque part caché dans ses veines. Et qu'il éclate un jour, qu'il se manifeste et qu'elle devienne une voleuse.

«Et alors, qu'est-ce que j'y pourrais si j'ai ça dans le sang, comme un virus, comme une maladie contagieuse?»

Après avoir retrouvé l'école Sainte-Marie-des-Champs, il n'y avait plus qu'à suivre le chemin qu'elle prenait tous les jours pour rentrer à la maison quand elle était encore, c'est elle qui le dit aujourd'hui, une petite fille heureuse. Elle n'oubliera jamais le jour où elle a fait ce chemin-là pour la dernière fois de sa vie, le jour où sa mère a été assassinée. Elle se souvient comme si c'était hier de la couleur du ciel. Il faisait très chaud et il ventait tout doucement. Il n'y avait pas de nuages, mais le ciel était un peu gris, nébuleux. Quelqu'un était venu chez eux la veille au soir pour leur annoncer que des hommes passeraient les prendre après l'école et qu'ils les emmèneraient à leur mère. Et Debbie rentrait à la maison avec Steve. Il était en première année, elle en troisième. Il faisait très chaud et très beau. Elle avait une jupe bleue, une blouse blanche, son sac sur le dos avec ses cahiers, ses bonbons.

Elle se souviendra toujours de ce jour-là, de ce chemin-là, entre l'école et chez eux, de la dernière fois qu'elle l'a parcouru. Ils sont passés comme d'habitude devant chez Linda Laurin; il y avait dans la cour un doberman qui jappait tout le temps après eux et à qui tous les jours Steve lançait des cailloux. Ce jour-là, le père de Linda est sorti et leur a crié après. Steve lui a fait des grimaces. Ensuite, ils ont traversé le petit parc, puis le terrain du garage Dupuis derrière lequel débutait le sentier qui conduisait chez eux en passant par un petit bois. Ils voyaient la maison à travers les arbres. Et Debbie était encore, à ce moment-là, une petite fille parfaitement heureuse. Puis elle a aperçu toutes ces autos dans la cour et devant la maison. Et le cœur lui a fait mal. Elle a tout de suite compris que quelque chose de terrible était arrivé à sa mère. Alors, ils ont couru tous les deux pour traverser le bois, ils sont entrés par la cuisine. Il y avait plein de monde dans le salon, dans les chambres, partout, même en haut, sur le petit balcon. Et même les hommes pleuraient. Debbie s'est jetée dans les bras de Memére Lafontaine. Ce jour-là, sa vie a été coupée en deux...

Pierre n'a eu qu'à suivre le chemin qu'avait emprunté cette petite fille heureuse dont le bonheur avait été fracassé. C'est ainsi qu'ils ont retrouvé la rue Mireault. Debbie ne se souvenait plus de l'adresse. Mais elle a reconnu la maison, la porte, les deux lucarnes, le balcon. Les lilas étaient encore là de chaque côté de l'entrée, à peine plus gros qu'autrefois. Les quatre peupliers de Lombardie alignés le long du fossé avaient été coupés. Il y avait maintenant une haie de cèdres qui courait tout autour du terrain. La maison elle-même n'avait pas beaucoup changé en vingt-cinq ans. Les alentours, par contre, s'étaient complètement transformés. On avait beaucoup construit. Autrefois, avant le grand malheur, la cour donnait sur des champs où il y avait des vaches, une grange grise, un boisé, un ruisseau qui en sortait et qui se rendait jusqu'à la rivière L'Assomption. Aujourd'hui, il n'y a plus de champs, plus de forêt ni de ruisseau. Que des bungalows, des rues, des garages, de la pelouse et des plates-bandes, de l'asphalte et du ciment, la ville partout autour.

Et tout paraît plus petit que dans le temps, qu'en ce jour effrayant où Debbie était rentrée de l'école avec son petit frère Steve et qu'il y avait plein de gens tristes dans la maison : Memére

Lafontaine, la tante Hélène, Ti-Moineau, la tante Paula qui était soûle, Lola, Arlette, Alfonso avec ses garçons qui avaient l'âge de Debbie à peu près, et le grand-père Sparvieri, Téo, qui ne pleurait pas mais qui était triste lui aussi, plus que tous les autres.

Pierre a garé l'auto devant la petite maison de la rue Mireault. Et il attend, en écoutant la radio, en regardant le soir tomber tranquillement sur Repentigny. Katy tousse et chantonne. Elle adore la musique. Elle ne sort jamais sans son walkman et un sac rempli de cassettes. Certains jours, elle peut faire jouer la même chanson sans arrêt pendant des heures et des heures. *November Rain* ou *Losing My Religion*, très fort... Et elle chante parfois à tue-tête. Elle a la voix rauque et elle chante terriblement faux, ce qui fait rire Pierre et l'émeut. Parfois aussi, Katy se perd dans ses rêveries en écoutant Whitney Houston ou Céline Dion.

Pierre n'aime pas voir Debbie ressasser ainsi ses mauvais souvenirs. Un jour, il s'est fâché et il lui a dit : «Ta mère ne serait pas morte, tu ne lui parlerais peut-être jamais. Tu te disputerais probablement avec elle, comme tu te disputes avec ton père et avec tous ceux de ta famille.» Debbie a répondu : «Je suis sûre que non. Ma mère pouvait se chicaner avec l'univers entier; jamais avec moi.»

Debbie Burns a la tête dure. Il y a deux ans, elle a même réussi à joindre au téléphone le gars qui a tué sa mère, le dénommé Boisvert. Il n'a pas voulu lui parler. Mais rien que d'entendre sa voix, elle a été toute retournée pendant des jours. Et lui, quand il a compris qu'il parlait à la fille de la femme qu'il avait abattue vingt-sept ans plus tôt, il a dit très doucement : «Je n'ai rien à te dire, ma fille. J'ai fait ce que j'avais à faire et j'ai vécu avec.» Et il a raccroché. Longtemps Debbie a continué d'entendre la voix du policier qui a tué sa mère, la voix ronde, chaude, inquiète de l'homme qui a tué sa mère.

Une autre fois, elle est allée à la Sûreté du Québec pour voir le rapport d'autopsie. Le fonctionnaire ne voulait pas lui montrer les photos. Il disait qu'il n'avait pas le droit. Mais elle a insisté. Et quand Debbie Burns a quelque chose dans la tête, personne au monde ne peut la faire changer d'idée... Le gars a fini par céder. Il lui a tendu le dossier. Quand elle a eu les photos entre les mains, qu'elle a vu sa mère avec cette blessure au front, les yeux ouverts sur la mort, les seins troués par les balles, elle a failli perdre connaissance. Elle a laissé tomber le dossier par terre et toutes les feuilles et les photos se sont répandues sur le béton, en morceaux, les seins de sa mère, ses jambes, ses yeux, ses cheveux, son corps morcelé, épars sur le sol. Et pour ne pas tomber elle aussi, Debbie s'est assise et s'est mis la tête entre les genoux. Le fonctionnaire a ramassé les documents et lui a dit : «Je te l'avais bien dit, hein!» Debbie est restée pliée en deux sur une chaise droite, près de la fenêtre.

Dans la maison de la rue Mireault, on vient de faire de la lumière. Il y a une voiture stationnée devant l'allée asphaltée qui mène au garage. Debbie s'est rendue à la porte du côté et a sonné. C'est exactement la même sonnerie à deux tons qu'il y avait dans le temps. Une femme qu'elle ne connaît pas est venue répondre. Elle a un gros livre à la main, elle est très grande, maigre, souriante. Dans le salon, derrière elle, Debbie voit un homme chauve et gros qui regarde le football à la télévision. Un parfait inconnu. Il mange des chips, il boit de la bière. Tout a été changé : les meubles, la tapisserie... À part la sonnerie, tout est étranger. Debbie est immobile sur le seuil, comme au bord d'un puits où elle a peur de tomber. Elle reste plantée là devant cette femme qui la regarde en souriant, en disant : «Oui? Je peux vous aider? Je peux faire quelque chose pour toi?»

Mais Debbie ne dit rien, elle ne demande rien. Elle pleurerait trop. Elle retourne à l'auto en marchant lentement et s'assied derrière avec Katy. Le soleil se couche quand ils traversent le pont Le Gardeur. Katy tousse. Elle toussera toute sa vie. Debbie lui donne de grandes tapes dans le dos. Katy sourit à travers ses larmes. Les enfants trisomiques ont souvent une bonne nature. Ils aiment la vie. On dirait parfois qu'ils n'en voient que le beau côté. Ils aiment les gens. Ils sont affectueux. Ils ont l'âme limpide, jamais trouble et brouillée comme tous les adultes qui fatalement, avec ce qu'ils ont vécu, vu et su, voulu et n'ont pas eu, sont souvent remplis de regrets, de remords et d'amertume. Même quand elle souffre, Katy a de la joie en elle qu'elle laisse paraître. Si elle a une saute d'humeur, ça ne dure jamais bien longtemps.

Ce jour d'octobre 1992, rue Mireault, plus de vingt-cinq ans après la mort de sa mère, en voyant cette étrangère à la porte de leur maison et ce gros homme chauve derrière elle qui regardait le football à la télévision, Debbie a compris que c'était bien fini. Et que ce rêve que sa mère était toujours en vie ne reviendrait plus jamais. Elle faisait enfin, plus d'un quart de siècle après le fait, le deuil de sa mère. Les plus terribles souvenirs de sa vie lui revenaient alors en mémoire. Mais en même temps elle entrevoyait un renouveau, l'oubli peut-être, probablement la paix…

En rentrant de leur promenade dans Lanaudière, Debbie, Pierre et Katy se sont arrêtés ce soir-là chez Mario, comme ils faisaient souvent, pour parler ou regarder un film avec lui. Et parce que Katy adorait Mario et voulait toujours le voir.

C'est lui qui leur a appris que Steve n'était pas rentré au travail de la semaine. Ce n'était pas la première fois qu'il s'absentait ainsi pendant plusieurs jours. Ce qui était nouveau, c'était que, cette fois, même Paula, sa complice, son amie, sa seule amie, n'avait pas eu de ses nouvelles depuis le dimanche précédent.

13

SIX JOURS plus tard, le samedi matin, une méchante surprise attendait Debbie en page 3 du *Journal de Montréal*. Elle eut d'abord l'impression de se trouver face à face avec elle-même. Avec ce qu'elle crut un moment être elle-même, son propre visage, en gros plan. Elle fut frappée par l'infinie détresse du regard, la profonde tristesse du sourire, avant de se rendre compte qu'il ne s'agissait pas d'elle mais de son frère Steve. Elle a pensé d'abord qu'il avait mis ses menaces à exécution et qu'il s'était réellement jeté en bas du pont Jacques-Cartier. En fait, il avait été arrêté la veille au soir à la suite d'un vol de banque perpétré à Verdun, un vol qu'il avait improvisé, pauvre fou, et qu'il avait exécuté tout seul. Et qui lui avait rapporté, écrivait-on, «la jolie somme de onze mille quatre cent trois dollars».

En fait, ça ne lui avait rien rapporté du tout, puisqu'il se retrouvait en prison. Et l'argent, toujours à la banque. C'est comme s'il ne s'était rien passé du tout, se disait Debbie. Comme quand on lance un caillou dans l'eau. Les ronds s'éloignent, l'eau se calme. Et très vite on jurerait qu'il ne s'est rien passé. Le caillou est au fond, invisible, inutile, inerte. Comme Steve, qui s'était jeté au fond de la vie. Aujourd'hui, il faisait des ronds dans le journal, on parlerait peut-être de lui à la radio; mais demain, plus rien. Il reposerait, inerte, invisible, au fond du monde, en prison. «Attends, Debbie, attends, un jour, tu vas voir.»

Ce matin-là, dans le journal, tout le monde voyait, en effet. Un pauvre petit voleur maladroit qui s'était fait prendre et dont on ne parlerait plus dans quelques jours, caillou perdu au fond du monde, disparu sans laisser de traces.

Mais il y avait autre chose qui stupéfia et terrorisa Debbie. On racontait dans le journal que Steve s'était déguisé en Machine Gun Molly pour faire son vol. Perruque blonde, lunettes noires, jeans noir, chemisier blanc. Debbie court ouvrir le tiroir du bureau de sa chambre pour constater de visu que la perruque blonde de sa mère a disparu, cette perruque que Steve aimait tant porter quand il était petit.

Pauvre Steve! Quand les photographes se sont approchés, il ne leur a même pas fait son *fucking finger*. Il a souri, d'un très doux sourire, très triste, résigné. Lui toujours si élégant, qui aurait certainement aimé qu'on le photographie avec son chapeau mou, son habit de lin, il paraît négligé dans le journal. Le col de son chandail a un faux pli. S'il a volé, ce n'est pas pour l'argent, mais pour se faire prendre.

Comme un caillou jeté à l'eau, il va aller se reposer au fond de la vie et les petites vagues qu'il a faites au-dessus vont bientôt se dissiper, se perdre. On ne verra plus rien. On l'oubliera. Il va se glisser dans l'abjection, s'y délecter, souffrir et être méprisé, ne plus bouger. «Quand tu ne bouges plus…»

Désormais, lorsqu'il appellera Debbie depuis la prison de Sainte-Anne-des-Plaines ou de Donnacona, ce ne sera pas pour savoir ce qui se passe au-dehors, dans la vie, ni pour lui donner des nouvelles, mais pour savoir si l'oubli progresse, l'enfouissement, l'effacement de sa pauvre petite personne. Il sera l'emmuré, le grand ténébreux, l'inconsolé. Il passe des jours, des semaines sans parler à personne. Seul. Magnifiquement, superbement seul. Parce que les autres ne sont pas dignes. Il dessine au crayon de plomb des paysages tourmentés, plein de fureur…

Debbie savait bien que Steve lui en voulait parce qu'elle ne s'occupait pas assez de lui. Elle lui avait dit, un jour : «Je ne suis pas ta mère.» Elle avait sa fille trisomique, son homme, sa vie, sa toute petite vie qu'elle tentait tant bien que mal d'aménager au mieux.

Ce matin-là, dans le journal, Steve la regardait, fier et infiniment triste. Il regardait les lecteurs du *Journal de Montréal*. Un court texte rappelait son histoire de récidiviste en probation. Et on disait qu'il était le digne fils de sa mère, Monica la Mitraille, dont on rappelait les faits et gestes.

Debbie regarde la photo du journal, le cou trop petit et long, ces yeux de charbon sans éclat, ce sourire d'une si bouleversante tristesse. Et elle pleure, elle pleure, en pensant au petit garçon si proche d'elle autrefois, quand ils vivaient en Angleterre et qu'ils n'avaient qu'une seule âme...

Il y a une photo de famille sur le mur de sa chambre. Au premier plan, leur père avec ses deux frères et leurs femmes. Ils sont assis dans un salon, en Écosse, sur de gros fauteuils recouverts de velours. Les femmes sont sur les bras des fauteuils. Les hommes ont des verres et des cigarettes. Derrière eux, debout, douze et dix ans environ, Debbie et Steve se regardent dans les yeux avec un grand sourire complice, presque un fou rire. C'était un temps heureux, c'était le bonheur enfin revenu. Ils étaient vraiment ensemble, si proches qu'ils avaient les mêmes pensées, et des secrets qu'ils ne partageaient avec personne. Ils croyaient encore que leur mère veillait sur eux. Et qu'ils seraient toujours ensemble.

* * *

Le week-end suivant l'arrestation de Steve, les journaux ont ressorti toute l'histoire de la famille. Pierre est venu réveiller Debbie avec la grosse *Presse*, le *Journal de Montréal* et *The Gazette*. Il y avait de pleines pages sur le Red Light. Et même une photo de la mère de Debbie, Monica la Mitraille, qu'on présentait comme la reine de la *Main*.

C'était une photo magnifique que Debbie n'avait jamais vue. Monica n'était pas du tout maquillée comme sur la photo de passeport que Debbie avait fait encadrer et qu'elle gardait toujours sur sa table de chevet. Son regard n'était pas triste, mais grave, sérieux, un peu fatigué peut-être, celui d'une femme qui semble avoir vécu énormément de choses mais qui peut enfin se détendre, se reposer. Une tête rêveuse, la plus belle photo qu'elle ait jamais vue de sa mère. Et ça la met en colère. Comment se fait-il que d'autres, des étrangers, ont entre leurs mains la plus belle photo de sa mère, la plus touchante qu'elle ait jamais vue? D'où la tiennent-ils? Ce n'est pas une de ces photos officielles que prend la police. C'est une photo que quelqu'un de très proche a faite, quelqu'un avec qui sa mère était bien, un amant peut-être ou un membre de sa famille. Devant la police, sa mère n'aurait jamais eu cet air de confiance, d'abandon...

Debbie ne comprend pas comment des gens qui n'étaient pas là se permettent de raconter l'histoire de sa famille, de sa mère. De quel droit pénètre-t-on ainsi sur le territoire familial? De quel droit pille-t-on les richesses de cette histoire?

Les textes rappellent le passé criminel de Monica, sa folle audace, son mariage avec un truand britannique qu'on ne nomme pas, les vols de banque qu'elle faisait parfois avec ses enfants, sa mort tragique, hautement spectaculaire. Et toute la légende familiale. Le feu de la rue Sainte-Élisabeth dans lequel la mère de Monica est morte avec quatre de ses enfants. On voit même la ruelle Leduc qui n'existe plus mais dont l'oncle Mario et la tante Paula parlent souvent quand ils sont ensemble. Et on raconte une chose dont Debbie n'a jamais entendu parler par personne : que son arrière-grand-mère Anna Sparvieri a été arrêtée au début des années 50 et jetée en prison à Kingston pour «avoir tenu une véritable école du crime», pour recel, incitation de jeunes au vol, à la prostitution, etc. Il y avait même une photo de cette arrière-grand-mère que Debbie n'a pas connue, qui est morte l'année de sa naissance.

Anna Sparvieri semble pour le moins costaude. Elle porte un chapeau, un manteau avec un collet de fourrure, des lunettes à monture d'écaille. Elle a l'air d'une mère supérieure plus que d'une criminelle. Plus étonnant encore, on parle de son fils, l'oncle Alfonso, le parfait et moralisateur Alfonso, arrêté lui aussi, condamné à trois ans de prison pour vol qualifié et recel. Et Debbie repense avec effroi à cette histoire de chromosome criminel dont lui avait parlé Pierre... Elle réalise ce jour-là que depuis quatre générations il y a presque continuellement eu quelqu'un de sa famille en prison : son arrière-grand-mère, son grand-oncle, son oncle Mario, son frère Steve.

On avait toujours parlé de cette arrière-grand-mère Anna comme si elle avait été une espèce de sainte, la femme forte de l'Évangile. Tout le monde la respectait, la vénérait. Tous ceux qui la connaissaient, qu'ils soient parents ou pas avec les Sparvieri. Debbie est persuadée que si la police avait fait une vraie enquête sur son arrière-grand-mère, ils ne l'auraient probablement jamais condamnée, parce qu'ils auraient découvert qu'elle faisait du bien autour d'elle. Tout le monde le disait. C'était une *mamma*, une mère poule. Son mari était débardeur ; il est mort dans un accident de travail. Elle a élevé ses enfants toute seule, sans aide aucune, dans un monde qu'elle comprenait mal, à une époque où les gouvernements étaient encore plus sans-cœur qu'aujourd'hui. Mais les policiers ne vont jamais jusqu'au fond des choses. Ils ne tiennent jamais compte des circonstances, du fait que parfois certaines personnes sont obligées d'agir comme elles le font. Et ils accusent et condamnent les gens qui ne font pas comme tout le monde, qui ne mentent pas, qui ne savent pas se défendre.

14

CE BRUIT qu'on faisait sur sa famille, sa mère et sa nièce et sur lui-même était bien assez fort pour pousser le grand-oncle Alfonso à sortir de son trou. Chaque fois qu'il est question de sa nièce Monica dans les journaux depuis ce jour où elle est morte, le 19 septembre 1967, il s'agite, s'enrage, se scandalise et agit. Beaucoup de gens du cinéma, de la télé, des romanciers, des journalistes ont tenté de raconter l'histoire de Monica la Mitraille, avec ou sans la permission des membres de la famille. Une femme hors-la-loi, morte violemment, spectaculairement, tout enveloppée de légende, intéresse éditeurs et producteurs de cinéma. Chaque fois que lui sont venues aux oreilles des rumeurs de film, de livre, de spectacle, de chanson, le vieil Alfonso est sorti de son trou pour faire taire, cacher…

Il s'est donc pointé chez Debbie le dimanche après-midi avec son neveu Normand, le demi-frère de Monica, sans prévenir, sans même dire bonjour. Debbie s'apprêtait à sortir avec Pierre et Katy pour aller marcher au bord du fleuve. Il l'a retenue d'autorité. Il a dit à Pierre : «Toi, tu peux aller promener la petite et son chien, j'ai affaire à Debbie.»

Pierre serait resté si Debbie l'avait voulu. Il se serait même fait un plaisir de flanquer le grand-oncle à la porte. Mais Debbie lui a dit qu'il pouvait partir. Il a habillé Katy, il a baissé le feu sous le chaudron de sauce à spaghetti qu'il était en train de préparer, et il est sorti.

Debbie n'avait pas vu son grand-oncle depuis les funérailles de son grand-père Téo, quatre ou cinq ans plus tôt. Et même alors,

Alfonso faisait comme s'il ne la voyait pas. Il était resté très attaché à son grand frère Téo, qu'il pleurait d'ailleurs abondamment, mais il avait ostensiblement tourné le dos à sa famille qu'il considérait avec le plus souverain mépris, surtout depuis la mort de Monica. S'il avait accepté de parler à Mario de temps en temps, quand celui-ci n'était pas en prison, c'était parce que, comme tout le monde, il aimait Mario, qui avait hérité du charme irrésistible de son défunt père. Mais surtout parce qu'il était le parrain de Mario et qu'il se considérait responsable en tant que tel.

L'oncle Alfonso était un maniaque du devoir. Et de l'honneur et de l'ordre. Il était maintenant le patriarche, le plus vieux de tous les Sparvieri, le seul survivant de la première génération née en terre américaine. Et il se prenait pour le Parrain. Un peu plus, il demanderait qu'on l'appelle don Sparvieri. Il parle toujours de respectabilité, d'honorabilité, comme Michael Corleone dans *Le Parrain III*. N'empêche qu'il a fait de la prison, lui aussi, et que son propre fils, Alfonso junior, est au pénitencier à sécurité maximale de Sainte-Anne-des-Plaines. Et il en a pour un joli bout de temps.

Alfonso vit en banlieue, depuis ce jour où, quelque temps après sa sortie de prison, avant la naissance de Debbie et avant le grand feu qui a tué la femme de son frère et quatre de ses enfants, il est sorti du Red Light en disant qu'il n'y remettrait jamais les pieds. Et il a tenu parole. On ne l'a jamais revu ni dans le Red Light, ni sur la *Main*, ni même dans le Faubourg-à-Mélasse. Même si on a depuis ce temps-là pratiquement démoli tout le quartier, il n'y est jamais revenu. Il était parti tellement vite que bien des gens ont pensé qu'il était retourné en prison ou qu'il avait été assassiné par la pègre, coulé dans le ciment. Même dans sa famille, on ne savait pas trop ce qu'il était devenu. En fait, il travaillait dans la construction du côté de l'île Jésus et des nouveaux quartiers de l'est de la ville.

Il ne voulait plus être associé au milieu dans lequel évoluait la famille de son frère. Il était sorti de prison en disant qu'il avait payé pour ses erreurs et qu'il rentrait enfin dans le droit chemin, qu'il vivrait désormais comme un monsieur, aurait un vrai métier, des enfants qui iraient à l'école et deviendraient des gens bien.

Le grand-oncle Alfonso n'était pas très grand, et il était tout maigre, sec, osseux, avait les joues creuses, la peau si tendue sur le crâne, les arcades sourcilières, le nez, qu'on voyait partout les os, les sutures, les joints entre les os, et les veines qui saillaient sous la peau. Avec son long cou plissé, on aurait dit un oiseau. Ses cheveux rares étaient impeccablement lissés. Et il sentait la lotion après rasage, une odeur agressive et tenace. Il avait une fine moustache sur le rebord de la lèvre.

Debbie lui a offert une bière, puis un café, un Coke. Il ne répondait pas. Il regardait le petit appartement d'un œil froid. Il s'est arrêté un moment devant la photo de noces de Monica et Michael Burns que Debbie avait fixée au mur près de la chambre de Katy. Il a jeté un coup d'œil dans le petit salon et dans les deux chambres à coucher, comme pour s'assurer qu'il n'y avait personne. Puis il est entré dans la cuisine, il a posé son imperméable et son chapeau sur la sécheuse, il a tiré deux chaises autour de la table et fait signe à son neveu et à sa petite-nièce de prendre place. Il s'est assis dos à la fenêtre qui donnait sur l'escalier de sauvetage et sur les toits et les cheminées des raffineries de Pointe-aux-Trembles. Il s'est croisé les jambes, a sorti son paquet de cigarettes qu'il a posé sur la table, silencieux toujours, et regardant partout, le réfrigérateur, le comptoir, les murs, comme s'il cherchait quelque chose. Il a sorti une cigarette qu'il a rangée le long du paquet, puis un briquet qu'il a placé debout juste à côté. Et il a commencé à parler de sa mère, sa mère à lui, dont Debbie venait d'apprendre par les journaux qu'elle avait fait plusieurs années de prison pour recel et incitation de mineurs au vol et à la prostitution.

«Je vais te dire la vérité sur ma mère, qui était une sainte femme.» Et il a parlé longtemps, lentement, en continuant de scruter les lieux, comme s'il suivait du regard un papillon voletant entre les murs de la cuisine. Il a raconté que cette sainte femme, sa mère, était allée en prison pour les sauver, lui et son frère Téo et leurs amis qui avaient fait des mauvais coups. «Pas pour mal faire, mais pour que les enfants de Téo, c'est-à-dire, entre autres, ta mère, ton oncle Mario, ta tante Paula, aient de quoi manger. On a volé de la nourriture et des vêtements, une dinde de Noël, des manteaux d'hiver, des bottes d'enfant… Et on s'est fait prendre. La police était accusée, à cette époque-là, on était en 1951, de ne rien faire contre le crime à Montréal. Il y avait beaucoup de prostitution, et des réseaux de voleurs qui opéraient dans tout le bas de la ville. La police et les juges ont décidé qu'on serait leurs boucs émissaires. Ils s'étaient fait accompagner par des photographes de presse quand ils sont venus nous arrêter. On a avoué à notre mère les petits vols qu'on avait commis. Et je me souviens qu'elle a eu énormément de peine et qu'elle a pleuré. Et tout de suite elle a voulu prendre sur elle les fautes de ses enfants. Comme notre Seigneur a pris sur lui les péchés du monde. Est-ce que tu comprends ce langage-là ?»

Même en lui parlant ainsi, en lui posant des questions, l'oncle Alfonso ne regardait jamais Debbie, ni Normand. Son regard froid errait sans arrêt dans le petit espace, passant de la sécheuse à la laveuse, aux murs nus et blancs, à la cuisinière où mijotait la sauce de Pierre.

«J'avais vingt-deux ans quand je suis sorti de prison. Pendant quatre ans, presque chaque mois, je suis allé voir ma mère à la prison de Kingston. En autobus la plupart du temps. Ou en auto-stop. Quelques fois, pas souvent, avec ton grand-père… C'était une femme brisée. Pas parce qu'elle se retrouvait en dedans; mais parce que j'avais fait ces bêtises pour lesquelles elle devait payer.

«Si ma mère a déjà été coupable de recel ou d'avoir fermé les yeux sur nos activités, c'était pour que vivent ses enfants et ses petits-enfants. Elle n'avait pas le choix. Son mari était mort. Elle avait une douzaine de personnes à charge : ses enfants, c'est-à-dire ton grand-père, notre sœur Sylvana et moi, plus les enfants de ton grand-père, qui était un homme merveilleux mais fainéant, un artiste. Et en plus il y avait toujours des jeunes qui se réfugiaient chez nous. Parce que leurs parents les avaient battus ou parce qu'ils n'avaient pas de parents. Et c'était elle qui avait la responsabilité de tout ce monde-là.

«Elle s'est battue pour ses enfants et ses petits-enfants, toute seule, dans ce trou de misère et de corruption qu'était le Red Light. J'étais jeune. L'âge de la révolte, tu comprends ? L'âge et toutes les raisons de la révolte. J'ai fait des mauvais coups, je me suis fait prendre, je lui ai brisé le cœur. Quand les policiers sont venus m'arrêter, elle s'est accusée à ma place. À la place de ton grand-père aussi. Parce qu'il avait des enfants. Mais j'avais déjà avoué moi aussi. Ils nous ont embarqués tous les deux, ma mère et moi. Et ils nous ont mis sur le dos tous les crimes qui avaient été commis dans le bas de la ville depuis deux ou trois ans.»

Il a enfin allumé sa cigarette. Il continue de regarder partout, de parler, sans jamais regarder Debbie. Elle a mal au dos. Elle a envie de se lever, de pleurer, de se jeter en bas de la maison ou de jeter son oncle, ce paquet d'os, dans la rue. Mais elle est incapable de bouger. Elle le regarde fixement... Normand, lui, regarde par la fenêtre. Debbie aurait attendu un peu d'aide de sa part. Ils ont le même âge. Ils ont été si proches autrefois, lorsqu'ils avaient quatorze ou quinze ans, un été qu'elle était venue de Londres passer quelques semaines à Montréal. Son oncle Mario les avaient emmenés, elle et Steve, à Mont-Tremblant, où vivait le grand-père Téo avec sa jeune femme et ses deux fils, Normand et Gilles. Mais Normand laisse parler l'oncle Alfonso en passant de temps en temps sa main dans ses longs cheveux roux qu'il rejette sur ses épaules.

«D'ailleurs, c'est après que ma mère est entrée en prison que tout a commencé à se dégrader, continue l'oncle Alfonso. Tant qu'elle était là, il y avait de l'ordre dans la famille. Elle partie, ton grand-père a pris des maîtresses, et ta grand-mère avait trop de peine et c'était une femme trop faible pour s'occuper de ses enfants, tu comprends? À quinze ans, ta mère et ton oncle Mario étaient déjà des criminels endurcis. Ils volaient des autos, des camions de marchandises, n'importe quoi. Et ta mère, je ne te dis pas tout ce qu'elle a fait, je ne te raconte pas dans quoi elle a trempé. Tu sais mieux que moi le genre de commerce auquel peut se livrer une fille de ce genre-là. Dès que j'ai compris qu'ils étaient irrécupérables, je suis parti. J'ai élevé mes enfants loin d'eux. Ton grand-père est parti, lui aussi. Il a refait sa vie ailleurs. Ta mère, elle, aimait l'air du crime. Laisse-moi te dire que j'ai été soulagé quand elle s'est mariée. Ton père était un vaurien, mais au moins, grâce à lui, ta mère a cessé d'être une Sparvieri. Elle ne pouvait plus salir notre nom.»

Il s'est tu. Il a tendu le bras pour secouer la cendre de sa cigarette dans l'évier. Debbie était piégée. Normalement, elle aurait hurlé, elle l'aurait frappé, elle lui aurait lancé par la tête le chaudron de sauce à spaghetti qui mijotait toujours sur le rond de la cuisinière. Mais son grand-oncle l'avait complètement subjuguée. Elle était incapable de bouger. Elle se faisait penser à l'oiseau qu'a hypnotisé le chat. «Quand tu ne bouges plus, c'est que tu es mort», disait Steve. Et Debbie, qui savait tout cela, laissait son grand-oncle Alfonso l'immobiliser, la tuer. Et retuer sa mère. Car c'est cela exactement qu'il était venu lui dire : de s'arranger pour qu'on ne parle plus jamais de sa mère nulle part, qu'elle n'existe plus. «Les ordures, on les jette. Je sais que c'est dur pour toi, parce que c'est tout ce que tu as. Mais tant que tu vas traîner ça avec toi, tu vas sentir l'ordure. Tu vas nous débarrasser de ta mère, tu as compris?»

Et le voilà qui lui donnait des ordres. Après avoir engueulé Steve à travers elle. Et lui avoir reproché la vie de sa mère qui, plus d'un quart de siècle après sa mort, continuait de faire la honte de la famille. Il disait qu'il détestait voir son nom et l'histoire de sa famille ainsi étalés dans les journaux. Et que c'était la même chose pour ses enfants et pour les garçons que son défunt frère avait eus de son second mariage, Normand et Gilles, qui ne voulaient sous aucun prétexte entendre parler de leur demi-sœur. Et qu'elle, Debbie, devait s'arranger pour que ça ne se reproduise plus. «Après tout, c'est ta mère et ton frère! C'est ton affaire. Je ne veux plus en entendre parler, tu comprends? Je ne veux plus que ma mère à moi, qui était une sainte femme, je te le répète, soit mêlée à ça.»

Il croyait détenir toute la vérité. Il avait tranché, jugé, sans appel. Sa mère était une sainte, victime d'une erreur judiciaire. Celle de Debbie, une criminelle, une ordure, une traînée.

«Ce que ta mère a fait, jamais ma mère ne l'aurait fait. Son seul tort est peut-être d'avoir fermé les yeux sur les crimes qu'on avait commis, ton grand-père et moi. C'est qu'elle savait que ce n'était pas pour mal faire, mais parce qu'on voulait survivre, tout simplement. Ta mère, elle, volait parce qu'elle avait ça dans le sang. Elle avait le virus du crime dans les veines. Si elle n'était pas morte, Dieu sait ce qu'elle aurait été capable de faire.»

Debbie ne comprend pas l'acharnement de son grand-oncle à vouloir sanctifier sa mère. Elle aussi a pour la mémoire de sa propre mère le plus grand respect. Mais il ne lui viendrait jamais à l'idée d'exiger qu'elle soit perçue comme différente de ce qu'elle a été. Debbie sait confusément qu'il y a en chaque personne un peu d'or, de lumière. Elle a l'impression que son grand-oncle cherche à cacher la lumière de sa mère à lui, puisqu'il en fait un personnage qui n'est pas elle. Et, ce faisant, il la tue une seconde fois. Et pour toujours. Nuit et brouillard sur la mère du grand-oncle Alfonso, l'arrière-grand-mère de Debbie. Celle-ci se dit qu'elle mettra de l'ordre dans ses idées dès qu'il sera sorti de chez elle. Devant lui, elle est incapable de réfléchir. D'ailleurs, il ne lui demande rien; il affirme des choses, il ordonne…

Il rappelle à Debbie que, pendant l'été qui a suivi la mort de sa mère, des gens ont écrit une comédie musicale, *Monica la Mitraille*, présentée à la Place-des-Arts en juillet 1968. Avec Denise Filiatrault dans le rôle-titre. Et que Téo, le père de Monica, et lui, son oncle, l'ont fait retirer de l'affiche. Et aussi qu'il a empêché, il y a quelques années, un gros producteur de cinéma de faire un film sur Monica.

«On nous offrait une très grosse somme, disait-il. Mais je leur ai répondu que le nom des Sparvieri n'était pas à vendre. Tu comprends? Pour un million, je ne permettrai pas à qui que ce soit d'écrire cette histoire. Nous, les Sparvieri, nous n'avons pas de bien. Nous n'avons que du mal. Cette histoire, c'est notre mal. Je veux nous en débarrasser, tu comprends? Tu vas dire à ton frère qu'il arrête de faire parler de lui s'il ne veut pas entendre parler de moi. Si tu donnes une autre photo de ta mère à un journal, je viens ici avec mes garçons, et les photos de ta mère et tous les souvenirs que tu gardes, tu ne les reverras jamais, tu m'entends? Si un autre journaliste t'appelle, tu refuses de lui parler. Tu n'as rien à dire, de toute façon. Tu n'étais même pas là, tu n'as rien vu, tu ne sais rien, tu ne connais pas cette histoire-là.»

Ce vieux haïssable d'Alfonso est le seul qui a tout vu, tout su, connu tout le monde. Il a presque vu naître Monica. Sa mère l'avait envoyé aux nouvelles chez Memére Lafontaine, rue Parthenais, au petit matin du 25 février 1940. Il était rentré une heure plus tard ruelle Leduc, en courant dans la neige folle qui tombait sur Montréal, pour dire que Marie-Ange et Téo, son grand frère, avaient eu une fille pendant la nuit. Il l'avait vue. Un bébé tout rouge qui pleurait. Anna n'avait rien dit. Beaucoup plus tard, quand il a mieux connu et sa mère et la vie, Alfonso a compris qu'elle avait été déçue. Elle aurait voulu un petit-fils. Anna aimait les garçons et les hommes. Elle savait se battre et s'engueuler comme eux. Elle aimait leur univers, leurs jeux, leur vie. Elle s'entendait mieux avec eux qu'avec les femmes. Sa fille Sylvana, sa bru Marie-Ange étaient trop pâles ou trop douces, trop passives et rêveuses. Ce n'est qu'en fin de journée, après que la tempête se fut apaisée, qu'elle est allée, avec Sylvana et Alfonso, voir sa petite-fille chez Memére Lafontaine, rue Parthenais. Elle l'a vite regardée. Puis elle a dit : «Au moins, c'est une Sparvieri.» L'enfant n'avait rien de la blondeur et de la fadeur des Lafontaine. Anna avait vu assez de bébés pour savoir que sa petite-fille aurait les gros cheveux noirs et le teint mat des Sparvieri. «Elle va s'appeler Monica», a-t-elle ajouté. Et l'enfant s'est appelée Monica. On n'a jamais su si sa mère et la mère de sa mère avaient pensé à quelque autre nom.

Alfonso était au baptême de sa nièce. Il l'a vue dans son berceau, puis dans son cercueil, vingt-sept ans plus tard. Il était à ses funérailles. C'était le samedi, quatre jours après la mort de Monica. La police n'avait remis le corps à la famille que le jeudi. Paula était allée toute seule à la morgue pour identifier sa sœur. Elle avait parlé pendant des jours des trous que Monica avait dans les seins et de l'entaille qu'on lui avait faite pour aller chercher les balles tout au fond de son corps. Tout le monde avait vu les photos dans le journal. Et tout ce qu'on avait écrit sur les Sparvieri, sur Anna, la *mamma*…

Le salon funéraire de la rue Rachel était rempli à craquer : des parents, des amis, des curieux. Et parmi eux, mêlés à eux, des inconnus, des policiers en civil qui dévisageaient les hommes. Le cortège avait emprunté la rue Rachel. Le temps avait brusquement changé depuis la veille. On sentait maintenant l'automne. On voyait l'ange de pierre tout au bout au-dessus de la statue de Macdonald-Cartier, avec le mont Royal derrière. Le cortège avait ensuite emprunté le boulevard Saint-Laurent jusqu'à l'avenue des Pins et jusqu'au chemin de la Côte-des-Neiges. Et au cimetière encore, ces hommes sombres étaient là qui scrutaient la famille, qui dévisageaient les amis de Monica, qui prenaient des notes, des photos. L'oncle Alfonso était dégoûté et enragé. Il se tenait éloigné de Ti-Moineau, de Gendron, de Trépanier, des Blass et des Bienvenu, de tous ces gars connus de la police, les comparses, les amis de Monica, ex-détenus, repris de justice, ce qu'Alfonso appelait la racaille en grasseyant, en appuyant longuement sur le *r*. Il ne voulait pas être associé à eux de quelque manière que ce soit. Il ne les regardait pas. En sortant de l'église, il s'est heurté à Ti-Moineau, le mari de sa nièce Paula. Il ne s'est pas excusé, il a fait comme s'il s'était frappé à un meuble ou au chambranle de la porte.

Quelques jours plus tard, dans l'hebdomadaire *Allô Police*, on voyait les photos de ces gars qui, disait-on, voulaient venger la mort de Monica. «C'est complètement inventé, dira Ti-Moineau. Les journalistes ont écrit ça pour se rendre intéressants.» Mais pour l'oncle Alfonso, tous ces gens étaient dangereux. Il ne voulait pas être vu avec eux. Il était venu aux funérailles pour son grand frère Téo qui était durement éprouvé. En neuf ans, sa femme et cinq de ses enfants étaient morts tragiquement; et Mario, son unique garçon resté vivant, se trouvait en prison… Mais Alfonso était blessé dans son amour-propre, dans son honneur; le nom de la famille Sparvieri était souillé, la mémoire de sa mère salie.

Il voudrait aujourd'hui que tout soit oublié, à jamais enfoui dans l'oubli. Il prétend que ses cinq enfants ignorent tout du passé familial. Et que les deux garçons du deuxième lit de son frère ne veulent rien entendre de cette histoire. Debbie regarde Normand qui regarde le ciel bas, la forêt de cheminées et d'antennes des vieilles raffineries de l'est de la ville. Ainsi, son grand-oncle Alfonso aimerait qu'on croie que Monica a été le mouton noir d'une famille par ailleurs honorable. Alors qu'en fait, depuis quatre générations, la plupart des Sparvieri ont fait de la prison, presque tous les hommes, y compris Alfonso lui-même.

Quand Pierre est revenu avec Katy, il était parti. Restait dans la cuisine l'odeur de sa lotion après rasage, mélangée à celle de ses cigarettes et de la sauce à spaghetti qui avait trop réduit et qui commençait à sentir le brûlé, Debbie ayant oublié de fermer le feu après une heure comme Pierre le lui avait demandé. Elle était assise dans la cuisine, sans voix, immobile, ne comprenant pas ce qui l'avait paralysée en présence de son grand-oncle, qui était parti sans dire bonjour ni bonsoir et sans qu'elle lui ait dit qu'elle n'avait jamais parlé de sa mère à aucun journaliste et qu'elle ne savait pas plus que lui d'où venaient ces photos de sa mère et de son arrière-grand-mère qui avaient paru dans les journaux.

Katy s'est mise à pleurer. Et Debbie l'a prise dans ses bras. Elle pleure elle aussi. La seule idée de taire le nom de sa mère, de vouloir qu'on ne parle plus d'elle, qu'on l'enfouisse à jamais dans l'oubli, comme un déchet repoussant et sale, l'enrage. Elle est restée paralysée devant l'oncle Alfonso. Devant Pierre, elle éclate, elle crie : «Salir le nom des Sparvieri ! Mais ma mère n'était pas une sale. Ma mère n'a jamais rien fait de vraiment mal. Je n'ai pas honte de ma mère.»

Pour Debbie, la vérité ne peut pas être salissante. Elle dit tout à tout le monde. Elle ne crie pas sur les toits qu'elle déjà dansé nue, qu'elle a fait des fugues quand elle était adolescente à Londres, que sa mère a fait de la prostitution et qu'elle est morte sous les balles des policiers. Mais aux gens qui l'interrogent, elle dit tout, la vérité, sa vérité, ce qu'elle croit être la vérité.

Voilà sans doute pourquoi la démarche de son grand-oncle l'a tant bouleversée. Et lui a redonné le goût de mieux connaître l'histoire de sa mère. Et, s'il le faut, de la faire connaître. Le soir même, au téléphone, elle raconte tout cela à Mario, à Paula, à sa grand-tante du côté des Lafontaine, Hélène, qui est si douce, si différente des Sparvieri. Elle répète à chacun que l'histoire de sa mère lui appartient, à elle et à son frère Steve, peut-être un peu à Ti-Nou aussi. C'est leur héritage. Et elle en fera ce qu'elle veut. Et si l'oncle Alfonso cherche la guerre, il va l'avoir.

Dans la famille Sparvieri, toute rumeur circule à une vitesse folle. Tout se sait : ce que celui-ci pense de celui-là, ce que celle-là veut cacher à celui-ci, ce que ceux-là ont l'intention de faire. Deux jours plus tard, le grand-oncle Alfonso rapplique au téléphone. Il ne lui laisse pas le temps de placer un mot. «Si j'entends parler de ta mère ou de la mienne ou de toi ou de ton frère dans les journaux, non seulement tu vas perdre tous les souvenirs que tu as pu garder de ta mère, mais ton boss et ton propriétaire vont savoir d'où tu viens.»

Le lendemain, en entrant au bureau, Debbie est allée rencontrer sa patronne et lui a tout dit : qu'elle a été danseuse nue, que sa mère, peut-être ex-prostituée, braqueuse de banque, a été descendue par la police, que son père, que sa grand-mère, etc. La patronne est fascinée, rassurante.

«Même si je voulais, ma fille, je ne pourrais pas te renvoyer pour ça. Tu devrais savoir qu'il y a des lois qui te protègent. Si jamais ton oncle m'appelle, je vais lui parler de la Commission des droits de la personne.»

Debbie sait maintenant que si son oncle cherche à insinuer des choses malveillantes sur elle, il va frapper un nœud. Sa vérité, comme autrefois sa nudité, est son armure. Tant qu'elle n'en sort pas, on ne peut rien contre elle, ni contre sa mère.

15

Paula s'était levée tard, vers dix heures et demie, la tête lourde d'avoir trop bu, trop pris de *goofballs*, ces barbituriques de mauvaise qualité qu'elle achetait dans la rue. Elle descendait la rue Sherbrooke, encore tout engluée dans sa nuit, une nuit glauque peuplée de cauchemars, traversée de spasmes et de nausées.

La gardienne et les enfants étaient montés piqueniquer au parc LaFontaine. Il faisait encore très beau, très doux, pour la mi-septembre. Paula s'est rendue chez son amie Diane Moreau, que tout le monde appelait Banane. Elle tenait un petit salon de coiffure, rue Frontenac, à deux pas du *Mocambo*. La porte du salon était grande ouverte sur le trottoir. Paula est entrée, un Coke à la main, s'est assise sur le gros fauteuil à bascule, et Banane a commencé à la peigner. «Quand tu as mal aux cheveux, y a rien comme de se faire peigner», disait souvent Paula.

Banane brossait, peignait, massait doucement la tête de son amie. Elles écoutaient distraitement la radio. C'est ainsi que Paula a su que sa sœur Monica avait été descendue par la police. Au bulletin de midi. Le gars des nouvelles disait que Monica Burns était une criminelle notoire et que la seule chose qu'elle n'avait pas volée dans sa vie était sa mort.

Paula a tout de suite voulu appeler ses sœurs Arlette et Lola, qui vivaient ensemble. Mais leur ligne était déjà occupée. Et c'est Arlette finalement qui l'a trouvée chez Banane. Ensemble, elles ont essayé de parler à leur frère Mario. Mais, à cette époque, les règlements dans les prisons étaient beaucoup plus sévères et restrictifs qu'aujourd'hui. Il fallait appeler Michael Burns aussi, le premier mari de Monica, le père de Debbie et de Steve. Et Gaston Lussier, le père de Ti-Nou, avec qui elle avait vécu pendant près de trois ans. Ils étaient en prison eux aussi, comme Mario. Et on ne pouvait pas les joindre. Mais ils savaient probablement déjà ce qui était arrivé. En prison, on sait toujours tout avant tout le monde. On sait même parfois les choses avant qu'elles ne se produisent. Un jour, par exemple, Ti-Moineau, que Paula était allée voir à Bordeaux, lui avait dit que le grand Gendron se ferait descendre. Trois jours après, le grand Gendron était mort.

Paula et Arlette savaient que, de tous les proches de Monica, à part ses enfants, bien sûr, ce serait Mario qui aurait le plus de peine. Personne au monde n'avait été plus proche d'elle, même pas les pères de ses enfants. Ils pensaient pareil. Ils avaient les mêmes goûts pour tout. Ils mangeaient la même chose. Ils se chicanaient parfois, bien sûr. Et c'était épouvantable. Elle avait même déjà tiré sur lui avec la 22 long rifle de leur père. Mais quand ils se réconciliaient, c'était comme des noces. Ils se faisaient des cadeaux, ils pleuraient, ils s'embrassaient. Ils marchaient dans la rue la main dans la main. Elle lui achetait des vêtements. Elle ne voulait jamais qu'il porte du linge volé. Et lui, il la surveillait tout le temps. Quand elle se tenait au *St. John's Café*, il passait ses soirées à l'attendre, assis dans les coulisses sur une caisse de bière. Il avait quinze ans; elle, seize. Elle était jalouse de ses blondes. Ils se disaient tout, ils s'échangeaient tous leurs secrets.

«J'ai aimé toutes mes sœurs plus que mes blondes, mais ce que j'ai vécu avec Monica, c'est ce que j'ai connu de plus beau, de plus solide de toute ma vie. Elle était mon amie de cœur, la femme de ma vie. On a toujours été ensemble. On s'aimait. Je l'ai aimée plus que toutes les femmes que j'ai baisées. Et j'ai dû en baiser au-dessus de deux cent cinquante. Je n'en ai jamais manqué. Quand j'étais *pimp*, il y avait six filles qui travaillaient pour moi. Il m'est arrivé de les baiser toutes les six le même jour, deux par deux. J'aimais ça. Mais avec elles, c'était le cul, point. Avec Monica, c'était autre chose : on était des complices.

«Quand j'ai compris qu'elle était vraiment amoureuse de Burns, j'ai commencé à l'aimer, lui aussi. Ou plutôt à l'admirer. J'avais quatorze ou quinze ans. Je voulais tout faire comme lui. J'ai commencé à me peigner comme lui, en me séparant les cheveux presque dans le milieu plutôt que sur le côté. Et, comme lui, je traînais toujours un peigne dans ma poche. Je parlais doucement, comme il faisait, lui, sans jamais élever la voix. J'ai commencé à fumer les mêmes cigarettes que lui, des Pall Mall sans filtre. Je me suis mis à apprendre l'anglais pour pouvoir le comprendre. Un peu plus, je me serais fait teindre les cheveux en blanc pour lui ressembler.

«Le jour où ma sœur a été tuée, j'étais en dedans. Si je n'avais pas été en dedans, j'aurais été avec elle. Et elle ne serait pas morte. Ou on serait morts ensemble, tous les deux. Parce que, depuis notre naissance, on avait toujours été ensemble, Monica et moi. On avait la tête à la même place exactement. On se disait tout. La seule chose qui nous a séparés, c'est la prison. Puis la mort. On s'est souvent battus, elle et moi. Mais l'homme de sa vie, c'était moi.

«J'étais en train de couper les cheveux à un détenu. Je venais de les faire à un gardien qui me payait en cigarettes. C'était dans la vieille prison Craig juste en bas du Red Light, un peu à l'est de la *Main*. Arrive un gars qui me dit : "*Hey, old man…*" C'est comme ça qu'ils m'appelaient, même si je n'avais que vingt-six ans. Peut-être parce que j'avais pris les airs et les gestes de Michael Burns qui, à l'époque, en avait pas loin de quarante-cinq. Je m'étais calqué sur lui. "*Old man, your sister has been killed. Two bullets, one in the head, one in her stomach.*"

«Il me parlait très doucement. C'était un bon gars. Je voyais qu'il avait de la peine de m'apprendre ça. Mais j'ai quand même failli le frapper. Et je l'ai toujours haï par la suite, parce qu'il m'avait annoncé la pire nouvelle de ma vie. J'ai laissé tomber mes ciseaux. J'ai voulu tout de suite téléphoner à ma sœur Paula ou à Arlette. J'étais sûr que c'était vrai. J'avais seulement besoin de parler deux minutes à quelqu'un que j'aimais. Mais à l'époque, en prison, on n'avait pas beaucoup de droits, comme ils en ont aujourd'hui. Aujourd'hui, en prison, ils vivent comme des seigneurs : ils mangent bien, ils ont des bons lits, la télé, des disques, des livres, même des femmes, s'ils en veulent… Moi, en principe, je pouvais téléphoner une fois par semaine. Mais là, c'était un cas de force majeure. J'ai dit au gardien que je le planterais s'il ne me laissait pas faire. Je pleurais. Il a eu peur. Ils ont tous eu peur. Dans le bureau, ils se tenaient loin de moi. Un homme qui a de la peine, c'est dangereux. Et j'avais une peine terrible, qui me faisait peur à moi-même. J'ai finalement parlé à Arlette. Mais on ne s'est presque rien dit. Elle pleurait. On était pauvres, chez nous, et on a eu plein de malheurs, mais on s'aimait.»

16

B OB SIMARD était avec son frère Gérald et Monica Sparvieri, le jour où celle-ci a été assassinée par la police. Blessé aux jambes et à la tête, Gérald a été arrêté. À son grand désarroi, Bob s'en est tiré. Il était, de tous les trois, le plus activement recherché. Pour divers crimes, dont le meurtre, deux semaines plus tôt, le samedi précédant la fête du Travail, du videur de l'auberge du lac de l'Achigan, meurtre non prémédité, à coups de poing, devant plusieurs témoins. Gérald a voulu intervenir. Trop tard. Le gars est mal tombé, c'était un accident... Les frères Simard ont pris la fuite. Une douzaine de personnes au moins les ont décrits à la police. Un homme court, trapu, très musclé, presque chauve, entre trente-cinq et quarante ans, qui avait passé une partie de l'après-midi assis seul au bar à boire de la bière sans parler à personne. Et qui avait soudainement explosé. C'était Bob. Et l'autre, un peu plus jeune, qui riait beaucoup et parlait à tout le monde, qui payait à boire et faisait danser les filles, un grand gars, souple et musclé. C'était Gérald.

Le pauvre Bob s'en voulait d'avoir tué le videur du lac de l'Achigan. Il n'aimait pas faire mal à qui que ce soit, sauf quand il était soûl. Mais surtout il détestait être forcé de fuir tout le temps. Il détestait qu'on le recherche. Il rêvait de pouvoir vivre un jour immobile et tranquille, totalement ignoré du monde entier.

Le jour de la mort de Monica, il avait été poursuivi lui aussi par des hordes de policiers de Montréal-Nord, de Saint-Michel et de Montréal. Il était fatigué, terrorisé, il se remettait difficilement de la cuite qu'il avait prise la veille au soir au *Mocambo* ; il s'est caché sous un balcon et, par miracle, il a échappé à la police. Mais il aurait préféré être pris et mis en prison, où il n'aurait plus eu de soucis d'aucune sorte. Resté libre et seul, il avait dû se battre, sans cesse courir, fuir, frapper, voler...

Le vendredi 6 octobre 1967, moins de trois semaines après la mort de Monica, en pleine heure de pointe, Bob Simard braquait tout seul, sans déguisement et sans préparation aucune, la Banque Provinciale du Canada au 2101 du boulevard Jean-Talon Est. Par miracle, tout s'est bien passé. Il est sorti avec un grand sac de la Régie des Alcools plein d'argent, est monté dans la Buick volée qu'il avait laissée en marche à moitié sur le trottoir, devant la banque. Dix minutes plus tard, quand le trafic s'est fait trop lourd, il a abandonné sa Buick, il a marché un peu dans Rosemont, il a traversé le Jardin botanique et a pris un taxi, rue Sherbrooke. Pendant que celui-ci roulait vers le bas de la ville, il a compté son argent bien tranquillement, en étalant les coupures sur la banquette arrière, des billets de cent dollars, de cinquante dollars et de vingt dollars, neuf mille quatre cent soixante dollars en tout. Le chauffeur se retournait, ahuri ; et Bob de temps en temps lui allongeait quelques gros billets.

Il était quatre heures de l'après-midi quand il s'est fait déposer devant le *Harlem Paradise*, rue de la Montagne, où il s'est embarqué dans une cuite qui devait durer quatre jours, le mener à travers tout Saint-Henri, puis sur la *Main*, où plein de gens savaient qu'il avait tué le videur du lac de l'Achigan et qu'il était avec Monica Sparvieri le jour où celle-ci avait été tuée et qu'il était activement recherché... Mais, par miracle encore, il n'a pas été arrêté. Mieux : une fille du *Mocambo*, qui connaissait son ami Edmond Dupire, a joint ce dernier pour l'informer des faits et gestes de Bob. Et Dupire est venu chercher Bob et l'a mis en route pour Edmonton, où les gars de la bande du Saguenay avaient des amis sûrs et fiables. C'était dans la nuit du lundi au mardi. Le mardi soir, à Hull, Bob était mêlé à une dispute de bar. La police est intervenue. On a jeté Bob en prison. C'est ce qu'il voulait. Ne plus courir sans cesse, être enfin arrêté, se glisser dans la douillette discipline de la prison, et dormir en paix, ne plus avoir à penser, à attendre, à craindre... Ne plus avoir affaire aux filles qui l'intimidaient, le terrorisaient... Il aurait son procès, il serait condamné. À douze ou vingt-cinq ou cent vingt ans de pénitencier, ça ne lui faisait ni chaud ni froid.

Il a été incarcéré à Bordeaux, où il a passé l'hiver à dormir et à regarder la télévision. Le 22 mai 1968, au petit matin, il montait, en compagnie de quatre autres détenus, dans le fourgon cellulaire qui devait l'emmener au Palais de Justice de Saint-Jérôme, où allait débuter son procès pour meurtre. On s'arrêta en route à la prison de Sainte-Anne-des-Plaines. Gérald Simard, son frère, témoin du meurtre, monta à bord, dûment menotté et enchaîné. Ils ne s'étaient pas vus depuis le jour de la mort de Monica, huit mois plus tôt. Bob trouva son frère changé. Il avait maigri, il avait perdu ses cheveux lui aussi, ainsi que son sourire triomphant qui avait toujours séduit tout le monde...

C'était une paisible et pluvieuse journée de printemps. Les deux policiers à l'avant écoutaient la radio. On ne parlait que des émeutes sanglantes qu'il y avait eu à Paris. Les étudiants s'étaient révoltés, ils avaient tout cassé; les ouvriers, les fonctionnaires les avaient suivis. Même les gardiens de prison... Gérald ricanait en pensant à ce grand désordre qu'ils étaient en train de créer là-bas. L'anarchie, le bordel.

Les quatre prisonniers venus de Bordeaux avec Bob n'avaient que quelques semaines à tirer; ils avaient été condamnés pour des délits mineurs : contraventions non payées, ivresse au volant... Ils regardaient Gérald et Bob avec respect.

Dès que le fourgon se fut engagé sur l'autoroute des Laurentides, Gérald exhiba discrètement un petit revolver qu'il avait glissé dans sa manche gauche et dont il pouvait facilement se saisir de la main droite, même s'il était menotté et enchaîné. Il vit le visage de son frère Bob se renfrogner. Bob avait été si bien en prison, lové au chaud dans sa tristesse, dans sa défaite. Il aurait donné cher pour ne jamais reprendre la folle cavale de l'été précédent, l'épuisante fuite sans but, sans fin, dans ce monde brutal et fou. Mais il savait que rien ni personne ne pourrait arrêter son jeune frère. Ni l'empêcher, lui, de le suivre, malgré le peu d'envie qu'il en avait.

Bob vit qu'une grosse Chrysler les suivait. Un peu avant la sortie 22, Gérald braqua le canon de son revolver sur le chauffeur, somma son compagnon de déverrouiller la grille, de lui passer leurs Smith & Wesson, un par un, en les tenant par le canon, son autre main derrière sa tête, puis de lui donner les clés des menottes et des cadenas. Il ordonna au chauffeur de quitter l'autoroute. «Tout se passera bien si tu fais ce que je te dis.»

La Chrysler s'était rapprochée et suivait maintenant à moins d'une cinquantaine de mètres. Mais voilà que derrière elle une autre voiture, une Chevrolet Impala, avait emprunté la sortie et roulait maintenant si proche de la Chrysler qu'on pouvait apercevoir, depuis le fourgon, la tête des deux occupants, des policiers sans aucun doute. Bob était soulagé. Il se disait que son frère allait devoir renoncer à son projet. Mais, comme s'il devinait ses pensées, Gérald lui dit : «Je ne retournerai jamais en dedans, mon Bob. Tu m'entends? Jamais.»

Le fourgon roulait à vive allure sur des petits chemins étroits bordés de champs en labours. Au moment où on traversait un boisé, Gérald a crié au chauffeur d'arrêter. Les gars de la Chrysler, s'étant rendu compte qu'une voiture banalisée de la police les suivait, a doublé le fourgon. «Ils n'iront pas loin», dit Gérald entre ses dents. L'Impala cependant faisait marche arrière et s'immobilisait à plus de deux cents mètres du fourgon. Et les deux hommes prenaient position de chaque côté, derrière les portières ouvertes. Ils avaient des jumelles, des carabines.

Gérald a fait descendre d'abord les deux policiers qui les accompagnaient, puis les quatre autres détenus, qui semblaient terrorisés. L'un d'eux a entrepris d'expliquer à Gérald qu'il n'avait pas envie de risquer sa vie pour éviter deux ou trois semaines de prison. «Je m'en fous, lui répondit Gérald. Vous faites ce que vous voulez.» Il a menotté les policiers dos à dos. Puis les frères Simard se sont éloignés, sous la fine et tiède bruine de mai.

Le bois où ils entraient ne pouvait pas être très étendu. Il y avait certainement une route qui le bordait de l'autre côté. Et des champs tout autour. Il s'agissait d'une érablière bien dégagée. Gérald et Bob ont couru une dizaine de minutes avant de trouver la cabane à sucre. Ils se sont abrités un moment, le temps de souffler un peu, sous le hangar à bois. C'est alors qu'ils ont entendu les premiers aboiements et des cris lointains, feutrés par les arbres qui avaient commencé à faire leurs feuilles. Gérald a crocheté le loquet de la cabane et est entré. Pour rien, pour le simple plaisir d'entrer par effraction quelque part une dernière fois.

Au bout de l'érablière, ils sont tombés dans un méchant petit bois d'aulnes et de saules. Ils ont traversé un marécage où ils s'enfonçaient jusqu'aux genoux, soulevant des nuées de mouches noires et de moustiques. Puis ils ont aperçu la route. Déserte. À bout de souffle, Bob s'est laissé tomber à l'orée du bois où il s'est adossé à un vieil érable, dos à la route, son Smith & Wesson posé contre sa jambe, dans la boue et les feuilles mortes. Tout était mouillé et froid, laid, douloureux. Gérald songeait à cette escapade réussie qu'il avait faite au printemps précédent, le long de la rivière Matawin. Il avait alors la certitude que tout se passerait bien, qu'il échapperait aux policiers qui le poursuivaient. Mais aujourd'hui il n'était plus sûr de rien. Il était trempé de sueur et de pluie, il avait faim, il avait peur.

Il a franchi le fossé d'un bond et est resté étendu un moment dans l'herbe mouillée avant de ramper jusqu'à l'accotement. Il y avait des voitures et des camions à chaque bout de la route. Les gars là-bas devaient avoir des carabines à longue portée munies d'un télescope. De l'autre côté, juste en face, se trouvaient des champs que des pousses verdissaient déjà, tout luisants sous la petite pluie de mai. Au-delà des champs, une autre route où circulaient voitures et camions, la 158. Plus loin coulait la rivière du Nord, qui longe les contreforts des Laurentides. Gérald avait la carte de la région bien en tête.

Il savait que leur seule chance d'échapper à la police viendrait avec la nuit. Elle tomberait tard, mais serait heureusement très noire, bruineuse, sans lune. Ils pourraient alors traverser ces champs, puis l'autre route là-bas et encore des champs, puis ils longeraient la rivière du Nord jusqu'au pont de la montée Saint-Louis. Et après? Après, ils trouveraient bien une maison. Le gouvernement fédéral avait exproprié des dizaines de fermes dans la région pour construire un grand aéroport. Ils trouveraient facilement une maison abandonnée où ils pourraient se reposer quelques heures, puis ils monteraient sur le plateau, derrière Saint-Colomban et Saint-Canut, s'enfonceraient au hasard dans le rassurant dédale des chemins de bois, et iraient s'installer dans quelque chalet isolé, au milieu de nulle part. Ils feraient un peu de pêche, un peu de trappe. Ils se remettraient vite en forme. En juillet, ils seraient de nouveau sur la *Main*; ils auraient de l'argent, des femmes…

Gérald regarde l'heure. Et il pense à Monica Sparvieri qui lui a donné cette grosse montre qu'il porte au bras. C'était quelques semaines avant qu'elle soit tuée. Ils étaient allés au parc de jeux de la Ronde avec les enfants. Et Monica avait gagné cette montre à un stand. Gérald avait souvent repensé à ce jour-là comme à l'un des plus heureux de toute sa vie. Mais aujourd'hui il croit se souvenir qu'il y avait alors de la tristesse dans la voix et le regard, dans le sourire de la femme qu'il aimait. Ou de la peur? Et voilà que soudainement le plus beau jour de sa vie s'assombrit. Et il lui semble qu'il n'y a jamais eu de bonheur dans sa vie, ni d'amour peut-être. Et qu'il a tout gâché…

Il est triste et fatigué. Il se retourne vers Bob qui est resté adossé à son érable, yeux fermés, agitant les bras en tous sens pour chasser les maringouins et les mouches noires. Il n'est que dix heures du matin. La nuit ne viendra pas avant très longtemps, trop longtemps, près de dix longues heures. Et ils auront faim et soif et froid et peur et mal partout. Ils seront trempés jusqu'aux os, et piqués par un million de moustiques.

Au loin, très loin, les chiens aboient encore. Mais ils ne semblent pas s'être rapprochés. On les retient sans doute. Sinon, ils auraient déjà trouvé les fuyards, même à travers le marécage…

Mais voilà que, de chaque bout de la route, un camion s'avance, très lentement, avec un homme accroupi sur le plateau arrière, le canon de sa carabine pointé vers la forêt. Et un homme marchant de l'autre côté, à l'abri. On voit ses pieds sous le camion. Gérald songe qu'il ne pourrait utiliser son Smith & Wesson sans s'approcher et se mettre à découvert… Il saute le fossé et rentre dans le bois.

«Ils s'en viennent, Bob, grouille-toi.»

Et Bob s'extirpe de sa torpeur. Il ne sait pas pourquoi il suit ainsi son frère tout le temps. Ils ne pourront pas s'en sortir. À moins d'un miracle. Ils retournent dans le bois, entrent de nouveau dans le marécage. Et ils courent encore. Pas longtemps. Pas loin. Cette fois, les chiens sont lâchés, on les entend qui se rapprochent, leurs jappements, leurs halètements. Et derrière eux les cris des hommes qui les excitent…

Ils pourraient encore se rendre. Ils ne seraient pas plus mal que la veille. Ils ont tous les deux déjà pour près d'un siècle de prison à purger. Cette tentative d'évasion n'ajouterait pas grand-chose à leur peine. Qu'est-ce que ça changerait, au fond, sortir à cent trente-sept ou à deux cent soixante-huit ou à trois cent vingt-neuf ans? Mais Gérald ne veut plus, pour rien au monde, retourner en dedans, où le temps est si lent et si épais et si lourd qu'il étouffe tout. Gérald ne veut plus vivre sans femmes, sans nuits dans les bars, sans la liberté de marcher dans la rue, seul. Les chiens sont sur eux déjà, grognant et cherchant à mordre. L'un d'eux a saisi Bob à la cuisse. Bob lui a tiré une balle dans la tête. Les policiers ripostent tout de suite. Ils sont partout, de tous côtés. Ceux des camions sont vraisemblablement entrés dans le bois derrière eux. Gérald a reçu une balle en plein ventre, une autre dans l'épaule. Bob est blessé à une main. Ils vont s'abriter derrière un arbre couché en bordure de l'érablière. Les deux frères assis côte à côte, le dos contre l'érable mort. Derrière eux, les policiers se sont mis à l'abri.

«Tu vas regarder de l'autre bord, mon Bob. Je ne veux pas que tu me voies.»

Mais Bob regarde son frère, puisqu'il attend de lui quoi faire. Alors, Gérald lui met une main devant les yeux et le repousse fermement. De l'autre main, il se tire une balle dans la bouche. Il est secoué de spasmes, du sang bouillonne à l'arrière de sa tête par où la balle est sortie. Une demi-douzaine de policiers entourent Bob et le tiennent en joue. Alors, il porte son revolver à sa bouche, les policiers hésitent, Bob ferme les yeux et tire...

* * *

Bob Simard a vécu pendant seize ans avec une balle dans la tête. Elle s'était logée sous le front, en haut du sinus droit, trop près du cerveau pour qu'on puisse la lui enlever. L'hiver, dès qu'il mettait les pieds dehors, il sentait le froid, une pointe de froid acérée, lancinante, intolérable, juste au-dessus de l'œil.

En 1984, rue De Maisonneuve à Montréal, il est mort dans l'explosion d'une bombe qu'il préparait avec deux complices à l'intention d'un membre de la bande de l'Ouest. Sans avoir cessé un seul instant depuis son évasion de Sainte-Anne-des-Plaines, quelques années plus tôt, de vivre la vie qu'il détestait le plus au monde : la cavale, la fuite, la bagarre...

Au lendemain de sa mort, les journaux ont publié une photo du building où l'explosion s'était produite, un trou béant au huitième étage. Et ils ont raconté que Bob Simard était le dernier survivant de la bande de truands que dirigeait dans les années 60 le célèbre gangster Monica la Mitraille. Et on a rappelé dans ses grandes lignes l'incroyable histoire de la famille Sparvieri.

Deuxième partie

17

Téo Sparvieri et Marie-Ange Lafontaine s'étaient connus au cours de l'hiver 1937, sur la patinoire du petit parc Fullum. Marie-Ange, à seize ans, était très certainement la plus belle et la plus croquable fille du Faubourg-à-Mélasse. Elle dansait à merveille toutes les danses connues, de la valse au fox-trot en passant par le charleston, et elle était capable, si un bon danseur l'accompagnait, d'improviser sur n'importe quel rythme. Elle avait même remporté des prix lors des grands concours de danse dont les finales se tenaient à la salle Saint-Denis. Ses parents n'aimaient pas qu'elle fréquente ce genre d'endroit. Elle y allait quand même. Elle dansait soit avec son frère Julien, soit avec un gars du quartier, Jean-Marie Gauthier, que tout le monde appelait Tapette et qui ne s'en formalisait aucunement. C'est avec lui qu'elle patinait, un soir plutôt doux de janvier, lorsque Téo l'aperçut pour la première fois. Il fut vite séduit par tant de grâce et de beauté, ces yeux d'un bleu très foncé, ces cheveux caramel dont les mèches bouclées sortaient du capuchon bordé de lapin blanc, ce sourire. Téo avait vingt ans et déjà une assez bonne expérience des femmes, un bagou à tout casser, un charme puissant qu'il mit tout entier au service de son entreprise de séduction. Deux jours plus tard, la foudre avait éclaté dans le cœur de la belle Marie-Ange.

Ils se sont mariés à l'automne, au grand désespoir des parents Lafontaine. Téo Sparvieri n'avait pas de vrai métier. Et même si la crise économique et le chômage s'étaient considérablement résorbés au cours de la dernière année, il n'avait toujours pas de travail.

Et il semblait évident qu'il n'en cherchait pas. Mais Marie-Ange ne voulait rien entendre, ni les pleurs de sa mère ni les menaces de son père. Ils ont vite compris qu'ils n'avaient pas le choix. S'ils refusaient, elle aurait fugué. Elle était amoureuse, brûlant d'un amour total, dévorant.

Le père Lafontaine était couvreur. *Armand Lafontaine : couvreur, goudron et gravier, bardeaux de cèdre et d'asphalte, métal en feuilles.* Il proposa à son gendre de s'associer à lui, il l'équipa (outils, tablier, bottes et gants) et, malgré la méfiance naturelle qu'il éprouvait à son égard, lui avança quelques semaines de salaire. Il allait découvrir que Téo était remarquablement habile de ses mains. Il savait tout faire, naturellement, avec une déconcertante facilité. Tous les métiers manuels, depuis le pliage de la tôle jusqu'au tricot. Il savait fixer les bardeaux ou les tuiles aux voliges, préparer les feuilles de cuivre pour les adapter aux solins, étendre le goudron sans bavure, biseauter les bardeaux, etc. Le matin de ses noces, il avait même recousu le bas de la robe d'Hélène, la petite sœur de Marie-Ange. Il savait instinctivement travailler le métal, le bois, même les os des animaux et des gens… Il était capable de déboîter un chat et de le remettre sur pattes sans que celui-ci en souffre le moindrement. Il s'était acheté un livre illustré et connaissait le nom latin de la plupart des os du corps humain. Les gens du quartier faisaient souvent appel à lui pour replacer un membre démis, soigner une foulure, une fracture. Après chacune de ses interventions, on lui demandait : «Combien je te dois, Téo?», et il devait répondre : «Rien», parce qu'il n'avait pas le droit de pratiquer. Et on lui donnait ce qu'on pouvait, un ou deux dollars, une pièce de vingt-cinq cents, de dix cents, ou rien.

Mais bien qu'il fût plus qu'agréablement surpris, le père Lafontaine ne s'est jamais réellement pris d'amitié pour son gendre. Quelque chose en lui, qu'il ne pouvait nommer, lui déplaisait. Peut-être cette trop grande assurance qu'avait Téo en toutes choses, cet air d'avoir toujours tout compris. Peut-être aussi tout simplement le fait qu'il lui avait ravi sa fille aînée. Mais celle-ci était si heureuse et, depuis quelque temps, Téo semblait si sérieux et persévérant que le beau-père décida, envers et contre lui-même, de tout faire pour l'aimer comme un fils. Il lui offrait de temps en temps une bière, lui prêtait son camion quand il voulait sortir avec Marie-Ange, le payait bien, lui parlait comme à un ami, un confrère, l'intéressait à ses projets.

Il voulait grossir. Bientôt, ses deux garçons, Julien et Laurent, pourraient se joindre à eux. Ils iraient alors décrocher de plus gros contrats. Peut-être même qu'ils pourraient couvrir les toits de la maison des sœurs du Bon-Pasteur, rue Fullum, et de la prison des femmes, qui avaient tous deux bien besoin d'être retapés, comme celui de l'église Saint-Vincent-de-Paul, rue Sainte-Catherine. Téo, qui parlait bien, qui n'avait pas froid aux yeux, pourrait aller rencontrer les religieuses et les gros clients, pour négocier.

Le père Lafontaine, rêveur et vaillant, parlait peu. Il préférait souvent ronger son frein en silence plutôt que de dire tout haut ce qu'il pensait, car il cherchait trop longtemps ses mots et, après coup, n'était jamais satisfait de ce qu'il avait dit. Il était, en fait, tout le contraire de son gendre Téo, hâbleur incorrigible, possédant du charme et de l'entregent comme pas un.

Téo allait régulièrement à la taverne Frontenac, où il ne commandait jamais à boire. Il parlait, allait d'une table à une autre, faisait rire tout le monde, jusqu'à ce que l'un ou l'autre de ses compagnons lui offre un verre, que Téo finissait par accepter après s'être fait un peu prier, avoir laissé sentir à l'autre que c'était bien pour lui faire plaisir. Et l'autre, le lendemain, se jurait que c'était la dernière fois qu'il payait à boire à Sparvieri, jusqu'à ce que, quelques jours plus tard, Téo revienne à la taverne avec ses grands airs, son sourire, son mystère, le charme indéfinissable et irrésistible qui émanait de lui. Qu'il ait séduit et marié la plus belle fille du quartier ajoutait bien sûr à son aura.

On disait qu'il parlait sept langues, dont le latin. Qu'il avait fait des études de médecine auprès d'une vieille Amérindienne d'Oka qui pouvait tout guérir avec des herbes, des feuilles et des racines. Qu'il avait voyagé sur les trains jusqu'à Vancouver et Portland, dans le Maine. Quand on l'interrogeait sur ses faits et gestes, il ne démentait jamais rien, il laissait filer les rumeurs, la légende se tisser autour de lui…

La première année de mariage de Marie-Ange et Téo fut une véritable fête. Ils s'étaient installés dans un petit logis juste à côté de chez les beaux-parents, face aux grands arbres qui bordaient, de l'autre côté de la rue Parthenais, les jardins potagers de la prison des femmes. Il y avait de jolis rideaux, quelques bibelots, cadeaux de noces, de bons meubles que Téo avait trouvés chez sa mère, qui avait l'habitude de ramasser des vieilleries, et qu'il avait rafistolés à la perfection. Ils sortaient beaucoup, pour aller au cinéma ou à la salle de danse. Téo n'aimait pas danser, mais il était de toutes les fêtes. Il adorait chanter, en français, en italien. *O sole mio, L'Homme rouge qui passe, Santa Lucia.* À la salle Saint-Denis, pendant que Marie-Ange dansait avec Tapette, son frère Julien ou quelque ami d'enfance, il restait à l'écart près de la fontaine où il devisait, debout, les mains dans les poches, avec les voyous du bas de la ville. La mode, en ces temps encore marqués par la crise économique, n'était pas très portée sur l'élégance et les raffinements vestimentaires. Mais Téo aimait bien paraître. Il avait plusieurs casquettes, deux chapeaux mous, trois paires de souliers, toujours bien cirés, des chemises rayées ou à pois…

Pendant toute la première saison, d'avril à fin novembre, il a bien travaillé, sans jamais manquer un seul jour. Mais il flambait sa paye en deux ou trois soirées. Il emmenait Marie-Ange au restaurant, au cinéma, à la salle de danse, il lui achetait un soutien-gorge orné de broderies, un chapeau, des fleurs, du tissu, un patron de robe. À partir du lundi ou du mardi, ils devaient, Marie-Ange et lui, aller prendre leurs repas chez les beaux-parents ou chez la mère Sparvieri qui, à l'époque, habitait encore rue Fullum. Mais la bonté envahissante de la grosse Anna terrorisait la douce Marie-Ange. Surtout quand, sans s'être annoncée, la *mamma* débarquait rue Parthenais et se mettait à ranger, réaménager, réorganiser les lieux. Marie-Ange se sentait alors prise au piège dans son propre logement…

À l'approche des fêtes, les premiers gros froids et les grands vents ont interrompu les travaux. Le père Lafontaine avait monté une petite entreprise d'enlèvement de la neige. Avec deux amis, il déblayait la cour et les abords de Familex, dont les bureaux et la manufacture se trouvaient au pied du pont Jacques-Cartier, rue De Lorimier. Cette société faisait de temps en temps appel à Téo, mais l'hiver 1938-1939 fut peu neigeux. Téo s'est donc laissé couler dans la plus douillette oisiveté. Il dormait tard, écoutait tout le jour la radio avec Marie-Ange, et presque chaque soir ils sortaient…

116

Quand les travaux ont repris au printemps, Téo fut bien forcé d'avouer qu'il avait perdu son équipement et ses outils. Le père Lafontaine ne fut pas long à comprendre. Son gendre avait également *perdu* quelques bibelots, l'édredon, des meubles…

Téo vivait d'expédients. Il avait cette manie de vendre ou d'échanger tout ce qui lui tombait sous la main, que ce soit à lui ou non, qu'il en ait besoin ou non. Pendant l'hiver, il avait vendu ses outils de couvreur, le petit chat en porcelaine glacée que Marie-Ange avait reçu de son amie Léona en cadeau de noces, le couvre-pied qu'il avait cousu avec elle, la berceuse qu'il avait passé des jours à réparer, sa bicyclette, celle de Marie-Ange…

Mais on ne voyait jamais les profits de ces ventes ; on ne savait jamais, en tout cas, ce qu'il en faisait vraiment. Quand le beau-père, effaré de voir le logis de sa fille pratiquement vide, surmonta sa timidité et força son gendre à s'expliquer, celui-ci raconta qu'il avait vendu la berceuse pour remplacer le couvre-lit qu'il avait vendu pour se payer un autre grille-pain, qu'il avait vendu le grille-pain pour remplacer les outils qu'il avait perdus, outils qu'il ne remplaça et ne remboursa jamais.

Le père Lafontaine dut de nouveau débourser, racheter des outils, un tablier de cuir, avancer quelques semaines de salaire qu'il remit à Marie-Ange. Le samedi soir suivant, ils allaient voir *Autant en emporte le vent* au cinéma, et ils passèrent leur dimanche après-midi à la salle Saint-Denis. Quinze jours plus tard, de nouveau sans le sou, ils s'invitaient à souper chez les parents de Marie-Ange. Téo aidait sa belle-mère à préparer le repas ; parfois même, sans qu'elle sache trop comment, il l'amenait à changer de menu, préparait des sauces compliquées, savoureuses. Il s'amusait avec la petite Hélène qui raffolait de lui, il s'intéressait aux jeux ou aux devoirs de Julien et de Laurent, il allait avec eux et leurs amis jouer au baseball au parc Fullum. Il réussissait toujours à faire de ces petites soirées des moments magiques, inoubliables.

Quand ils rentraient chez eux, vers vingt heures, Téo pouvait se vanter d'avoir déridé le beau-père et fait rêver la belle-mère. Bientôt, ils n'eurent plus à s'imposer. L'habitude était prise ; du lundi au vendredi, jour de paye, les Lafontaine attendaient leur fille et leur gendre pour souper. Téo emprunta si souvent et si longtemps la bicyclette de Laurent que tout le monde, sauf Julien, finit par la considérer comme sienne, et le père Lafontaine dut se résoudre à en acheter une autre à son fils. Il se sentait exploité, il s'en voulait de ne pas se défendre, de laisser Téo profiter ainsi de lui, mais il était lui aussi subjugué.

Un soir de grande chaleur, en juillet, alors qu'elles étaient allées chercher un peu de fraîcheur dans le petit parc Fullum, Marie-Ange annonça à sa mère qu'elle croyait être enceinte. Trois jours plus tard, le médecin consulté l'assura qu'elle accoucherait en février.

La grossesse de Marie-Ange ne changea pas vraiment la vie de Téo. Il sortait toujours autant. Mais sans elle. Début décembre, il entra cependant comme apprenti chez un ferblantier, Marquis et frères, dont la boutique se trouvait rue Notre-Dame, un peu à l'est de la rue Frontenac. Le beau-père voyait ainsi, non sans un certain soulagement, ses projets d'association et d'expansion s'évanouir. De plus, son gendre aurait un métier qui lui permettrait de travailler toute l'année, beau temps, mauvais temps. Le départ de Téo ne pouvait mieux tomber; Julien aurait bientôt quinze ans, et il était plus que temps qu'il laisse l'école et travaille avec son père. Il n'était pas aussi habile que Téo, mais il était vaillant, fort et fiable.

La mère Lafontaine était contente, d'autant plus que, si le Canada entrait en guerre aux côtés de l'Angleterre, ce qui semblait désormais plus que probable, tous ces corps de métiers, soudeurs, étameurs, ferblantiers, seraient fort en demande. Et Téo, son gendre, ne serait pas conscrit et forcé de s'enrôler dans l'armée et d'aller à la guerre.

Il y est pourtant allé. De sa propre volonté.

18

DÈS QUE le Canada eut déclaré la guerre à l'Allemagne, en septembre 1939, Téo était entré dans une sorte de léthargie. Il a brusquement cessé de sortir, pour passer des soirées entières allongé sur le dos à regarder le plafond, à fumer, à écouter la CBC qui diffusait des nouvelles des vieux pays, que Téo écoutait, insatiable, pensif, plus que jamais évasif, absent.

Lorsque Monica est née, le 25 février, exactement le jour prévu par le médecin, Téo a laissé éclater sa joie. Il s'est acheté des cigares qu'il est allé distribuer à ses amis de la taverne Frontenac. Puis il est tranquillement retombé dans sa torpeur. Heureux, bien sûr, mais distant. Il avait la tête ailleurs.

Marie-Ange comprit que quelque chose d'étrange se passait lorsque son frère Laurent, qui faisait régulièrement l'école buissonnière, vint lui raconter, un jour de printemps, qu'il avait aperçu Téo marchant seul sur le bord du fleuve, alors qu'il aurait dû normalement se trouver au travail, chez Marquis et frères. Pressé par sa grande sœur et trop heureux de manquer encore l'école, Laurent se rendit le lendemain matin à l'atelier de ferblanterie, où on lui apprit que Téo Sparvieri avait démissionné deux semaines plus tôt pour s'enrôler dans l'armée et que le patron, M. Marquis, bon patriote, même s'il était déçu de perdre un si bon ouvrier, lui avait garanti qu'il pourrait reprendre le travail à son retour.

Lorsqu'il rentra à la maison ce soir-là, Téo trouva Marie-Ange en larmes dans les bras de sa mère. Il comprit qu'elles savaient ce qu'il avait fait. Il tenta mollement de s'expliquer. Mais lui-même ne comprenait pas vraiment la nature de son geste. Quelque chose l'attirait et l'obsédait. Il avait perdu sa faconde et ses grands airs. Les deux femmes ont tout de même senti très vite que sa décision était irrévocable. Téo avait tout simplement envie de voir la guerre, de vivre ailleurs. Mais il n'osait pas le dire clairement, ni même s'avouer ses motivations qu'il comprenait confusément. Il avait vingt-quatre ans déjà, il n'était rien, n'avait rien vu, rien fait de sa vie. Il ne voulait pas partir pour aller sauver la patrie ou se battre contre les Allemands. Il voulait simplement connaître autre chose.

«Tout ce que je peux dire, finit-il par avouer à Marie-Ange, c'est que ça m'attire et qu'il faut que j'y aille.»

Sa belle-mère et sa femme se disaient, en l'écoutant bafouiller de confuses excuses et des prétextes tous plus vagues et plus mous les uns que les autres, ce que tout le monde par la suite se dirait : qu'il était fou et détraqué. Déjà, à Montréal et à Québec, en cet été 1940, des mouvements d'opposition à la guerre et à la conscription obligatoire s'organisaient, auxquels se joignaient tous les jeunes gens sensés.

Anna Sparvieri désapprouvait elle aussi la décision de son fils. Elle faillit prendre le deuil et le renier à jamais, le jour où elle réalisa qu'il n'avait pas l'intention de s'engager dans l'armée italienne mais plutôt d'aller se battre contre les forces de l'Axe auprès desquelles s'était engagé son idole, Benito Mussolini, qui en juin avait lancé son pays dans la guerre.

Anna ne lisait pas les journaux, elle n'écoutait pas la radio, ni personne. Elle s'était fait sa propre interprétation des événements qui se déroulaient en Europe. Et il était pour elle absolument impensable que l'Italie, où habitait le pape et pour qui chaque soir elle récitait trois Ave, soit du mauvais côté. Téo tenta bien de lui expliquer que même ici, à Montréal, la plupart des gens désapprouvaient la politique de Mussolini, et qu'à Notre-Dame-de-la-Défense on avait caché son image qui ornait la voûte de la nef, rien n'y fit. Elle considérait son fils comme un traître, un renégat, un apostat.

Un soir, il y eut tant de cris et de pleurs dans la maison de la rue Fullum que, lorsque Téo s'enfuit de chez sa mère, tous les voisins étaient sur les trottoirs et les balcons, écoutant et regardant l'esclandre. Anna était sortie sur le pas de sa porte et les avait pris tous à témoins de ce que son fils allait faire ; il entendait encore sa voix et les rires des gens pendant qu'il traversait le petit parc Fullum pour se rendre chez lui. Et il aurait ri lui aussi, s'il n'avait eu le cœur si gros et n'avait été si inquiet. Sa mère était en train de s'époumoner et ferait certainement une autre crise d'asthme, pour rien; personne dans tout le Faubourg-à-Mélasse, à part lui, son petit frère Alfonso et sa petite sœur Sylvana, ne pouvait comprendre un traître mot de ce qu'elle disait, sauf peut-être le bonhomme Palmieri, qui était originaire de Tarente et qui avait une vague connaissance du dialecte napolitain que pratiquait Anna; mais le bonhomme Palmieri était sourd comme un pot et ne parlait jamais à personne. Téo rentrait donc chez lui sous les cris de sa mère qui s'était avancée jusqu'aux abords du parc pour anathématiser son fils.

Il traversa le parc jusqu'à la rue Parthenais, puis, dans la chaude nuit, longea la clôture du jardin de la prison des femmes. La voix de sa mère résonnait encore dans ses oreilles lorsqu'il entendit les pleurs de sa fille Monica que sa mère berçait sur le balcon. En voyant son mari, Marie-Ange fondit elle aussi en larmes. «Tout le monde pleure, se dit Téo. Ma mère, ma femme, ma belle-mère, ma fille.»

Ce qui peinait Marie-Ange, c'était que son mari avait pris tout seul cette décision, sans la consulter. Il avait préféré la guerre à l'amour, l'horreur à la douceur. Il laissait son enfant, la petite Monica, si jolie, si parfaite, un travail bien rémunéré, sans danger, une vie douillette et confortable... pour aller voir la guerre!

En fait, Téo souffrait d'ennui, même s'il aimait Marie-Ange, la vie auprès d'elle, l'amour et les sorties avec elle. Il voulait simplement, comme beaucoup de jeunes, voir cette chose fascinante et trépidante qu'était la guerre. Il voulait aussi confusément aller au loin, très loin, et en revenir, pour pouvoir s'inventer des vies, ou plutôt pour que les autres lui en inventent. Car Téo, s'il avait une inépuisable faconde, parlait peu de lui. Il savait cependant s'arranger pour que les autres le fassent. Et il savait qu'on ne parle que des absents, ou de ceux qui se sont absentés, qui sont disparus, surtout dans le monde interlope aux marges duquel il vivait. Il voulait simplement s'éloigner un moment, pour être celui qui vient de loin, qui a beau mentir, celui dont on parle.

Il est parti en septembre 1940.

La solde versée par le ministère de la Guerre était moins importante que le salaire que Téo tirait de la ferblanterie, mais Marie-Ange pouvait fort bien vivre, mieux que lorsque son homme était à la maison. Et même faire quelques économies. Sans lui, elle ne sortait jamais sauf pour voir de temps en temps ses amies, Léona, Claire, les deux Simone, Aline, Odile, Henriette et quelques autres. De plus, elle avait quitté leur petit logement pour habiter avec son enfant chez ses parents. Sa mère et son père, sa sœur Hélène, ses frères Julien et Laurent se sont occupés d'elle, de Monica surtout qui, du matin au soir, était toujours dans les bras de quelqu'un. Même le père Lafontaine, quand il ne rentrait pas trop tard du travail, insistait pour lui donner son boire et lui faire faire son rot. Et chaque soir on se disputait pour savoir qui la prendrait dans son lit pour la nuit.

La mère Lafontaine aimait la musique et la nuit. C'était une femme très douce, qui n'avait presque ni cheveux ni ongles, qui ne dormait pratiquement jamais, ne prenait qu'un repas par jour, et ne sortait que le dimanche pour aller à la messe basse à l'église Saint-Vincent-de-Paul, à deux minutes et demie de marche, rue Sainte-Catherine, juste à l'est de Fullum. Elle passait ses soirées à écouter de la musique à CBS, à CKAC ou à CFCF, très souvent debout, dansant tout doucement et chantonnant, Monica endormie contre son épaule. Monica était une enfant facile, très éveillée. Elle n'était pas très rieuse cependant.

Marie-Ange Lafontaine pouvait s'alanguir à son aise et se délecter tout son soûl dans sa tendre peine. Elle se laissait doucement couler dans cette vie douillette où tout était tiède et moelleux. Elle recevait chaque semaine une lettre de Téo, postée en Angleterre. Le soir même, après la vaisselle du souper, elle écrivait à son homme, lui racontait par le menu la petite vie sans histoire qu'elle menait. «Notre fille a ton sourire. Tout le monde dit qu'elle te ressemble… J'ai montré à Hélène à tricoter… Hier, Laurent s'est rasé pour la première fois. Papa s'est encore fait un tour de reins. Maman et lui sont allés voir mon oncle Camille et ma tante Marie-Paule à Cushing. Ils ont couché là-bas. Ils ont ramené un petit chien jaune frisé que mon oncle Camille avait trouvé dans sa grange. Hélène veut l'appeler Gazou.»

Moins d'un mois après son départ, elle lui écrivait qu'elle était de nouveau enceinte. Et elle le tint presque quotidiennement au courant de l'évolution de sa grossesse.

Seule ombre dans cette paisible vie : la mère Sparvieri qui, toutes les deux semaines environ, venait chercher la petite qu'elle gardait pendant deux ou trois jours. Les Lafontaine vivaient alors une sorte de petit deuil. Leur frustration atteignit un sommet quand, entre Noël et le jour de l'An, la mère Sparvieri ramena l'enfant en leur disant fièrement qu'elle lui avait fait faire ses premiers pas. Dès qu'elle fut sortie, on mit Monica par terre. C'était vrai. À dix mois exactement, elle marchait. Elle était encore si petite qu'elle pouvait facilement passer sous la table sans avoir à se pencher.

* * *

Mario marchait lui aussi et il avait commencé à percer ses dents quand son père est rentré de guerre après un peu plus de deux ans d'absence. C'était un soir de l'été des Sauvages, à l'heure du souper. Hélène l'a aperçu la première. Il remontait à pied la rue Parthenais, lentement, de son long pas élastique. Il rentrait les mains vides, et la tête et le cœur. Il ne rapportait rien, pas le moindre souvenir, pas de cadeau pour personne, et pas une égratignure. Il avait sur le dos le même uniforme qu'il portait deux ans plus tôt quand il était parti. Il était toujours maigre et long comme un clou, pas plus, pas moins qu'avant. La mèche blanche qui lui traversait la chevelure était à peine plus large. Il marchait les mains dans les poches, nonchalant, comme si personne ne l'attendait, comme s'il passait par hasard.

Il s'est tenu un moment immobile sur le pas de la porte. Marie-Ange, la mère Lafontaine, Julien et Laurent, Hélène le regardaient sans mot dire, surpris, tous figés si longtemps qu'Hélène sentit le besoin de dire : «C'est Téo qui est revenu, Marie-Ange, c'est ton Téo.» Comme si Marie-Ange avait pu ne pas reconnaître cet homme qui n'avait pas changé d'un poil et auquel elle n'avait pas cessé de penser depuis si longtemps… Elle s'est approchée de lui et s'est mise à pleurer. Puis Monica, puis Mario. Et Marie-Ange a posé Mario sur la table de la cuisine et s'est jetée dans les bras de son mari. C'est à ce moment précis, et dès lors pour toujours, que Gazou semble avoir pris Téo en grippe. Il s'agita furieusement à travers toute la cuisine, grognant et jappant, jusqu'à ce que Laurent le fasse taire et le chasse.

Plus tard, quand Téo a roulé ses manches de chemise pour se mettre à table, on a vu un tatouage sur son avant-bras droit, un taureau tout noir avec l'œil, les sabots et le bout du museau rouges. Il a expliqué que c'était l'emblème de la division blindée chargée d'assembler les chenilles et les caillebotis des chars d'assaut qui avaient participé en août au terrible débarquement de Dieppe. À sa manière, par petites touches, par allusions, il laissait entendre qu'il était allé au front, qu'il avait fait partie des premières divisions blindées débarquées sur la fameuse plage bleue où les Alliés avaient été massacrés, qu'il s'était battu, qu'il avait vu le monstre, la guerre face à face, qu'il avait été, qu'il était un héros.

Mais qui aurait pu dire en toute certitude où Téo Sparvieri était réellement allé? En son absence, une rumeur s'était imposée dans le quartier. On croyait qu'il s'était enrôlé pour échapper à des dettes de jeu. Il se fit d'ailleurs très discret. Il ne resta que quelques semaines rue Parthenais. Il déménagea peu avant les fêtes rue De Bullion, en plein Red Light, où ils vécurent quelque temps sur les économies que Marie-Ange avait faites à même la solde de son mari. Puis Téo retrouva son emploi à la ferblanterie, le laissa, le reprit. Ils retournèrent chez les beaux-parents, en repartirent, y retournèrent, dans un va-et-vient incessant.

19

Après la guerre, le diable en personne s'était établi à Montréal, dans le Red Light et aux environs. Des gens venaient de partout pour le consulter ou simplement le voir en chair et en os. De New York, de Paris, de Toronto et d'Ottawa, mais aussi du fin fond des campagnes et des banlieues qui commençaient alors à s'étendre tout autour de la grande ville.

Le diable ne dormait jamais. À la tombée du jour, beau temps, mauvais temps, on pouvait l'apercevoir un peu partout sur la *Main*. Il se pavanait tranquillement sous les néons de couleur, tout sourire, tout charme, souriant et satisfait. Il avait des relations partout, du plus bas au plus haut de la société fortement hiérarchisée de la *Main*. Le voyou le plus démuni était son ami, son confident, son homme, aussi bien que le proxénète riche, élégant et puissant pour lequel se pâmaient les filles ou le caïd dans la main de qui mangeaient les policiers du poste 4 et de l'escouade de la moralité. La fille défraîchie qui offrait un service complet à deux dollars était son amie intime, sa créature chérie, sa protégée, au même titre que la beauté fatale et triomphante qui partait en mission commandée vers les châteaux de Westmount ou d'Outremont.

Le diable voyait tout, savait tout : où trouver des filles fraîches, de l'héroïne, un revolver, à qui revendre un plein camion de lait ou de pain ou cent paires de bas de nylon ou trois caisses de vin de France. Et où se cachait un tel. Et quel jour et à quelle heure viendrait la police, combien il faudrait payer, qui il faudrait vendre ou donner. À chacun, il avait quelque chose à offrir : chair fraîche ou faisandée, robine ou champagne, morphine, *cheap thrill* ou grand rêve, photos de filles nues ou filles nues en chair et en os, argent vrai ou faux, furtifs plaisirs ou nuits entières de torride volupté. Il invitait le monde entier aux bals qu'il donnait dans ses boîtes de nuit. Il en avait plus de cent cinquante à travers la ville, dont une bonne vingtaine sur la *Main* même qui, flanquée du Red Light, restait sa métropole, la capitale mondiale des plaisirs.

La Ligue des Vétérans sans logis avait créé à Montréal, tout de suite après la guerre, le mouvement des squatters qui occupaient des maisons et des lieux publics; elle aménageait des garages et des hangars abandonnés qu'elle mettait à la disposition des sans-logis, organisait des manifestations de rue, faisait paraître dans les journaux des articles incendiaires dans lesquels on prenait à partie les spéculateurs fonciers et les grands propriétaires. On dénonçait, on accusait. Ce mouvement avait ses racines aux États-Unis et en Europe occidentale, où la guerre avait créé d'effroyables désordres au sein de la société. On croyait pouvoir enfin redistribuer la richesse de façon plus équitable. Prendre aux riches pour donner aux pauvres.

Téo, même s'il avait passé deux ans à la guerre, et même si sa famille était dans le plus grand besoin, mal logée surtout, s'était tenu à l'écart de la Ligue et des squatters, prétextant que tout ce mouvement était dirigé par des communistes et des faux frères qui lui feraient tôt ou tard payer les services rendus. Et il aimait rappeler, lui qui ne mettait pratiquement jamais les pieds à l'église, que les squatters étaient très mal vus des autorités sociales et religieuses… Il avait facilement convaincu sa mère qu'il s'agissait d'activistes sans foi ni loi et qu'il ne fallait surtout pas s'associer à eux de quelque manière que ce soit.

Julien Lafontaine était persuadé qu'il y avait quelque autre raison. Il voyait, dans l'attitude de son beau-frère Téo qui semblait fuir tout contact avec l'armée, avec les vétérans, avec toute autorité constituée, «quelque chose de louche». Il eût été si simple en effet pour Téo, et tout à fait légitime, de se rapprocher de la Ligue des Vétérans, qui lui aurait trouvé rapidement un logement convenable à squatter, peut-être même en dehors de ces quartiers de misère où depuis plusieurs années il errait avec sa famille qui, en 1950, l'année des dix ans de Monica, comptait déjà cinq enfants…

Téo avait trouvé, cette année-là, un grand logement, à l'angle des rues De La Gauchetière et Berri, à deux pas du carré Viger, dans le quartier du Bord-de-l'Eau, à peine moins délabré que le Red Light, mais quand même, selon la trop bonne Marie-Ange, infiniment mieux pour élever une famille. Il y avait à l'époque beaucoup d'enfants partout, dans tous les quartiers, dans tous les milieux. Le monde était jeune, plus jeune que jamais il n'avait été.

* * *

Le père Lafontaine est mort, subitement et très spectaculairement, au beau milieu de la grand-messe du dimanche de la Quasimodo, un peu après la communion. Il avait à peine regagné sa place qu'il s'est levé très brusquement, comme mû par une idée soudaine, il a fait quelques pas dans l'allée vers l'arrière de l'église, il s'est arrêté net, s'est retourné et a regardé très longuement et très attentivement vers la voûte, au-dessus de l'autel, comme s'il cherchait quelque chose du regard. Il est resté ainsi assez longtemps pour que plusieurs fidèles lèvent les yeux et essaient de comprendre ce qu'il cherchait.

Une semaine plus tôt, le jour de Pâques, une colombe était entrée dans l'église. Et le bedeau avait mis deux jours à la capturer en l'attirant dans une cage d'osier avec des grains d'avoine. Le père Lafontaine est resté si longtemps planté dans l'allée, les yeux tournés vers la voûte de l'église, que certains ont cru qu'il avait peut-être aperçu une autre colombe, ou la même qui serait revenue; d'autres ont pensé qu'il regardait les craquelures de la voûte et les moisissures qui depuis quelque temps s'étendaient aux encoignures, ce qui leur semblait plutôt incongru, pour ne pas dire grossier. On savait dans la paroisse que la fabrique lui avait confié la réfection de la toiture de l'église, mais on se disait qu'il aurait pu trouver un autre moment pour examiner l'envers du toit.

Puis il est tombé comme une masse et sa tête a heurté violemment le sol en faisant un bruit mat.

On l'a transporté à l'arrière de l'église, où les docteurs Huot et Cauchon sont venus l'examiner et l'ont déclaré mort. Des gens se sont alors énervés, parce que le père Lafontaine venait de communier et qu'il n'avait peut-être pas encore avalé l'hostie. Après que le curé lui eut ouvert la bouche pour constater qu'elle était vide, on s'est encore inquiété de ce qui arriverait à l'hostie qui ne serait pas digérée. L'idée que le corps du Christ se trouvait dans un cadavre en troublait plusieurs. Mais les médecins ont dit que l'hostie était probablement déjà digérée et que, de toute façon, les acides de l'estomac continuaient leur travail longtemps après la mort. Dans son homélie, le mercredi suivant, le curé a rappelé qu'Armand Lafontaine avait toujours vécu en bon chrétien, qu'il était mort en état de grâce et portant en lui le corps du Christ, et qu'il était probablement déjà au ciel «près duquel, en sa qualité de couvreur, il avait passé une grande partie de sa vie».

Le père Lafontaine avait une bonne assurance-vie. À l'automne, moins de six mois après sa mort, sa veuve recevait onze mille dollars. À Noël, Téo lui en avait déjà emprunté près de cinq cents, à coups de billets de cinq, de dix et même de vingt dollars, et avec la promesse réitérée, jamais tenue, qu'il la rembourserait. Il avait tenté, après la mort de son beau-père, de reprendre le contrat de réfection de la toiture de l'église, mais les marguilliers, qui le savaient instable et inconstant, s'y sont tous opposés. Et avec d'autant plus de vigueur que Téo Sparvieri exigeait une avance substantielle, alors que tous les matériaux avaient déjà été payés aux fournisseurs par le conseil de la fabrique. Ils ont cependant exigé du nouvel entrepreneur, un dénommé Falardeau, qu'il engage les fils d'Armand Lafontaine, de même que son gendre. Seul Julien, l'aîné, allait rester tout l'été à l'emploi de Falardeau.

Julien était un gros et honnête travailleur, peut-être pas très intelligent, «pas vite», disait son propre père, mais vaillant comme pas un. Il connaissait ses limites et savait intuitivement juger les gens. Jamais l'idée ne lui serait venue de reprendre la petite entreprise de son père, qu'il n'aurait su gérer convenablement. Et il savait d'instinct que Téo tenterait d'en prendre le contrôle et qu'il n'en ferait jamais rien de bon si jamais il parvenait à ses fins. Il a donc convaincu sa mère de vendre les outils, le stock de tuiles, de tringles et de clous, tout l'équipement et les matériaux qu'avait laissés son père… avant que Téo ne s'en empare. Il a fait cela comme un enfant dérobant des jouets qu'il ne veut pas qu'un autre s'approprie. Julien était resté absolument insensible au charme de Téo, ce qui lui avait valu de sérieuses prises de bec avec sa sœur Marie-Ange qui ne pouvait supporter qu'on dise quoi que ce soit de négatif sur son tendre époux.

Après moins de deux mois sur le toit de l'église Saint-Vincent-de-Paul, celui-ci s'absentait sans raison de plus en plus souvent, si bien que Falardeau lui signifia, à la mi-juillet, qu'il se passerait désormais de ses services. Quant à Laurent, il eut une violente dispute avec le patron à propos de son chien Gazou qui le suivait tous les matins au travail et qui jappait comme un perdu dès que son maître montait dans l'échelle pour aller sur le toit. Des heures durant, il tournait autour de l'église. Un jour, excédé, Falardeau lui avait lancé un œuf cuit dur qui l'avait blessé à une patte. Laurent était en train de descendre du toit pour dîner et n'avait rien vu, mais il avait entendu les pleurs de son chien qui se trouvait seul en bas avec Falardeau. Ce dernier avoua qu'il avait blessé Gazou, qu'il était bien prêt à le regretter, mais qu'il ne voulait plus le voir sur son chantier. Laurent n'est jamais rentré au travail.

Avec Gazou, dont il ne se séparait jamais, il est allé rejoindre Téo dans les cafés et les salles de billard du quartier. Il savait déjà que son beau-frère était joueur. Téo s'adonnait en effet au poker. Et il participait à toutes les loteries clandestines. Grâce à lui, Laurent connut le monde interlope des loteries et se découvrit le sens des affaires. Très vite, il mit lui-même sur pied une petite loterie, qui en quelques semaines lui rapportait deux fois le salaire qu'il touchait comme ouvrier… et lui attira les foudres de la concurrence. On lui signifia clairement qu'il était en territoire réservé et qu'il ferait mieux de se retirer s'il ne voulait pas d'ennuis. Laurent discuta et se fit rapidement des amis de ses principaux compétiteurs, qui le prirent comme associé.

Il était chez lui dans ce monde trouble; beaucoup plus, en fin de compte, que Téo. Celui-ci, même s'il y connaissait plein de gens, restait un «client», jamais impliqué dans quoi que ce soit. Il se tenait dans ce milieu parce qu'il y était bien, qu'il y rencontrait beaucoup d'amis avec qui il pouvait parler italien, qu'on y mangeait mieux qu'ailleurs, qu'on n'y travaillait pas très fort. Mais il ne participait jamais à l'organisation, à la cuisine; non pas qu'on n'eût pas voulu de lui, mais il n'y trouvait aucun intérêt, comme s'il était au-dessus de ces choses, ou à côté. Il posait sur le milieu un regard vaguement condescendant ou indifférent.

Laurent, par contre, y entra, s'y établit, pour devenir, à dix-huit ans, un homme de confiance indispensable. Son beau-frère Téo lui avait été fort utile, car il était en bons termes avec tout le monde et savait mieux que personne comment établir de bons contacts, convaincre ou persuader sans faire appel à la méthode forte… Laurent le rémunérait, mais, au grand dam de Téo, en remboursant les dettes que celui-ci avait contractées auprès de sa mère et en pourvoyant aux besoins de sa famille.

Un dimanche matin, Gazou est revenu seul à la maison. Il est parti, est revenu, est reparti et revenu, jusqu'à ce que Julien décide de le suivre. Il a retrouvé, sur un terrain vague derrière une maison incendiée de la rue Ontario, le coupe-vent de son frère taché de sang, de suie et de boue, et, plus loin, un soulier. Puis rien, plus jamais rien. Laurent Lafontaine avait disparu.

Persuadé que Téo savait ce qui s'était passé, Julien le pressa de questions, même devant sa sœur et sa mère. Téo connaissait bien le petit monde dans lequel avait évolué son beau-frère au cours des semaines précédentes. Mais quelque chose lui avait échappé. Jamais il n'aurait cru que ses activités le conduiraient à cette extrémité. Il était terrorisé. Julien a cru pendant des semaines que son frère reviendrait; pas Téo. Il avait compris que la disparition de Laurent était liée aux loteries clandestines dont il avait sans doute voulu prendre le contrôle. Il avait compris également qu'ils vivaient coincés entre deux mondes aussi impitoyables et exclusifs l'un que l'autre : la société et la mafia. Chacune avait ses codes et ses lois, ses droits, sa justice, qu'elles appliquaient toutes deux avec la même rigueur, broyant ceux qui n'étaient pas des leurs. Il avait compris enfin qu'il devait s'éloigner de certaines gens. Et c'est ce qu'il fit.

Comme s'il l'avait associé aux responsables de la mort de son maître, Gazou se mit à haïr Téo plus que jamais. Et il s'attacha à Marie-Ange et à Mario. Or, celui-ci, qui allait sur ses dix ans à l'époque, s'était découvert une grande passion pour son père qu'il cherchait à suivre partout, ce qui compliquait terriblement la vie sentimentale de Gazou.

20

TRAUMATISÉ par ce qui était arrivé à son jeune beau-frère Laurent Lafontaine, Téo a cessé de fréquenter les cafés et s'est trouvé du travail. Pendant quelques mois, il a toutes sortes de petits emplois ici et là, puis, à la demande du curé, il a entrepris de tailler les têtes des apôtres de l'église Notre-Dame.

À cette époque, Mario n'aimait rien autant que regarder son père, quoi qu'il fasse, où qu'il soit, tout le temps. Il le regardait travailler, se bercer, marcher ou manger, fumer, parler ou même dormir. Quand Téo se penchait sur les moteurs des vieilles voitures qu'on apportait parfois dans la cour ou dans la ruelle pour qu'il les répare, Mario voulait devenir mécanicien, avoir comme son père les mains sales, un torchon accroché à la ceinture, une cigarette aux lèvres qui lui ferait cligner de l'œil. Avoir aussi sa démarche, son rire, cette mèche blanche qui lui traversait la chevelure comme un éclair. Lorsque son père lui racontait ses aventures de guerre, Mario rêvait de conduire comme lui un char d'assaut capable de renverser des maisons et de descendre des avions. Quand, plus tard, Téo s'est mis à sculpter les têtes des douze apôtres de l'église Notre-Dame, Mario a été auprès de lui presque tout le temps. Même les jours d'école. Jamais il ne l'aura autant aimé qu'à cette époque.

Téo était réellement passionné par ce travail et il a été heureux presque tout le temps qu'il l'a fait. Il pouvait rester dans l'église douze heures de suite, à tailler la tête de saint Matthieu ou de saint Pierre. Il a passé plus d'une semaine sur le visage du Christ. Il a donné à chacun de ses personnages une expression différente. Un qui sourit, l'autre qui a l'air très songeur ou sévère; il a mis de la colère sur le visage de celui-ci, de la peur dans le regard de celui-là. Il avait lu et relu les Évangiles et les Actes des apôtres pour connaître chacun d'eux. Il ne faisait pas que sculpter des têtes, il faisait réellement des portraits. Un jour, Mario s'est rendu compte que son père donnait aux apôtres les traits des gens du quartier, du Red Light. La gueule en couteau de l'oncle Alfonso, la tête du videur de la *Casa Loma*, le visage du tatoueur du boulevard Saint-Laurent… Et il a ajouté un petit chien qui était une parfaite copie de Gazou, dont Mario avait hérité après la disparition de son oncle Laurent.

Un chien qui a perdu son maître n'est jamais tout à fait normal. Gazou avait en lui un fond de tristesse. Ça le prenait parfois brusquement, en pleine rue ou en mangeant, ou en jouant avec les enfants. Il s'arrêtait, il avait l'air de réfléchir en regardant dans le vide, il faisait une espèce de petit couinement et allait se coucher dans un coin. Un jour où Mario se trouvait seul avec lui rue Craig, près de la *Main*, il s'est couché dans une encoignure et Mario a dû l'attendre pendant une bonne heure. Il s'est assis sur le trottoir, près de son chien, et il a attendu qu'il sorte de sa torpeur. Dans ce temps-là, les gens vivaient beaucoup plus dans la rue qu'aujourd'hui. Sur la *Main* surtout. Il y avait les prostituées, les videurs, toutes sortes de rabatteurs et de racoleurs, les vendeurs de drogue, les mendiants, les touristes. À dix ans, Mario connaissait au moins de vue à peu près tout le monde de la *Main*. Il y passait des journées entières avec sa sœur Monica. Les gens leur donnaient parfois des sous.

À midi, Marie-Ange envoyait Mario porter un lunch à son homme. Gazou sur les talons, Mario enfilait la rue De La Gauchetière, traversait la *Main*, entrait dans le quartier chinois, descendait par la rue Clark ou la rue Saint-Urbain vers la place d'Armes. Il laissait Gazou dans le portique ou sur le parvis de l'église et entrait retrouver son père, son héros…

Mais Téo n'a pas terminé son travail. Il a fait Jésus, onze apôtres et le petit chien. Mais il n'a jamais réussi à trouver une tête qui convienne à Judas. Il lui a d'abord essayé celle du grand nègre qui vendait des horoscopes sur la *Main*, Don Leo MacPherson, mais ça ne lui allait pas du tout. Le nègre de la *Main* avait toujours la gueule fendue jusqu'aux oreilles et Téo croyait que Judas devait être plutôt sérieux, sinistre. Il lui a donc essayé d'autres têtes, dont celle du curé de l'église Bonsecours, mais ça n'allait pas non plus.

Finalement, il semble avoir essayé de donner à Judas sa propre tête, parce que, pendant des jours et des jours, il n'arrêtait pas de se regarder dans le miroir, à la maison. Et un jour, en arrivant à l'église Notre-Dame, Mario l'a surpris un petit miroir rond à la main. Il avait la barbe longue et l'air fatigué. Il avait perdu sa joie. Quelques jours plus tard, il a ramassé ses ciseaux et ses gouges et est rentré à la maison. C'est le dernier travail qui l'aura passionné. Après ça, Téo était un peu comme Gazou. Il s'arrêtait à tout moment. Et il sortait de la vie. Il partait dans la lune. Il s'ennuyait de quelque chose…

Téo Sparvieri voulait toujours que quelque chose de neuf arrive. Quand la maison était bien rangée, que les enfants étaient sages, que le toit ne coulait pas, qu'il y avait de l'huile à chauffage dans le réservoir, il partait. Il fallait que quelque incident se produise pour qu'il s'intéresse à sa femme et à ses enfants.

Ainsi, la famille n'était jamais si heureuse et unie que lorsqu'un malheur l'avait frappée, que le toit avait coulé, que quelqu'un était tombé malade, qu'on avait coupé l'électricité ou qu'on était encore une fois expulsé et qu'il fallait retourner vivre chez Meméré où on était tassés comme des sardines… On aurait dit que Téo aimait moins sa femme quand elle était heureuse, moins ses enfants quand ils étaient sages, bien propres, bien mis. Alors il partait, parfois deux jours ou même plus sans donner de ses nouvelles. Quand il revenait, la maison était dans un désordre total, Marie-Ange avait les yeux rouges, il n'y avait rien à manger. Téo déployait alors des trésors de charme pour consoler sa femme, il faisait le ménage, il allait voir le propriétaire et il essayait de s'arranger avec lui. Et il semblait alors heureux d'être parmi les siens, même si le propriétaire ne voulait rien savoir et même si on devait encore une fois déménager.

On déménageait toujours à pied, jamais loin donc, entre la rue Sanguinet et la *Main*, les rues De La Gauchetière et Ontario. Et presque toujours pour pire que ce qu'on venait de laisser. Mais c'était excitant. La grand-mère Sparvieri, qui connaissait plein de gens, venait diriger les opérations. Elle arrivait avec l'oncle Alfonso et une demi-douzaine de jeunes garçons qui habitaient chez elle ou gravitaient autour de sa maison. Ils avaient des chariots, des diables, des brouettes…

Peu après que Téo eut abandonné son travail à l'église Notre-Dame, la famille a déménagé de la rue De La Gauchetière à l'avenue de l'Hôtel-de-Ville, juste en haut de la rue Sainte Catherine, tout près de chez la grand-mère Sparvieri qui, avec sa fille Sylvana et son fils Alfonso qui n'avait pas vingt ans à l'époque, habitait, ruelle Leduc, une grande maison à trois étages toujours remplie, jour et nuit.

Cette fois, la *mamma* Sparvieri était arrivée à l'aube avec une dizaine de jeunes, dont l'oncle Alfonso. Et, comme toujours, elle a pris les choses en main. Où qu'elle soit et avec qui qu'elle soit, elle dirigeait toujours tout. Elle avait un sens inné de l'organisation. Presque aussi grande que son fils Téo, plus lourde que lui, massive et carrée, très forte, la *mamma* Sparvieri ignorait presque religieusement les lois civiles et suivait aveuglément sa propre morale. Ses lunettes à monture d'écaille lui faisaient de gros yeux durs. Ses cheveux gris montés en chignon et découvrant son large cou ajoutaient à cet air sévère. Elle parlait très fort avec un énorme accent que prenaient plaisir à imiter les jeunes qui créchaient chez elle.

En trois voyages, ses gars avaient tout déménagé : les meubles, les commodes avec leurs tiroirs pleins, les outils, les ustensiles, les lits avec les enfants dedans ; Arlette et Paula dans l'un qui envoyaient la main aux passants, Lola et Marcello dans un autre avec Gazou. Mario se trouvait sur les épaules du grand Tino Gravel qui marchait devant en tirant un chariot sur lequel on avait attaché les vêtements d'hiver, les rideaux, les toiles cirées des fenêtres. Monica était juchée sur les épaules de son père qui fermait la marche avec Marie-Ange à ses côtés. Pour ne pas avoir à monter sur les trottoirs à cause des chariots et des diables, on marchait au beau milieu de la rue, en une longue caravane qui bloquait la circulation. De plus, des gens du paté de maisons que quittaient les Sparvieri, rue De La Gauchetière, avaient suivi le cortège. Et, en chemin, d'autres se joignaient à eux, formant une longue et joyeuse procession. Ce fut un jour de fête dont tous les enfants Sparvieri se sont toujours souvenus.

Rue Saint-Dominique, Anna a donné ses ordres. C'est elle qui a décidé où seraient placés tel meuble, tel lit, tel rideau. Et qui, lorsque tout fut en place, vers le milieu de la journée, sans consulter personne, a pris Mario par la main et l'a emmené chez elle pour que, dit-elle, Marie-Ange puisse se reposer un peu. En fait, elle voulait avoir auprès d'elle son petit-fils. Elle était dure et brusque, mais elle aimait les enfants, et surtout les garçons.

21

LA *MAMMA* SPARVIERI régnait, ruelle Leduc, sur une étrange famille d'une demi-douzaine de garçons qui devaient avoir entre quinze et vingt ans : le grand Noël Gravel, que tout le monde appelait Tino; Casseau Lapointe, gringalet et bègue; Forçure, qui avait le visage couvert d'acné et dont le vrai nom était Forcier; Jean-Guy Dufort et quelques autres, qui la respectaient et lui obéissaient au doigt et à l'œil. Il y en avait toujours trois ou quatre, parfois plus, qui couchaient à la maison. Le salon était presque entièrement occupé par deux lits. À droite, un peu plus loin, se trouvait la chambre d'Anna, dont la porte n'était jamais fermée, où brillait une petite bougie devant une statue de la Vierge Marie portant un chapelet en bandoulière. Puis, devant les toilettes, la chambre de Sylvana, qui n'avait pas de fenêtre, mais dont la porte fermait à clé. Plus au fond, la cuisine, d'où on accédait à l'escalier qui menait à l'étage où on avait aménagé une sorte de dortoir pouvant accueillir jusqu'à une dizaine de garçons. Et où Sylvana n'avait pas le droit de mettre les pieds.

La pulpeuse Sylvana, quinze ans, vivait parmi tous ces garçons comme une ombre fraîche et rêveuse. Elle lavait et réparait leurs vêtements; elle préparait les repas, sous les ordres de sa mère, servait, desservait, lavait la vaisselle, avec l'aide des garçons. Puis elle s'assoyait sur son lit et lisait des romans-photos. Un soir, Tino s'était laissé aller à tenir devant elle des propos grivois et avait tenté de la prendre par la taille; Anna était intervenue et l'avait presque assommé.

La maison Sparvieri était connue parmi les jeunes du bas de la ville comme une sorte de refuge ou de *flop house*, ces dortoirs publics où les voyous et les mendiants de la *Main* et du Red Light allaient dormir pour cinquante cents la nuit. Ils dormaient par terre, parfois à même le ciment. Mais, ruelle Leduc, seuls les jeunes étaient admis. Et on dormait dans de vrais lits, bien au chaud, et on mangeait bien. On devait cependant observer la stricte discipline imposée par Anna. Pas de jurons, pas d'alcool dans la maison, pas de cigarette au lit, pas touche à Sylvana, pas même du regard; et, en hiver, un bain par semaine, pas plus, pas moins.

La maison Sparvieri était sans doute la seule de tout le quartier qui fût équipée d'un bain. C'étaient Dufort et Tino qui l'avaient trouvé, tout neuf, sur un chantier de construction, et l'avaient installé dans la garde-robe entre les toilettes et la cuisine, où il entrait de justesse et où il se trouvait raccordé à l'égout, mais pas à l'aqueduc. On devait le remplir à la main. On y vidait les trois bouilloires posées en permanence sur le poêle et on ajoutait une quantité égale d'eau froide tirée du robinet de la cuisine, ce qui donnait, dans la partie la plus profonde, quinze centimètres d'eau tiède où on pouvait se tremper le derrière... Seule Sylvana avait droit à plus d'eau.

Le samedi, avant le souper, quand elle préparait son bain, une étrange atmosphère régnait dans la maison. Le poêle était couvert de chaudrons remplis d'eau. Il y avait dans l'air une sorte de tension quand Alfonso versait l'eau chaude dans le bain où sa sœur allait plonger son corps délicieux, qu'il ajoutait l'eau froide et que tous se retiraient dans le salon ou dans leur dortoir, là-haut. La maison était alors plongée dans un silence fébrile. Les gars écoutaient le bain de Sylvana. Ils l'entendaient se déshabiller, entrer dans l'eau, se savonner et se rincer, s'essuyer. Les bruits mouillés, le froissement de la serviette sur son corps nu, le bruissement de la brosse dans ses longs cheveux, le frottement de ses pieds nus sur le plancher. Quand il ne faisait pas trop froid, ce doux supplice pouvait durer plus d'une heure. Parfois Sylvana se mettait à chantonner dans son bain, comme si elle avait oublié que, tout autour, les garçons tendaient l'oreille... Ou comme si elle y pensait. On n'a jamais su. Mais, un beau jour, sa mère s'étonna de voir rappliquer tous les gars juste avant le bain de Sylvana et décréta que désormais, le samedi après-midi avant le souper, la maison leur serait interdite, même à Alfonso, pendant deux heures. Les gars rentraient un à un à six heures. Quand, pendant qu'ils aidaient à mettre la table ou à desservir, ils frôlaient Sylvana, ils sentaient les parfums, le savon, la fleur, les odeurs troublantes que dégageait son corps...

Certains jeunes en fugue ou mis à la porte de chez eux créchaient ruelle Leduc pendant plusieurs semaines. Tino, qui était le grand ami d'Alfonso, faisait désormais partie de la famille. Il avait dix-huit ans, mesurait plus d'un mètre quatre-vingt-dix, pesait déjà près de quatre-vingt-dix kilos, une armoire à glace, les cheveux très blonds, très courts, les yeux tout petits, la joue couverte d'acné. Il était arrivé chez les Sparvieri après que son père l'eut jeté dehors, quatre ans plus tôt. Il y avait aussi des petits jeunes souvent désemparés qu'Anna prenait sous son aile. S'ils étaient mal vêtus, ce qui était presque toujours le cas, elle les habillait de la tête aux pieds. Elle fouillait dans ses réserves ou demandait à Tino ou à Casseau de s'en occuper. Deux ou trois jours plus tard, ils revenaient les bras chargés : chandails, pantalons, chaussures. Le nouveau faisait son choix, ou Anna le faisait pour lui. Les surplus étaient stockés à l'étage.

Mario, d'abord ennuyé, surtout d'être séparé de son père et de Monica, s'est vite adapté au milieu. Il fut, cet été-là, la mascotte de la maison Sparvieri. Les gars lui enseignaient des prises de lutte, lui apportaient vêtements et jouets, le promenaient parfois à travers la ville dans le camion bleu que conduisait Dufort. Ils le laissaient monter derrière, dans la boîte... Ils faisaient de la musique aussi. Dufort avait un tourne-disque et régulièrement l'un ou l'autre des garçons arrivait à la maison avec de nouveaux soixante-dix-huit tours. Tous les soirs, on écoutait plusieurs fois une chanson qui ravissait Mario. Il n'en comprenait pas les paroles, mais il adorait l'enlevante mélodie, le glorieux mélange des voix de filles et de garçons... Forçure, qui comprenait bien l'anglais parce que sa mère était irlandaise, lui a expliqué qu'il s'agissait de l'histoire de gars et de filles qui, par un bel après-midi ensoleillé, descendaient une rivière sur un beau gros bateau blanc. Et Mario rêvait qu'un jour lui aussi, tout beau, tout propre, sur un cruiser blanc, avec des filles blondes et rieuses...

Le soir, sous le lampion de la chambre, pendant qu'elle dénouait son chignon et se brossait les cheveux, Anna faisait faire d'interminables prières à Mario. Mais elle connaissait mal les paroles en français, et elle appelait la douce Sylvana qui devait s'assurer que Mario récitait bien le «Je vous salue Marie», son acte de contrition, ses invocations.

Le matin aussi, il devait faire ses prières, et avant et après les repas, et aller à la messe tous les dimanches et parfois la semaine quand la *mamma* avait quelque inquiétude à dissiper ou une faveur urgente à obtenir de la Vierge Marie, d'Antoine de Padoue ou de François d'Assise, ses saints préférés. Elle n'avait pas confiance en ceux d'Espagne ou de France. Et elle ne croyait pas aux bienfaits de l'école, une invention des Français qu'elle considérait comme des impies. Elle était persuadée que Téo, son fils aîné, avait perdu son âme à l'école, où il était resté jusqu'en onzième année, beaucoup trop longtemps, selon elle. Il avait appris à haïr le travail. Depuis qu'il était revenu de la guerre, il n'avait pas travaillé la moitié du temps. Il savait pourtant tout faire, menuiserie, mécanique, maçonnerie, ferblanterie, même la couture. Mais il passait ses journées dans les cafés et dans les salles de billard. Et chez lui, il laissait toujours tout à l'abandon.

Mario couchait dans le lit de sa grand-mère qui, même en plein été, sentait le camphre, ce qui semblait déplaire à Gazou qui, malgré l'insistance de Mario, n'a jamais accepté de dormir dans la chambre de la *mamma*. Celle-ci faisait de l'asthme, respirait toujours très bruyamment et ronflait parfois si fort que Sylvana venait la réveiller pour lui passer un autre oreiller sous la tête. Gazou s'était découvert une véritable passion pour Sylvana et c'est sous son lit qu'il allait dormir chaque soir.

La ruelle Leduc joignait les rues Saint-Dominique et De Bullion, juste au sud de la rue Ontario. En fait, il s'agissait d'un simple passage en terre battue, large de cinq mètres environ. Très poussiéreux en été, boueux quand il pleuvait, il était fermé à la circulation automobile en hiver. La seule issue carrossable donnait sur la rue Saint-Dominique. Mais il y avait toujours moyen de sortir à pied par l'autre bout, du côté de la rue De Bullion. La ruelle Leduc était bordée, comme toutes les rues du quartier, de Sherbrooke jusqu'au

Bord-de-l'Eau, de maisons de briques rouges ou de pierres grises, toutes collées les unes sur les autres, comportant trois étages, avec, au dernier, des lucarnes et des mansardes.

La cour, à laquelle on accédait par un large porche, était remplie de pièces d'auto, de bouts de métal, pneus, jantes, chaînes, moyeux, un puissant bric-à-brac dans lequel les gars allaient parfois fouiller ou auquel ils ajoutaient quelques pièces. Et, tout au fond, contre le grand hangar, une carcasse d'auto, l'épave d'une Hudson 1947 échouée là on ne savait trop comment. Dans le hangar s'entassaient les objets les plus hétéroclites : bicyclettes entières ou en pièces détachées, vêtements, chaussures, outils, radios, vaisselle, etc. Un gros cadenas sur la porte. De temps en temps, des gens venaient voir la *mamma* ; ils avaient besoin d'une lampe ou d'un manteau d'hiver ou d'une paire de ciseaux. La *mamma* les emmenait dans le hangar qu'elle appelait son capharnaüm. Ou elle leur disait de revenir dans deux ou trois jours, qu'elle aurait ce qu'ils demandaient. Et ils payaient selon leurs moyens.

Au beau milieu de la cour se trouvait un vieil érable dans lequel on pouvait grimper facilement. Téo, qui venait presque tous les jours chez sa mère, avait suspendu à une maîtresse branche un vieux pneu Goodyear dans lequel s'installait Mario ; et les gars le balançaient et le faisaient tournoyer, parfois si haut qu'il pouvait voir jusqu'au fond des chambres du deuxième étage. Il apercevait parfois des ombres qui s'agitaient dans l'une ou l'autre des maisons qui donnaient sur la rue Ontario. Il prit l'habitude de grimper dans l'érable. Il passait de longs moments au sein du feuillage, vu de personne, voyant tout, sur les balcons, dans la cour et, au fur et à mesure que la lumière du jour s'estompait, jusqu'au fond des chambres.

Un soir, il a aperçu un homme qui frappait une femme. Une autre fois, le même homme et la même femme qui riaient ensemble, lui en maillot de corps, elle en robe bleue et pieds nus. Ils se sont embrassés, l'homme a donné une tape sur les fesses de la femme et il est sorti ; un peu plus tard, elle est venue à la fenêtre qu'elle a ouverte, elle a regardé l'érable, mais n'a pas vu Mario qui est resté immobile et silencieux.

Dès son lever, Mario partait avec Gazou chercher Monica, rue Saint-Dominique. Et ils passaient leurs journées ensemble à errer sur la *Main* qu'ils connaissaient déjà bien ou ils retournaient dans leur ancien quartier revoir leurs amis. Mais, le plus souvent, ils revenaient chez la grand-mère Sparvieri et jouaient dans l'érable ou dans la Hudson abandonnée au fond de la cour. Monica est montée plusieurs fois dans l'érable avec lui. Ils ont souvent revu l'homme et la femme qui parlaient, qui se faisaient à manger sur une petite cuisinière électrique à deux ronds, ou qui regardaient des journaux.

À la fin de l'été, quand Mario est retourné chez lui, la nouvelle maison de la rue Saint-Dominique lui apparut terriblement terne, comparée à celle de la ruelle Leduc. Et sa mère, infiniment plus effacée que sa grand-mère. Il avait compris qu'il y avait des gens qui dans la vie faisaient toujours ce qu'ils voulaient et d'autres, pas. Sa grand-mère était devenue son modèle admiré. Il voulait lui aussi commander aux autres, devenir boss comme elle, plutôt que mécanicien ou sculpteur ou faiseur de rien comme son père.

Marie-Ange était, bien sûr, plus douce et infiniment plus belle avec ses yeux d'un bleu très foncé, ses cheveux qui sentaient si bon et qu'elle laissait toujours flotter sur ses épaules, sa voix chantante. Et elle savait jouer, rire, s'amuser avec les enfants. Mais il y avait en elle beaucoup de résignation, une certaine tristesse que Mario ressentait chaque fois qu'il s'approchait d'elle.

Depuis qu'ils avaient emménagé rue Saint-Dominique, Téo avait recommencé ses errances. Il était parfois deux ou trois jours sans passer à la maison. Et Marie-Ange se languissait. Pendant de longs moments, on aurait dit qu'elle n'était plus là. Gazou disparaissait lui aussi pendant des jours. Mais jamais en même temps que Téo. On aurait dit, au contraire, qu'il fuyait ce dernier. Ou qu'il était attiré par la tristesse de Marie-Ange, qui ressemblait à la sienne. Lorsque Téo s'absentait, Gazou s'attachait à Marie-Ange, dormait sous son lit, s'assoyait sous sa chaise. Parfois même, quand elle était vraiment triste, il n'acceptait plus de sortir avec Mario. Il restait jour et nuit auprès d'elle. Dès que Téo rentrait, il disparaissait. On le voyait alors un peu partout dans le voisinage, chez Memére Lafontaine ou dans la ruelle Leduc.

Monica vivait alors très proche de sa mère. À l'époque, elle ne connaissait rien à l'amour, mais se rendait bien compte que sa mère était complètement folle de son père. Elle savait aussi que celui-ci mentait et qu'il trompait tout le monde. Et quand il mentait, sa voix changeait. Monica se disait alors qu'il avait mis son sourire de menteur. Il lui faisait presque pitié, parce qu'il était tout seul dans ses mensonges. Monica était en effet persuadée que tout le monde savait qu'il mentait. Et elle avait l'impression qu'il le savait. Il savait que chacun se disait, en l'entendant : «Téo ment encore. Il a mis son sourire de menteur.» Et il mentait quand même, parce qu'il était incapable de s'en empêcher. Comme la tante Hélène, déjà soûle, qui continuait de boire. En fait, Téo ne mentait pas vraiment, puisqu'il savait qu'on savait qu'il mentait. Mais alors, pourquoi racontait-il quand même ses histoires qui ne tenaient pas debout?

En novembre, il a brusquement interrompu ses errances et s'est retrouvé en prison. Trois mois pour vol de matériaux de construction. Il eut beau expliquer qu'il croyait ces matériaux (de la brique et de la planche) abandonnés, qu'ils les avait vus traîner depuis des mois sur ce terrain vague de la rue Wolfe, près de la rue Notre-Dame, où il était allé les ramasser, le juge le condamna, de même que son comparse, Georges Marcotte, lequel récolta six mois supplémentaires après qu'on eut fait la preuve qu'il avait volé le camion qui leur avait servi à transporter les matériaux.

Gazou a donc passé pratiquement tout l'hiver rue Saint-Dominique, sous le lit de Marie-Ange ou à côté de la chaise droite sur laquelle elle restait de longues heures à écouter les *big bands* à la radio, à pleurer parfois, à attendre toujours.

La grand-mère Anna passait de temps en temps rue Saint-Dominique avec un ou deux de ses gars, à qui elle faisait exécuter de menus travaux. Tino et Alfonso ont débouché le renvoi de l'évier, isolé les fenêtres des chambres, piégé les rats, arrosé les coquerelles au DDT. Ils apportaient parfois à manger. Ils ont fait un arbre de Noël, qu'ils ont entouré de cadeaux pour chacun des enfants : des poupées pour chacune des filles, un revolver à pétards et un meccano pour Mario, de minuscules poutrelles vertes, noires et bleues, des boulons et des écrous chromés, un jeu de clés à molette. Mario n'avait jamais rien vu de plus beau de toute sa vie.

Quand Téo est sorti de prison, le curé de Notre-Dame, sans doute pris de pitié mais aussi parce qu'il aimait bien Téo, lui a confié le grand ménage des débarras, du sous-sol de l'église. Il y avait là un formidable bric-à-brac dont Téo fera profiter plus d'un pauvre de la paroisse. Et ses amis, d'abord et avant tout. Il a sorti des tonnes de rebuts du sous-sol. Mais, plutôt que de jeter, il a fait un tri et emporté plein de choses dans la cour de la ruelle Leduc chez sa mère : des tuyaux, des planches, des pots de peinture vides à moitié ou aux trois quarts, etc. Et il a beaucoup donné. Ou fait du troc. Mais il n'a pas sorti que le vieux. Ainsi, il a vendu les housses violettes dont on couvrait les statues pendant la semaine sainte à l'homme à tout faire de Mme Byzante. Celui-ci en a fait faire des rideaux qui allaient bientôt pendre aux fenêtres du bordel que tenait cette dernière, rue Berger.

Les Sparvieri étaient partis vivre chez Memére Lafontaine, rue Parthenais, où Téo les avait rejoints à sa sortie de prison. Memére, la tante Hélène, l'oncle Julien, Marie-Ange de nouveau enceinte et Téo, leurs six enfants, dans un cinq et demi. Marie-Ange avait accouché de chacun de ses enfants dans cette maison de la rue Parthenais, au 1724, où elle était née elle aussi, en plein cœur du Faubourg-à-Mélasse, à moins d'un quart d'heure de marche du Red Light. Elle aimait ce quartier, ses gens, ses odeurs de sucre brûlé, de céréales torréfiées, de houblon fermenté. Et elle était heureuse d'y élever ses enfants. Elle faisait les quatre volontés de Téo, mais elle n'aurait jamais accepté, pas même pour tout l'or du monde, d'aller vivre chez sa belle-mère Sparvieri, qui la terrorisait.

Longtemps Monica est restée rue Parthenais, avec sa mère, sa tante Hélène et sa grand-mère, sans sortir pendant des jours et des jours, même au plus fort de l'été. Elles tenaient maison, faisaient les lits, préparaient les repas, cousaient, crochetaient, ravaudaient les vêtements, s'occupaient des bébés. Parfois aussi, très souvent, très longtemps, elles ne faisaient rien. Elles restaient assises sur le balcon ou dans la cuisine, ou appuyées aux fenêtres qui donnaient sur la rue ; elles écoutaient la radio ou regardaient les arbres du parc, les détenues de la prison des femmes qui travaillaient dans leur jardin. Les filles portaient une longue robe grise en coton, un chapeau de paille, de lourdes bottines. La plupart étaient jeunes. Certaines semblaient gentilles et très belles, et, quand elles se sentaient observées, faisaient un sourire ou envoyaient la main. D'autres hurlaient des bêtises et montraient le poing pour qu'on cesse de les regarder. Mario, quand il était là, leur faisait des grimaces ; et, un jour qu'ils étaient seuls sur le balcon, Monica, Paula et lui, il leur exhiba son pénis. Monica ne leur envoyait pas la main et ne leur criait jamais de noms ; elle était fascinée, surtout par celles qui ne souriaient pas, qui regardaient les autres avec un air de défi. Ou d'effroi.

À l'école Jeanne-Mance, la sœur Marie des Lys avait dit que Jésus voulait qu'on déteste le péché mais qu'on aime le pécheur, même les ivrognes et les prostituées, même les pires bandits. Elle avait expliqué aux enfants que ces misérables étaient devenus méchants parce qu'ils avaient été mal aimés et profondément malheureux. Et qu'ils seraient guéris si quelqu'un se donnait la peine de les aimer.

Monica considérait qu'elle était aimée plus qu'elle n'en avait besoin. Par sa mère, ses deux grands-mères, ses tantes Hélène et Sylvana, son père, ses oncles, son frère Mario, la sœur Marie des Lys… Elle songea un moment à se faire religieuse, non pas dame de la Congrégation comme Marie des Lys, mais sœur du Bon-Pasteur, comme celles qui dirigeaient la prison des femmes. Et alors elle serait proche de ces pauvres brebis égarées, elle les aimerait, les ramènerait une à une dans le droit chemin. Un seul ennui : le costume et le gabarit des gardiennes de la prison, qu'on pouvait observer dans le jardin et la cour où elles surveillaient les filles. Même en plein été, elles portaient une grosse jupe longue et lourde et une coiffe sous laquelle elles cachaient leurs cheveux. Or, Monica aimait beaucoup ses cheveux. Et la perspective de les cacher la terrorisait. Ses seins commençaient à bourgeonner. C'est d'ailleurs en les regardant se former qu'elle oublia les religieuses et les prisonnières. Elle était inquiète, le gauche s'étant gonflé plus rapidement que le droit, dont la croissance lui sembla un long moment interrompue. Elle regardait avec envie la parfaite poitrine de sa tante Hélène, qui portait des chandails moulants que zieutait son père avec colère, et tous les garçons, même son frère Julien, avec convoitise. Monica considérait Hélène comme sa meilleure amie, même si elle avait six ans de plus qu'elle et sortait déjà sérieusement avec des garçons.

Mais bientôt la famille de Marie-Ange et Téo reprit son errance à travers le quartier : rue Sainte-Élisabeth, encore Saint-Dominique, avenue de l'Hôtel-de-Ville, rues Sanguinet, De Montigny et encore Sainte-Élisabeth, avec de fréquents stages chez les beaux-parents, rue Parthenais. Mario était de plus en plus souvent chez sa grand-mère Sparvieri. La cour était son fief; l'érable, son refuge, où il pouvait voir sans être vu.

Un jour, la femme de la rue Ontario aperçut Mario qui l'observait depuis son érable. Elle était seule. Elle avait rabattu les bretelles de sa robe sur ses bras nus et s'était assise au soleil devant la fenêtre grande ouverte, avait posé ses pieds sur le radiateur et relevé sa jupe très haut sur ses cuisses… Mario s'était aventuré vers l'extérieur de l'arbre et la regardait. Elle était à peine plus vieille que Sylvana, mais blonde. Elle avait posé sa tête sur le dossier de sa chaise et semblait dormir sous le chaud soleil, une main sur son ventre, l'autre posée sur sa cuisse découverte, le bout de ses doigts disparaissant sous la culotte blanche. Mario était si proche qu'il voyait les petits poils blonds sur la peau dorée qu'il aurait voulu toucher, lécher. Il pensait à Tino, à Alfonso et à Dufort qui auraient donné cher pour être à sa place. Quand il voulut s'approcher, la branche ploya sous son poids et une large échancrure s'ouvrit dans le feuillage. La jeune femme sursauta; d'un geste vif, elle retira sa main, referma ses jambes et rabattit sa jupe.

«Qu'est-ce que tu fais là, toi?»

Mario se retira vers le cœur de l'arbre où il se mit à l'abri de ses regards, mais il continuait de la voir. Elle était debout devant la fenêtre et le cherchait des yeux, retenant d'une main le corsage de sa robe dont les bretelles pendaient toujours sur ses épaules. Mario vit qu'elle souriait, d'un sourire qui le troubla autant, sinon plus, que la vue de ses cuisses nues. Elle s'enfonça dans la pénombre de la chambre et il la perdit de vue. Malgré la crainte qu'il avait de voir apparaître l'homme qui vivait avec la jeune femme, il resta au creux du feuillage jusqu'à ce que Sylvana l'appelle pour le souper.

Par peur de représailles, il passa plusieurs jours sans monter dans son érable. Mais, un dimanche matin, il croisa la jeune femme à la sortie de la ruelle Leduc, du côté de la rue De Bullion. Elle portait une robe bain de soleil jaune et des sandales blanches. Il vit qu'elle était nu-jambes et qu'elle avait encore pris beaucoup de soleil. Elle lui refit son terrible sourire et lui dit :

«Ah! te voilà, toi! Je me demandais où tu étais passé!»

Il rentra chez sa grand-mère, triste et confus, considérant qu'il avait raté sa vie. Visiblement, la femme avait continué de prendre du soleil à sa fenêtre et elle ne semblait pas du tout fâchée qu'il l'ait vue. Il aurait donc pu retourner tous les jours dans son érable, et la regarder à son aise. Peut-être qu'elle se serait montrée toute nue, qu'elle aurait fait des choses devant lui, qu'elle lui aurait montré ce que Gravel et les autres appelaient en riant le livre à quatre pages, ce mystère que les femmes tenaient entre leurs jambes, où elles avaient aussi des lèvres, deux paires de lèvres, une sorte de bouche…

Il se jura d'être présent le lendemain à ce qu'il considérait presque comme un rendez-vous. Mais le lendemain, il pleuvait à boire debout. Et le jour suivant aussi. Il plut presque tous les jours pendant deux semaines. Et Mario ne revit jamais la jeune femme. Ou plutôt il la revit dans sa tête tous les jours et toutes les nuits. Sans cesse il la déshabillait, la rhabillait, la faisait monter avec lui dans son érable, s'invitait dans sa chambre, se couchait sur elle, feuilletait, ému, heureux, le livre à quatre pages. Et il tira de cette aventure une leçon qu'il ne devait jamais oublier : qu'il ne fallait jamais laisser passer une chance, si mince soit-elle; et que les femmes aimaient qu'on les regarde.

La maison de la rue Ontario où habitait la jeune femme qui aimait le soleil fut vide pendant quelques jours, puis une famille y emménagea, des Dupuis, cinq enfants et leur mère, pas de père. Odile, l'aînée, avait onze ans, comme Mario. À la fin de l'été, d'abord dans l'érable, puis sous la galerie, elle l'avait initié aux mystères du livre à quatre pages, lu, relu, vu, humé, goûté.

22

L E GRAND GRAVEL, qui habitait la maison Sparvieri, ruelle Leduc, avait un frère, Florent, plus âgé que lui de quatre ou cinq ans, plus grand, plus fort et musclé, un pan de mur en béton armé, les cheveux très blonds et très courts lui aussi, de petites oreilles chiffonnées, les yeux bridés, la voix mate, éteinte, le cou presque aussi large que la tête, un dur très respecté malgré son jeune âge, tant rue Sainte-Catherine que sur la *Main*. Il connaissait le diable en personne. Et plein de gens partout. Portier du *Pal's Café*, il était le héros des jeunes de la maison Sparvieri, qui lui rendaient toutes sortes de menus services. Ils livraient des messages, des colis, parfois jusque dans Outremont ou Rosemont, un peu partout sur le plateau Mont-Royal, plus rarement dans le Faubourg-à-Mélasse. Ou ils escortaient un client chez une fille, attendaient dans la rue qu'il ressorte, couraient prévenir Flo que tout s'était bien passé, que la fille était libre. Le jour, ils répondaient aux commandes placées la veille au soir ou ils entreposaient le matériel acquis. Ils disposaient d'un vaste local, rue Saint-Paul, face au marché Bonsecours.

La plupart des maisons de ce très vieux quartier qu'on appelait le Bord-de-l'Eau étaient dans un état de délabrement avancé. La maçonnerie était pourrie, le mortier s'effritait partout dangereusement, certains murs s'étaient même effondrés. La maison du 113 de la rue Saint-Paul, où les gars de Flo Gravel entreposaient le stock qu'ils avaient volé la veille ou qu'ils allaient cueillir pendant le jour dans divers dépôts du bas de la ville, était plus que toute autre en piteux état. Il n'y avait plus d'électricité, plus d'eau. Le plâtre des plafonds et des murs était craquelé, partout marqué de grandes plaques de moisissures. Les planchers de chêne originaux avaient été en grande partie arrachés et vendus, de même que les poignées, les pentures, les gonds et les moulures des portes ainsi que celles des fenêtres, et parfois les fenêtres elles-mêmes, qui avaient été remplacées par de grands panneaux de contreplaqué.

Deux ou trois fois la semaine, pendant quelques heures, Forçure et Casseau se rendaient au 113 faire du rangement. Casseau, qui avait une mémoire phénoménale, connaissait l'inventaire par cœur. Quand Flo Gravel plaçait ses commandes, grille-pain, chaussures pour dame, manteau d'hiver pour enfant de cinq ans, torchère électrique, radio, enjoliveur de roue, machine à coudre, il pouvait tout de suite lui dire : «Ça, j'ai ça; ça, je ne l'ai pas.» Quand il n'avait pas ce que Flo Gravel demandait, Forçure prenait note et très souvent, deux ou trois jours plus tard, les gars lui avaient trouvé ce qu'il cherchait. Il fallait alors livrer, au moment convenu, la marchandise chez le client et se faire payer par celui-ci. Dufort avait une camionnette Mercury Apache bleue qu'il ne laissait jamais conduire par personne d'autre. Il faisait le plein chez Joe Jobin, rue Lafontaine, où il ne payait jamais, car Jos Jobin était en affaire avec Flo Gravel qui le fournissait en matériel et en outils, en cigarettes, en alcool. Le marché noir était alors florissant, fort bien organisé.

Il y avait des semaines plutôt creuses. Mais, jour et nuit, Casseau, Forçure, Noël Gravel, Dufort et Alfonso restaient plus ou moins à la disposition de Flo; ils étaient en quelque sorte ses servants. Il les rémunérait soit en argent pour les livraisons, soit en faveurs pour les menus services qu'ils rendaient au *Pal's*. De temps en temps, les soirs tranquilles et après leur en avoir parlé depuis longtemps afin de les aguicher et d'aiguiser leur désir, Flo leur arrangeait, avec, bien sûr, l'accord d'un proxénète à qui ils avaient rendu quelques services, une passe avec une fille qui les recevait à tour de rôle dans une petite chambre du *Boléro* ou dans le bureau du patron, qui se trouvait sous les combles derrière une petite manufacture de robes où travaillaient du lundi au samedi, de huit heures à seize heures, une demi-douzaine de couturières.

Dès que tombait la nuit, comme ses confrères du *Béret bleu*, du *Canasta* ou de la *Casa Loma*, Flo Gravel se mettait sur son trente-six, habit noir ou marine, chemise blanche avec des falbalas lisérés de noir ou de marine, nœud papillon assorti, souliers vernis, et sortait racoler les gens sur les trottoirs : «*Showtime!* mesdames et messieurs, *ladies and gentlemen, showtime!*» Quand des clients se présentaient, il les escortait à l'intérieur, leur trouvait une table, tendait la main... De temps en temps, il faisait entrer avec lui l'un ou l'autre des garçons, histoire de l'impressionner un peu, de l'initier à ses affaires.

C'était une grande salle aux lumières tamisées, tapis moelleux, tables recouvertes d'une nappe blanche. Tout vibrait au son des mambos, des fandangos et des sambas. Une odeur lourdement sucrée flottait dans l'air. Les barmaids et les vendeuses de cigarettes, bien roulées, juchées sur leurs talons aiguilles, promenaient leurs longues jambes enveloppées de bas résille, leurs épaules nues, leurs affolants décolletés. À vingt-trois heures, plus pour exacerber chez eux la fascination que pour faire respecter la loi, Flo Gravel signifiait à ses gars qu'ils devaient sortir, et alors la reine des lieux, la strip-teaseuse, l'artiste, montait sur la petite scène pour faire son numéro dans des langueurs délicieuses interdites aux moins de vingt et un ans.

Le *Pal's* était devenu pour les gars de la ruelle Leduc une sorte d'alma mater, le lieu sublimé de leur fascination, autour duquel ils tournaient tous les soirs, à la disposition de Flo Gravel. Ils passaient des heures à attendre, rue Sainte-Catherine ou sur la *Main*, toujours vivante et vibrante, toujours recommencée. Ils rencontraient au *Montreal Pool Room* et au *Peter's Café* ou au café *Chanteclerc*, où ils passaient leur temps libre, les servants des portiers du *Béret bleu*, de la *Casa Loma*, du *Blue Sky* ou du *123*, leurs voisins de la rue Sainte-Catherine, et aussi ceux qui étaient descendus du *Bar Saguenay* ou du lointain *Mocambo* de la rue Frontenac, ou qui sortaient du *Saint-Louis Grill*, du *Sierra*, du *Capitol Grill*, qui montaient du *Rodéo*, du *St. John's* et du *Canasta*, proches du Bord-de-l'Eau, les boîtes où on présentait les spectacles les plus osés, où il y avait les plus grosses bagarres, où se tenaient les plus durs et les plus téméraires d'entre les durs. Et rien n'était plus noble que d'afficher un œil poché, des jointures marquées d'ecchymoses...

Beaucoup de ces jeunes servants étaient mineurs. Ils faisaient en quelque sorte leur noviciat, attachés à l'une ou l'autre des boîtes de nuit du quartier, aux ordres des maîtres videurs de la *Main*, Ro Forgues, Man Auger, Ti-Gène Lefort, Réal Lépine, Gerry Turenne, Clark Higgins. Et les gars, lorsqu'ils se retrouvaient autour des tables du *Montreal Pool Room*, vantaient les exploits de leurs maîtres. Le plus fameux était incontestablement Donald Moore, qui, à la porte d'une boîte de nuit d'Ottawa, avait tué un homme d'un seul coup de poing.

Entre eux, les gars de la ruelle Leduc ne se cachaient rien. Ceux du *Pal's* ou du *Mocambo* non plus. Mais, d'une alma mater à une autre, on se faisait des mystères et des secrets. Chacun se donnait de l'importance en laissant deviner le poids des secrets qu'il détenait.

De temps en temps, Flo Gravel venait visiter son frère et les gars de la ruelle Leduc. Il tenait de longs conciliabules avec la mère Sparvieri, qui l'aimait bien. Et alors Mario devait faire de l'air.

23

ET PUIS, un jour, les envahisseurs sont arrivés. Une sinistre faune, qui, à l'automne 1952, est entrée dans le quartier par tous les côtés à la fois. Des hommes frappaient à toutes les portes. Ils entraient dans toutes les maisons, demandaient combien de personnes y vivaient, exigeaient de voir chacune des pièces, même les garde-robes. Ils tiraient la chasse d'eau, descendaient dans la cave, montaient au grenier, braquaient partout leurs lampes à pile, vérifiaient s'il y avait de l'eau chaude, si les fenêtres s'ouvraient facilement. Ils jetaient un coup d'œil dans la cour, dans le hangar, notaient et mesuraient tout. Ils demandaient l'âge des gens de la maison, leurs occupations, leur religion, leurs revenus, leurs origines. Et d'autres venaient quelques jours plus tard, prenant des photos des façades des maisons, des fonds de cour où jouaient les enfants…

On se mit tout de suite à les haïr. On les avait surnommés les Morpions, parce que, comme les morpions, ils fouillaient l'intimité des gens et qu'ils étaient chaque jour plus nombreux, plus envahissants.

La mère Sparvieri, rentrant chez elle une fin d'après-midi, trouva sa fille Sylvana en tête-à-tête avec un jeune Morpion qui avait étendu ses papiers sur la table de la cuisine et posait tranquillement ses questions. Anna le jeta dehors si brutalement qu'il trébucha, rata la bordure de l'étroit trottoir, se tordit une cheville et s'affala de tout son long dans la poussière de la ruelle. Il s'appelait Carol Desaulniers. Frais sorti de l'École technique, il avait été engagé par la Ville pour inventorier le quadrilatère formé par les rues Ontario,

De Bullion, Sainte-Catherine et Saint-Laurent, qu'on s'apprêtait à démolir. Dès les jours suivants, il est revenu rôder en boitillant dans le quartier. Il a retrouvé Sylvana et, malgré la peur que lui inspirait Anna Sparvieri, s'est mis tout de suite à lui faire une cour en règle.

Desaulniers n'avait pas froid aux yeux. Tout en dressant son inventaire, il incitait les gens à la révolte, au soulèvement, attisant la colère, les frustrations. Il leur exposait de grandes théories sociales, révélait des preuves, produisait des chiffres tendant à prouver que les pauvres étaient exploités par une classe de riches sans cœur. Il disait qu'ils devraient s'unir et faire eux-mêmes leur avenir, se servir, prendre. Sinon, il n'arriverait jamais rien. Il racontait que, depuis les années 1910 et 1920, on avait prévu à Montréal des réaménagements urbains importants mais qu'on avait toujours invoqué toutes sortes de prétextes pour les retarder : la crise économique, la guerre, la reconstruction. Et il y aurait toujours quelque chose, toujours un prétexte pour remettre à plus tard ce qu'il appelait «le grand ménage». Et si jamais ça se faisait, ce serait au profit des riches, comme d'habitude. Il fallait que le petit peuple décide enfin pour lui-même. Et Desaulniers entreprenait d'expliquer à ceux qui l'écoutaient comment le pouvoir agissait pour se maintenir en place.

Il parlait de «justice distributive». Il disait qu'il fallait prendre aux riches pour donner aux pauvres. Il produisait le recensement de 1951 dont il connaissait par cœur maintes données. Vingt pour cent des logements du centre-ville de Montréal étaient surpeuplés, trente-six pour cent n'avaient pas l'eau chaude, plus de dix pour cent n'avaient pas de salle de bains ; certains, même pas l'eau courante. Des familles habitaient dans des garages sans plancher, qu'on isolait tant bien que mal avec du papier journal, du carton, des guenilles.

Les vieilles maisons du quartier, mal entretenues par des propriétaires qui les savaient vouées à la démolition, étaient sur le point de s'effondrer, rongées par une sorte de cancer qui s'attaquait au mortier, à la brique, au bois qui moisissait, pourrissait, puait. Le monde entier était en train de se défaire, les liens qui unissaient les gens se relâchaient, se dénouaient. À tort ou à raison, on se mit à croire que les Morpions faisaient leurs rapports à la police, qu'ils signalaient les alambics qu'ils avaient vus, les dépôts, les portes closes. Ils prétendaient pouvoir entrer partout, avoir le droit de tout voir, de tout savoir, de pénétrer non seulement dans les maisons mais dans la vie des gens.

Paulo Ferland, par exemple, qui habitait rue De Bullion, ne faisait de mal à personne. Il avait un débit de boisson clandestin mobile. Il préparait son alcool dans son hangar et allait le vendre dans la rue, à la gorgée ou en petites flasques. Les gens du quartier et les clochards de la *Main* savaient toujours où le trouver. Un soir, les policiers sont venus l'arrêter, rue Sainte-Élisabeth, alors qu'il vendait de son alcool à un pauvre vieux. Ils l'ont jeté en prison, puis ils se sont rendus directement chez lui, où ils ont détruit à coups de pied le petit alambic qu'il avait mis des jours à construire.

Depuis quelque temps déjà, les bordels de la rue Berger avaient cessé d'être protégés. Plusieurs avaient été fermés. Des policiers vénaux avaient été mis aux arrêts. Les madames les plus puissantes, si elles ne s'étaient pas ménagé une porte de sortie, s'étaient retrouvées en prison.

Desaulniers était très actif au sein des organismes catholiques qui militaient dans les bas quartiers et qui travaillaient à éveiller, à sensibiliser les gens, leur expliquant leurs droits, leurs devoirs. Il avait participé, quelques années plus tôt, au fameux mouvement des Squatters, qui avait encouragé les sans-logis à occuper des lieux publics et des logements abandonnés. Les Squatters avaient été condamnés par les autorités municipales et par la plupart des curés des paroisses où ils étaient intervenus. Ils avaient conservé, au sein du petit peuple, un fond de sympathie. Mais, dans le Red Light, bien des gens se méfiaient. Et Desaulniers avait souvent l'impression de prêcher dans le désert.

Persuadé que Desaulniers était communiste, Téo avait commencé par lui faire la vie dure. Mais il a vite compris qu'il était simplement amoureux de sa petite sœur. Et il intervint auprès de sa mère et de son jeune frère Alfonso pour qu'ils laissent Desaulniers entrer dans la famille, fréquenter Sylvana, la sortir, finalement l'épouser et l'emmener dans son monde, loin du Red Light où continuaient d'errer les Sparvieri.

24

Où que soit sa famille, Mario gardait ses habitudes ruelle Leduc, où il restait souvent à dormir. Et le lendemain, il avait congé d'école. Il allait passer sa journée sur la *Main* avec Odile Dupuis et ils jouaient aux fesses quand ils pouvaient se soustraire à l'attention des adultes. La mère d'Odile était une femme triste et fatiguée qui recevait de l'aide de la Société Saint-Vincent-de-Paul et qui nourrissait ses enfants des restes provenant de la cuisine du collège du Mont-Saint-Louis, énorme château de pierre grise dominant le Red Light de sa puissante masse et dont la façade donnait sur la rue Sherbrooke, juste en haut de la rue De Bullion. Mario s'y rendait souvent avec Odile. Les cuisiniers leur remettaient des victuailles dans des cartons et des sacs. Il y avait du pain presque chaque jour, de la soupe, de la viande, du macaroni. Parfois des gâteaux et des fruits. Tout cela parfois un peu sec, un peu fané ou suri, mais encore fort bon le plus souvent.

Monica montait parfois au Mont-Saint-Louis avec Odile et Mario. Mais elle a très vite pris ce lieu et ses occupants en aversion. Elle se sentait humiliée, profondément mal à l'aise. Elle détestait le regard condescendant que posaient sur eux les cuisiniers, les étudiants, les enseignants.

Mario, lui, les regardait sans envie. Il avait toujours cette confortable impression qu'il pouvait les observer sans être vu. Comme si les beaux petits garçons tout propres du Mont-Saint-Louis les regardaient, Odile, Monica et lui, sans les voir, ou ne voyant que la misère et la saleté, ce qui les enveloppait, les cachait. «Ils ne savent pas notre nom et ne veulent pas le savoir. Ils ne nous voient pas», pensait-il.

Les plus jeunes avaient leur âge à peu près; ils portaient des uniformes, des souliers vernis, des écussons à leur veston, étudiaient le latin, le chant, jouaient au baseball, au hockey, au tennis. Les Sparvieri, les Dupuis, comme la plupart des habitants du Red Light, n'avaient rien de tout cela. Mario n'a jamais eu les moyens de se payer une paire de patins, ni un gant de baseball, ni une bicyclette. Monica n'a jamais eu d'autres patins que ceux de sa tante Hélène. Elle disait que ces gars-là n'avaient rien fait pour mériter tout ce qu'ils possédaient, tout ce dont ils profitaient, et que c'étaient eux les vrais voleurs, «pas nous autres». Mario était assez vieux pour reconnaître dans les propos de sa sœur l'influence de Carol Desaulniers. Monica reprenait ses idées, ses thèmes, dont elle nourrissait sa colère.

Bientôt Paula s'est jointe au groupe. Ils allaient régulièrement chez la grand-mère Sparvieri, où ils retrouvaient Gravel, Casseau, Alfonso et les autres. Il y avait, à l'époque, deux bandes rivales dans le quartier. Chacune s'était donné le nom d'un des deux célèbres lutteurs nains, Little Beaver et Sky Lo Lo, qui faisaient alors fureur et que les plus vieux allaient parfois voir au Forum, le mercredi soir. Les Beavers portaient une coiffure à l'iroquoise, comme leur idole. Les Lo Lo se rasaient le crâne.

L'été venu, Mario adopta la coiffure des Beavers. Marie-Ange dut user de toute son autorité pour que Paula n'en fasse pas autant. C'est Gravel qui la dissuada en lui expliquant que les Sauvagesses (les Beavers étaient des Sauvages) portaient les cheveux longs, le plus souvent réunis en une grosse tresse sur le dos.

Chacune des bandes avait son signe et ses couleurs, ses armes, son fief. Pour se rendre de la rue Parthenais à la ruelle Leduc, les enfants Sparvieri devaient faire un détour par la rue Sherbrooke ou par le boulevard Dorchester ou par la rue De La Gauchetière, de manière à contourner le territoire des Lo Lo qui contrôlaient tout le secteur au sud-est des rues Sanguinet et Ontario.

On se battait pour l'honneur, par haine pure. Et pour un territoire aussi. Celui des Beavers était de beaucoup le plus intéressant. Il comprenait la *Main* et, juste sous le collège du Mont-Saint-Louis, une longue bande de terrain à pic et boisé qui allait de la rue De Bullion à la rue Sanguinet et dans laquelle couraient des sentiers menant à des sortes de caches d'où le regard pouvait s'échapper par-dessus les toits du quartier jusqu'au port et au fleuve. Il y avait l'Hôtel de Ville droit devant, le Palais de Justice, le dôme du marché Bonsecours ; à gauche, les tours de Notre-Dame, l'édifice Aldred. Et, plus près, le faîte du grand érable qui remplissait la cour de la ruelle Leduc, où habitait la grand-mère Sparvieri. Et d'autres clochers là-bas, celui du Mont-Carmel, de Saint-Pierre-Apôtre, de Sainte-Brigide… et le pont Jacques-Cartier qui se posait sur l'île Sainte-Hélène, où Monica allait de temps en temps pêcher avec son père.

Elle ne comprenait pas qu'on puisse contempler pendant des heures les eaux moirées du fleuve et inlassablement y lancer ses mouches, dans l'espoir qu'un poisson froid et visqueux se décide à mordre. Mais elle adorait encore son père à l'époque et n'aimait rien plus que d'être auprès de lui. Elle passait donc de longues heures assise à ses côtés, sur la grève de l'île. Ils entendaient au loin les borborygmes de la ville, les cris et les rires des baigneurs et des nageurs du Montreal Swimming Club, qui se trouvait juste sous le pont Jacques-Cartier, et très haut dans le ciel le lancinant et chuin-tant vacarme des automobiles. Et Monica parfois s'amusait à stopper l'eau du fleuve et à imaginer que l'île et la ville étaient en mou-vement et traversaient de grands espaces marins, tout étant emporté, la ville, la montagne, le pont. Et ils dérivaient ainsi dans l'espace… Téo laissait son regard flotter dans le vide, dans l'invisible, puis se poser sur l'onde, à la surface du mystère, sans jamais y pénétrer. Ne pas savoir ce qui s'y passait, ne rien voir, ne rien comprendre, mettait Monica chaque fois mal à l'aise, lui donnait une sorte de vague à l'âme.

Par contre, dans ces caches du boisé du Mont-Saint-Louis, on pouvait voir le monde. Toujours sans être vus. C'est là que Mario et Odile prirent leurs habitudes. Monica les accompagnait souvent et Paula parfois qui emmenait les petits, les jumelles Arlette et Lola, Giovanni. Et on piqueniquait sous les arbres. Un petit sentier passait au-dessus du poste de police de la rue Ontario et allait se ramifiant du côté de la rue Sanguinet, près de la rue Sherbrooke, juste au-dessus du territoire des Lo Lo. La rue Sainte-Élisabeth, que contrôlaient les Beavers, se heurtait à la falaise, au roc. Juste au-dessus se trouvait un replat, où Mario rêvait de se construire une cabane où ils pourraient passer la nuit, Odile et lui. Il avait commencé à y stocker des matériaux, quelques feuilles de vieille tôle plus ou moins trouées, des planches, des bardeaux d'asphalte, de vieux clous qu'il avait redressés, quelques outils.

Ils trouvèrent un jour la place occupée par un être étrange, très noir de cheveux et d'yeux, sur qui se jeta Gazou comme s'il avait eu de vieux comptes à régler avec lui. Mario le considéra d'abord comme un intrus et voulut l'expulser, mais le garçon réussit à calmer Gazou, parlementa longuement, assura Mario qu'il n'avait pas l'intention de contrecarrer les plans de qui que ce soit. Il voulait seulement venir faire un tour de temps en temps dans le petit bois pour lire un peu et regarder la ville de haut. Mario n'avait pas de sympathie particulière pour les gens qui lisaient. Ni pour ceux qu'il ne pouvait voir sans être vu.

Ils sont néanmoins devenus amis. En deux jours, Frank avait réussi à éveiller quelque sympathie même chez Gazou, bien qu'il ne semblât pas vraiment aimer les bêtes. Il avait souvent un livre, en anglais le plus souvent. Il habitait aux limites du Faubourg, rue De La Gauchetière, de l'autre côté du territoire des Lolo. Il était toujours très propre et bien mis. Un jour, il emmena Monica, Mario, Odile et Paula chez lui dans un but qui leur apparut fort étrange : les présenter à ses parents. Les Shoofey habitaient une très étrange maison, qui sentait très fort les épices et les parfums d'église, l'encens. Lucy, la mère de Frank, portait un foulard de tête, même en été; il parlait arabe avec elle, ce qui faisait rire Mario et ses sœurs.

Frank était vraiment très différent des Sparvieri, des Dupuis, de tous les gens que connaissaient Monica et Mario. À tous points de vue. Il ne pensait pas comme eux. Il était habillé autrement. C'était le seul gars qui pouvait circuler librement autant sur le territoire des Lo Lo que sur celui des Beavers, du Faubourg-à-Mélasse au Mont-Saint-Louis. Mieux, il entrait au collège, un endroit où Mario n'aurait jamais osé mettre les pieds, pour emprunter des livres ou jouer au tennis. Il n'était d'aucune bande. Qu'il ne se soit pas fait casser la gueule deux fois par jour tenait du miracle. Dans ce temps-là, les gens n'aimaient pas les étrangers. Même les Sparvieri,

156

quand ils s'éloignaient le moindrement du Red Light, se faisaient encore traiter de macaronis. Mais dans le quartier, on avait oublié que Téo était fils d'immigrés. Les Sparvieri appartenaient vraiment au territoire des Beavers, qui était celui du Red Light et de la *Main*. Pas Frank. Il n'appartenait à aucun territoire.

Il avait une bicyclette bleue de marque CCM, qu'il laissait traîner n'importe où. Et qu'il ne s'est jamais fait voler, ce qui est un autre miracle. Il parlait à tout le monde. Et en même temps il était très seul. Il venait de temps en temps passer la journée avec les Beavers, puis, à l'heure du souper, il rentrait chez lui, même quand il a eu treize ou quatorze ans. Il ne mettait jamais les pieds sur la *Main* passé neuf heures du soir, pas dans ce temps-là. Et parfois il disparaissait pendant des jours; il restait chez lui ou il partait en voyage avec ses parents ou il passait du temps chez les Lo Lo, parmi lesquels il s'était également fait des amis.

Où qu'il soit, il était toujours en visite, un passant, partout chez lui, mais ne faisant nulle part vraiment partie de la bande. Il avait, à quelques semaines près, le même âge que Mario. Ce dernier, à treize ans, avait déjà perdu pour toujours le goût de l'école. Pas Frank. Il avait toujours des sous dans ses poches, mais il n'en dépensait jamais facilement, sauf pour payer des sodas mousse à Monica. Elle en buvait les trois quarts avec une paille, puis elle lui tendait la bouteille qu'il finissait, en tétant, les yeux fermés, la paille qu'elle avait mise dans sa bouche. Mario voyait bien qu'il était fou de sa sœur. Il avait toutes sortes d'attentions pour elle. Il suffisait qu'elle frissonne pour qu'il lui mette son chandail sur les épaules. Quand le temps était le moindrement frais, il portait toujours des chandails de laine très douce. Il faisait toutes ces choses auxquelles un gars comme Mario n'aurait jamais pensé et qui chez quelqu'un d'autre l'auraient suprêmement agacé. Mais chez Frank, c'était naturel. Quand il avait son CCM, il faisait asseoir Monica sur sa barre. Elle aimait sentir que Frank était fou d'elle. Elle s'appuyait contre lui, il avait ses cheveux dans le visage… Peut-être qu'elle aussi a été amoureuse. Mais elle ne l'a probablement pas su. Ou elle n'a pas pu croire qu'elle pouvait être amoureuse d'un être aussi étrange que Frank Shoofey.

Ils savaient fort bien tous les trois, même s'ils n'en ont jamais parlé, que plus tard Frank ne vivrait plus dans le même monde que

Monica et son frère. Ils le sentaient. Il serait du côté des puissants et des riches, des haut placés, comme disait Monica. «Et nous autres, on va rester du côté des crottés.» Et ils sentaient qu'ils n'y pouvaient rien, ni lui, ni Mario, ni Monica, ni personne. À cause de ça peut-être, à cause de ce qu'ils savaient, de la certitude qu'ils avaient que ces liens qui les unissaient se dénoueraient tôt ou tard, tout a toujours été très doux entre eux. Comme entre des gens qui vont être séparés par la vie et qui se ménagent les uns les autres pour que chacun garde le meilleur souvenir de ce qu'ils ont vécu ensemble.

25

CEPENDANT, les Morpions continuaient de fouiner partout. Et Flo Gravel était inquiet. Il fit déménager presque tout le stock encore entreposé dans le hangar de la ruelle Leduc au 113 de la rue Saint-Paul et recommanda à ses hommes (son frère Noël, Casseau, Forçure, Lefort, Alfonso) de s'abstenir de toute activité pendant un bout de temps.

Mais, trois semaines avant les fêtes, Gravel et Dufort ont eu l'occasion inespérée de mettre la main sur un camion de dindes, vingt-quatre douzaines de dindes de Noël, qu'ils ont stockées rue Saint-Paul où elles furent rapidement congelées. En dix jours, Gravel en a placé près de la moitié auprès de revendeurs de la Rive-Sud, du plateau Mont-Royal, du Faubourg-à-Mélasse et même d'Outremont. On en a donné une vingtaine aux familles amies. Mais un long et violent redoux accompagné de fortes pluies a rendu la centaine de dindes restantes impropres à la consommation. Le 10 janvier, Dufort et Casseau étaient arrêtés par la police alors qu'ils s'apprêtaient à décharger les dindes dans le fleuve. Ils furent incapables de dire d'où elles provenaient. Dufort essaya de prétendre qu'un mauvais plaisant les avait jetées dans la boîte de son camion. Un agent lui allongea une solide mornifle en pleine gueule : «Pour t'apprendre à rire de moi.»

Au poste 4 où ils furent écroués, les policiers n'eurent même pas besoin de frapper davantage Dufort ou Casseau, ni de leur tordre les bras. Ils savaient parfaitement qui ils étaient, où ils habitaient. Ils connaissaient également le 113 de la rue Saint-Paul et la provenance des dindes, qui figuraient depuis un mois sur leur liste d'objets rapportés volés. Ils avaient maintenant une preuve et pouvaient agir.

Le lendemain après l'école, Monica, Mario, Paula et Frank Shoofey se rendaient chez la grand-mère Sparvieri pour écouter de la musique, les disques de Frank, sur le tourne-disque de Gravel. En remontant la rue De Bullion, ils aperçurent deux policiers qui bloquaient l'entrée de la ruelle Leduc. Inquiets, ils redescendirent vers la rue Sainte-Catherine pour remonter du côté de la rue Saint-Dominique, mais une voiture de police fermait également l'accès de ce côté. Des policiers surveillaient les rues avoisinantes au cas où quelqu'un tenterait de s'enfuir par les toits. Les enfants ont alors fait en courant le grand détour par la *Main* et sont entrés chez les Dupuis, rue Ontario, d'où ils ont assisté à l'opération.

Ils ont pu voir, de l'autre côté du gros érable, les policiers aller et venir dans la maison de leur grand-mère, où on avait allumé toutes les lumières. Il y avait des photographes avec eux. Des hommes sont venus dans la cour et ont enfoncé la porte du hangar. Ils en ont sorti plein d'objets qu'ils jetaient dans la cour, où un inspecteur avait commencé à inscrire dans un calepin : quatre bicyclettes, neuf roues de bicycle, trois torchères, deux chaudières de goudron, deux toasteurs, un jeu de tournevis, etc.

La nuit était tout à fait tombée quand ils sont partis, laissant tout pêle-mêle sous le gros érable. Monica, Mario, Odile et Frank ont alors traversé la cour et sont entrés par la cuisine. Monica allait d'une pièce à l'autre en appelant sa grand-mère. Mais la maison était vide et dans un grand désordre. Les policiers semblaient avoir vidé tous les tiroirs et fouillé partout. Leurs grosses bottes avaient laissé des flaques d'eau sur le linoléum. Là-haut, dans les chambres, ils avaient retourné les matelas, vidé les penderies et les tiroirs. Ils étaient même allés dans la cave et dans le grenier, en avaient ressorti plein de choses, des vêtements d'été surtout, qu'ils avaient laissés traîner un peu partout. Dans la chambre d'Anna, le lampion devant la Vierge était resté allumé, le matelas était debout à côté du sommier à ressorts sous lequel Monica aperçut le chapelet de sa grand-mère, qu'elle ramassa.

Une voisine dont le salon donnait sur la ruelle Leduc, juste en face, est venue, affolée, elle-même au bord des larmes, raconter aux enfants qu'elle avait vu les policiers emmener leur grand-mère et leur oncle Alfonso, Gravel et deux jeunes qui se trouvaient là, tous menottés, même la grand-mère. Et qu'ils avaient pris tout ça en photos.

Monica savait que sa grand-mère n'était pas méchante, qu'elle n'avait jamais fait de mal à personne, que les policiers avaient commis une grave erreur. Et que jamais personne ne leur en tiendrait jamais rigueur. Que l'erreur ne serait jamais réparée.

C'est à ce moment-là précisément, dans cette maison froide et vide, que Monica et Mario se sont sentis le plus profondément liés de toute leur vie. Ils allaient rester par la suite si souvent ensemble, si proches l'un de l'autre, qu'on les croira amoureux, ce qui ne sera pas loin d'être vrai.

Ils sont rentrés en courant rue Parthenais, avec Frank qui les suivait sans dire un mot, parce qu'il ne comprenait rien à ce qui se passait. Monica et Mario avait déjà une certaine expérience de ce genre de choses. Ils se souvenaient vaguement tous les deux que leur père avait été emprisonné déjà pour avoir été trouvé en possession de matériaux de construction abandonnés. Et une autre fois, pendant une semaine, parce qu'il avait rebouté les os d'une pauvre femme qui était tombée d'un balcon. Ils savaient tous les deux que la police frappe n'importe quand, au hasard, qu'elle arrête des gens en train de faire leurs petites affaires, tout simplement... Elle arrêtait surtout des hommes cependant. Et des prostituées. Mais la *mamma* !

Les enfants ont déclenché chez Marie-Ange, Hélène et la grand-mère Lafontaine des torrents de larmes en racontant ce qu'ils avaient vu. Quand Téo est rentré, en fin de soirée, il savait déjà ce qui s'était passé. Dans les cafés, tout se sait.

Il savait aussi que les policiers avaient effectué ce même jour une descente au 113 de la rue Saint-Paul, près du marché Bonsecours, où ils avaient mis la main sur des stocks de toutes sortes qui correspondaient à la liste des objets rapportés volés depuis l'automne précédent. Il y avait de tout, depuis un couteau à dépecer jusqu'à une foreuse électrique, des caisses de bière, les vêtements les plus hétéroclites, même des torchons laissés chez un dégraisseur, de nombreux objets neufs et usagés volés depuis deux ou trois mois dans des quincailleries, des magasins de chaussures et de vêtements, des maisons du quartier, du plateau Mont-Royal, du Faubourg à-Mélasse. En tout, pour plus de dix mille dollars de marchandise.

* * *

En janvier, Anna Sparvieri, soixante ans, comparaissait devant la cour, douze accusations de recel portées contre elle. Elle nia toute culpabilité. Pendant le procès, au fur et à mesure que l'interprète de la cour de police, Steve Di Carlo, lui traduisait la teneur des diverses plaintes, le nom du plaignant, la nature et la valeur des objets volés ou recelés, elle faisait de grands gestes de dénégation et protestait avec fureur de son innocence. Et elle engueulait vertement le pauvre Di Carlo, qui se tournait, impuissant, vers le juge Édouard Archambault. Celui-ci demandait à la prévenue de se taire ; Di Carlo traduisait, elle redoublait de fureur.

Elle nia connaître le 113 de la rue Saint-Paul. Mais un policier exhiba une clé retrouvée chez elle, dans le tiroir du haut de la petite commode de sa chambre, où se trouvait une statue de la Vierge Marie. C'était un double de la clé du cadenas de la maison du 113, lequel cadenas fut produit devant la cour. Le policier engagea dans la serrure la clé trouvée ruelle Leduc, il y eut un déclic et l'arceau se souleva. Il refit l'opération deux ou trois fois en regardant la mère Sparvieri d'un air goguenard. Elle continua cependant de nier et d'abîmer Di Carlo de bêtises, comme si c'était lui qui l'accusait.

Les journaux et le grand public se sont passionnés pour ce procès ; s'ils ont manifesté quelque sympathie pour les jeunes, ils ont condamné sans appel la mère Sparvieri. Elle est devenue du jour au lendemain un personnage, une sombre légende sur laquelle on a abondamment brodé. On affirmait que la police avait la preuve qu'elle tenait une véritable école du crime. Des policiers racontaient qu'elle enseignait à ses élèves, des jeunes gens du quartier, âgés de dix-sept à vingt ans, comment s'introduire sans bruit dans une maison, comment marcher dans les rues, de jour comme de nuit, sans se faire remarquer. On prétendait qu'elle favorisait les rencontres entre ses «élèves» et des filles de leur âge, pour les récompenser des vols qu'ils commettaient. Ils étaient nourris et logés par elle. Elle les payait en argent quand ils rapportaient des objets de valeur.

Les plus graves accusations portées contre elle seront justement d'avoir incité des «juvéniles» au crime et à la prostitution. Et c'est à cause de cela qu'elle n'eut aucune sympathie de la part du grand public, aucune sympathie avouée, car il est certain que beaucoup de jeunes gens timorés ou sans le sou étaient furieusement excités à l'idée qu'on puisse être payé en filles... La mère Sparvieri fut donc condamnée par les journaux et la radio avant même d'avoir été jugée. Personne n'a tenté d'éveiller la pitié, la compassion. Personne n'a tenté d'aller vérifier, au-delà des apparences, la véracité des allégations. On s'est même permis dans les journaux de belles envolées indignées, on a parlé de lie du peuple, de fange, de cloaque...

Une rumeur courait, hystérique, dans tout le bas de la ville, qu'on venait de prendre un gros morceau et de résoudre, avec le démantèlement du réseau de la *mamma* Sparvieri, un joli paquet de problèmes et de mystères. On pourrait désormais vivre tranquille. Des gens vinrent au dépôt de la police réclamer qui une lampe, qui des draps, qui un tourne-disque, qui une caisse de bière, une table de bois, des boîtes de vis et de clous galvanisés, etc. On croyait avoir miraculeusement retrouvé tout ce qui avait disparu depuis deux ou trois ans. À ceux qui ne retrouvaient pas ce qu'ils cherchaient, les policiers disaient que le stock avait déjà été liquidé par la bande. La mère Sparvieri fut chargée de tous les crimes, anathématisée. Son arrestation rassurait le public et permettait à la police et aux autorités de rappeler que l'ordre avait été rétabli.

Casseau et Forçure, mineurs, ont été déférés à la Cour du bien-être social. Les trois autres ont comparu, comme Anna, devant le juge Archambault. Contre Jean-Guy Dufort et Alfonso Sparvieri furent portées quatre accusations de vol avec effraction pour des effets dont la valeur allait de trente-sept dollars à neuf cents dollars, vêtements, outils, appareils ménagers, etc. Ils se sont reconnus coupables, mais avec explications. Quant à Noël Tino Gravel, contre qui pesaient cinq accusations de vol avec effraction, il a plaidé non coupable. Son enquête préliminaire fut fixée au 24 janvier suivant.

Mais, ce jour-là, une nouvelle accusation était portée contre les trois jeunes gens : la police soutenait qu'ils auraient, par menaces ou pots-de-vin, tenté de dissuader une personne de témoigner à leur procès. Ils ont nié tous les trois leur culpabilité.

En fait, ils avaient tenté d'influencer un témoin, sans cependant utiliser la menace ni promettre de l'argent. Remis en liberté en attendant son enquête préliminaire, Alfonso était allé rencontrer Mme Dupuis, la mère d'Odile, que la police ne manquerait pas d'interroger. Il l'a suppliée de tenir sa mère en dehors de tout cela. Et de raconter qu'elle l'avait souvent vu, lui, Alfonso, entrer dans le hangar et en ressortir. L'idée que sa mère soit impliquée dans cette affaire lui apparaissait cent fois plus horrible que sa propre incarcération. Il savait, lui, qu'Anna Sparvieri, si elle avait souvent fermé les yeux sur les activités des jeunes qui vivaient chez elle, ignorait l'ampleur des activités auxquelles ils s'étaient livrés au cours de la dernière année.

Mme Dupuis était une personne simple et timide. Pour ne pas risquer d'être prise en défaut, elle a dit aux policiers qui sont venus l'interroger qu'elle n'avait aucune idée de ce qui pouvait se passer dans la cour, qu'elle n'y jetait pratiquement jamais les yeux et qu'elle ignorait à quoi pouvait servir le hangar de la maison Sparvieri. Or, elle avait une corde à linge dont l'extrémité était fixée à l'angle du bâtiment. Et elle l'avait visiblement utilisée au cours des jours précédents. La neige de la galerie avait été piétinée. Elle ne pouvait pas ne pas avoir eu connaissance, depuis les deux années qu'elle habitait cette maison, du va-et-vient régulier qu'il y avait dans cette cour et de l'usage que ses voisins faisaient du hangar. Contestée, confondue, elle a éclaté en sanglots. Les policiers ont conclu qu'elle agissait par peur ou intérêt et ils ont levé contre Alfonso, Dufort et Gravel cette accusation d'intimidation.

Le 24 janvier, Dufort et Alfonso étaient reconnus coupables et incarcérés. Anna aussi qui, condamnée à douze ans, était envoyée à la prison des femmes de Kingston. Bizarrement, Flo Gravel, qui avait tiré les ficelles et leurré la *mamma* Sparvieri, ne fut jamais inquiété. Ses affaires ont subi une baisse importante pendant quelque temps. Mais il a continué de travailler comme videur au *Pal's Café*.

26

Dans la famille Sparvieri, la peine fut immense, profonde, comme un deuil, la perte d'un être cher. On était en proie à une rage impuissante, persuadé qu'il y avait là une profonde injustice. Anna Sparvieri était bonne, généreuse. Si sa maison était fréquentée par tant de jeunes, c'est qu'on y était toujours bien accueilli, qu'on y mangeait bien, qu'on pouvait y dormir en paix. Il y avait de la chaleur dans cette maison, la chaleur d'Anna, son âme. Elle partie, on sentait le froid, la misère, l'hostilité pénétrante non seulement des voisins et des bandes familiales rivales, mais de l'ensemble de la société.

À l'école Jeanne-Mance où étudiaient Monica et Paula et à l'école que fréquentait Mario, tout le monde savait ce qui s'était passé chez les Sparvieri, même les bonnes Dames de la Congrégation. Monica et Mario, pour la première fois de leur vie, ont compris qu'ils étaient exclus, écartés, différents. Et, cette fois, terriblement visibles.

Seul Frank Shoofey a continué de les fréquenter, comme si de rien n'était. Pendant le procès, il s'arrêtait presque tous les soirs rue Parthenais. Et il finissait toujours, sans poser la moindre question, par savoir ce qui s'était passé en cour, ce que les avocats avaient dit, ce que le juge avait déclaré. Frank avait ce don de susciter la confidence. Il n'avait pas quinze ans, mais même la mère Lafontaine lui parlait comme à une grande personne. Et il a demandé à accompagner les Sparvieri lorsqu'ils sont allés faire leurs adieux à la *mamma*, la veille de son départ pour Kingston.

Sylvana avait apporté à sa mère le scapulaire, les médailles et le chapelet que Monica avait retrouvés, des vêtements, du camphre et des médicaments pour son asthme, qu'elle dut remettre à la matronne. Anna avait peine à respirer. Mais elle ne pleurait pas. Elle répétait à Téo, qui était complètement atterré, qu'il devrait s'installer avec sa famille dans la maison de la ruelle Leduc et se trouver un vrai travail.

Marie-Ange n'aimait pas sa belle-mère, qui lui faisait peur et l'écrasait de son autorité; mais elle savait qu'elle avait une bonne influence sur son fils et que, sans elle, tout irait en empirant, même le pire. La *mamma* partie, la famille de Téo allait réellement entrer dans la misère. Monica avait quinze ans, Mario, quatorze. Leur père devait en avoir un peu moins de quarante et leur mère un peu plus de trente. Ils avaient sept enfants à charge.

Les enfants fréquentaient les écoles de pauvres du bas de la ville et passaient pour des plus que pauvres. Les gens leur criaient des noms. Mario portait des souliers troués, des culottes usées, râpées, avait toujours la même chemise sur le dos. Sa mère avait beau la laver toutes les semaines, elle ne pouvait l'empêcher de s'effilocher. Comme les robes de Monica, qui souffrait beaucoup d'être mal vêtue et mal chaussée. Mobilisés par la honte et la haine, elle et Mario sont devenus des voleurs de vêtements et de souliers. Pendant des années, c'est ce qu'ils ont volé surtout : des vêtements et de la nourriture.

Mais l'embêtant avec les vêtements volés, c'est qu'on risque toujours de se faire remarquer. On a toujours l'impression d'attirer les regards. À moins que ce ne soient des vêtements de mauvaise qualité, des vêtements de pauvres.

Les Sparvieri passaient pour des voleurs, des voleurs pauvres, une race de monde pour qui, dans le milieu, personne n'avait le moindre respect. Le plus grand voleur du monde, s'il est riche et propre, n'aura aucun ennui avec personne. Il est respecté, craint, admiré. S'il est pauvre, on va le montrer du doigt, on va rire de lui. Et il finira par avoir honte. Quand il marchera dans la rue, il sentira les regards des autres dans son dos, le mépris, le dégoût, la pitié.

Bientôt Mario prit la relève de son oncle Alfonso et des gars de la ruelle Leduc auprès de Flo Gravel, qui était peu à peu revenu en affaires. Il faisait des courses et des commissions pour lui et pour les proxénètes qui se tenaient au *Pal's Café*. Gravel était devenu plus prudent. Il ne gardait plus rien en stock. Mario escortait des clients chez des filles. Ou portait des petits colis que Gravel lui remettait de la main à la main. Mario savait qu'il s'agissait peut-être de drogue. Mais il était mineur, il faisait des sous, il s'amusait, il ne se croyait pas réellement en danger. Il aimait la rue, il commença à fréquenter les cafés et les salles de billard de la *Main*, où il se faisait des amis.

Il revoyait de temps en temps Frank Shoofey, dont le père venait de mourir d'une crise cardiaque. Sa mère restait seule avec trois enfants. Mais ce n'était pas la misère comme chez les Sparvieri. Les Shoofey avaient des moyens, des contacts. Frank pouvait continuer d'aller à l'école. Il avait même décidé qu'il étudierait plus tard à l'université McGill et deviendrait avocat. Mario s'étonnait qu'on puisse ainsi décider de son itinéraire de vie, de sa destination. Il était, lui, ballotté, emporté par le courant… Plusieurs fois, Frank avait tenté de le convaincre de retourner à l'école ou de prendre un métier. Et surtout de cesser de travailler pour Gravel, ce qui était dangereux et ne pouvait mener ailleurs qu'en prison. Mais Mario disait qu'il n'avait rien à perdre, qu'il n'avait pas le choix.

Bien qu'ils aient toujours vécu à proximité ou au cœur du Red Light, les Sparvieri étaient restés en marge de l'establishment qui régnait sur ce milieu. Ils étaient des pauvres, le rebut de la société, la lie de la lie, comme on dit la crème de la crème… Ils ne possédaient rien. Ils ne contrôlaient rien ni personne. Ils se défendaient tout simplement, de façon artisanale et toujours improvisée. Téo vivait d'expédients, à la frontière de ces deux mondes organisés que sont la mafia et la société du vrai monde. Il ne s'est jamais adapté ni à l'une ni à l'autre.

La mafia est une organisation très structurée, gouvernée et régie, une société constituée possédant des pouvoirs réels et des biens, qui se donne des devoirs et du mal, des règles et des lois, comme la société officielle. Téo ne comprenait pas ce monde-là. Il vivait donc, sans en être vraiment, au sein d'une sorte de chaos social, cette lie qui repose tout au fond de la société, inerte et confuse, impuissante, où grouillent des êtres sans rêves, sans avenir, tout à fait libres, parce que sans devoir et sans projet.

Au cours des années 50, Montréal avait entrepris d'éliminer cette misère odieuse et laide, de se purger, de se désinfecter. Le petit peuple du Red Light se savait menacé. Il ne lisait pas beaucoup les journaux, mais quand même assez pour savoir ce qu'on pensait de lui, qu'il était indésirable et intolérable, qu'il devait être exterminé. Les commerces dont il vivait, bordels et bars clandestins, avaient presque tous été fermés. On allait bientôt détruire son habitat, son milieu, évacuer enfin cette lie visqueuse. Anna Sparvieri avait été la première à payer.

27

Avant que tout ne s'écroule, Mario résolut de sortir de la misère, en emmenant avec lui sa mère, ses frères et ses sœurs. Pour ce faire, il s'était mis dans la tête de devenir souteneur. Dans ce domaine également, il avait eu des modèles fascinants et stimulants, un dénommé Maréchal surtout, une connaissance de Flo Gravel, qui pendant l'été fit régulièrement appel à ses services pour porter ses chemises et ses pantalons chez le nettoyeur, repeindre son appartement, laver sa voiture, livrer des colis, surveiller les filles. Maréchal avait toujours cinq ou six prostituées qui travaillaient pour lui.

Le métier de souteneur était relativement nouveau à l'époque. L'escouade de la moralité venait de fermer les bordels que tenaient les madames des rues Berger, De Bullion, Saint-Dominique, Clark, etc. Et les souteneurs avaient pris la relève. Ils faisaient travailler les filles, dont ils étaient en quelque sorte les gérants, les propriétaires. Ils les louaient, à l'heure ou à l'acte, les échangeaient, les vendaient… Ils les battaient aussi. Depuis l'intervention de l'escouade de la moralité, le milieu était devenu nerveux et violent.

Maréchal avait deux protégées sur le trottoir et trois ou quatre qui travaillaient à domicile, chez elles ou chez le client, ou dans les hôtels de passe du quartier. Il s'était constitué une petite clientèle régulière. Il avait toujours en poche des photos de ses filles nues ou en petite tenue, qu'il montrait discrètement à ses clients. Lorsque le choix était fait, il négociait, il touchait le cachet, convenait d'un lieu de rencontre. Il se tenait au *Pal's* surtout et parfois au *St. John's Café*, dans le bas de la *Main*, près du Bord-de-l'Eau. C'était la *Main* qui était la plus dangereuse, la plus excessive, où se rencontraient les vrais durs.

Maréchal avait vingt-cinq ans environ. Il était rieur et très beau. Il aimait s'amuser, dépenser. Il avait une grosse Chevrolet Impala 1956 turquoise, décapotable, à boîte de vitesse automatique, à vitres électriques, etc. Il emmenait Mario, Monica et leurs amis au parc Belmont ou sur les plages de la rivière des Prairies ou même au lac de l'Achigan, où ils faisaient du ski aquatique.

Il s'était pris d'amitié pour Mario qui le seconda, profita de ses largesses, de ses filles, de sa voiture, de son expérience, fournit lui aussi des clients et, à quinze ans à peine, eut ses premières protégées, les sœurs Labelle, qui n'étaient pas des beautés, loin de là, mais qui lui faisaient une confiance aveugle, ne rechignaient jamais, ne refusaient jamais un client, jusqu'au jour où Mario se mit à sortir avec une autre fille, une beauté fatale qu'il ne faisait jamais travailler dans les fonds de cour ou les toilettes de restaurant, et auprès de qui il allait dormir presque chaque nuit. Par dépit, les sœurs Labelle commencèrent à travailler avec un autre souteneur. Et Mario laissa faire, ce qui, selon Maréchal, était très mauvais pour sa réputation. Mais Mario n'avait pas vraiment les moyens de faire travailler trois filles en même temps. Et il était bien mal placé pour engager la lutte avec qui que ce soit. Il pouvait racoler des clients dans les restaurants, les cafés et les salles de billard, mais il ne pouvait, à quinze ans, même s'il en paraissait facilement quatre ou cinq de plus, entrer dans les bars et les boîtes de nuit, où se trouvait le gros de la clientèle.

C'était l'été de *Love Me Tender*. Et à cause de cette chanson, de la voix veloutée d'Elvis, à cause de l'été simplement, Monica était tombée amoureuse de Maréchal. Ou elle s'était imaginée être amoureuse de lui, ce qui revient sans doute au même. Il dansait bien, ses beaux cheveux blonds baignaient dans la brillantine, il était bronzé, il avait les yeux bleus, les dents blanches et de beaux muscles qu'il travaillait au studio de M. Univers, avenue du Mont-Royal, près de la rue Lafontaine, où Mario avait pris lui aussi l'habitude d'aller s'exercer.

Téo ne s'était jamais vraiment préoccupé des fréquentations de ses enfants, surtout pas des aînés Monica et Mario, qui, dès l'âge de dix ou douze ans, auraient pu, quant à lui, aller où bon leur semblait, traîner sur la *Main* jusqu'au milieu de la nuit, même découcher. Mais il n'aimait pas Maréchal. Il eut à son sujet de violentes disputes avec sa fille. Il disait que c'était un presque tueur, qu'il faisait dans le racket de la protection, ce qui, à ses yeux, était la plus abjecte activité du monde, l'une des plus dangereuses qui soient, et qu'il finirait avec une balle entre les deux yeux. Tout cela était très étonnant de la part de Téo, qui ne disait jamais de mal de qui que ce soit, ne jugeait, n'accusait, ne condamnait jamais personne. Marie-Ange non plus n'aimait pas Maréchal.

Mais les défauts, la cruauté et la méchanceté qu'attribuaient ses parents à son amant, les dangers qu'il courait, les craintes qu'il inspirait, ne faisaient que le grandir aux yeux de Monica. Mario aussi trouvait tout cela excitant. Maréchal les emmenait parfois dans une coulée de l'île Jésus, où ils tiraient du revolver et de la carabine. Il les laissait conduire son Impala à tour de rôle. Et alors Monica mettait la radio bien fort, elle conduisait vite, Maréchal riait, ils n'avaient peur de rien ni de personne…

Un jour, brusquement, Mario a compris que sa sœur était amoureuse de Maréchal. Elle était au volant de l'Impala, Maréchal assis à sa droite, et lui, Mario, à l'arrière, comme d'habitude. Maréchal et Monica se parlaient, se faisaient des sourires, pouffaient de rire. À cause de la musique et du vent, Mario ne parvenait pas à saisir ce qu'ils se disaient. Il s'est cependant senti terriblement seul et exclu. Et ce fut ainsi tout le reste de la journée. Il ne les dérangeait même pas. Ils avaient oublié simplement qu'il était là. Ils ne faisaient rien pourtant. Ils ne se sont pas embrassés, ils n'ont pas marché la main dans la main. Mais ils étaient ailleurs, ensemble, magnétisés, amoureux. Le lendemain, Mario haïssait Maréchal. Et il se mit bientôt à craindre qu'il force sa sœur à se prostituer.

Maréchal avait expliqué à Monica, qui n'ignorait rien de son métier, qu'il ne voulait pas mélanger amour et affaires. Et Monica avait cru un moment que les proxénètes avaient des amies qu'ils aimaient et respectaient, comme tout le monde. Mais, sans qu'elle sache trop comment il s'y était pris, Maréchal avait fini par la convaincre d'accepter les clients qu'il lui proposerait, que des gars propres et gentils, qui avaient peu d'exigences et qu'elle pouvait satisfaire en quelques minutes. Les autres, les chiens sales, les trop gros, les trop vieux et les vicieux, les trop violents, ceux dont la tête ne lui revenait pas, elle pourrait toujours les refuser. Maréchal allait vite découvrir que presque jamais personne ne faisait l'affaire.

Au début, il respectait les choix de Monica. Il l'appelait sa petite poupée, il était tendre et prévenant. Mais il n'a pas tardé à lui dire, quand elle refusait de satisfaire ses clients, qu'elle ne l'aimait pas. Et quand elle acceptait, il prétendait qu'elle prenait plaisir à s'envoyer en l'air avec de beaux garçons propres et riches qui lui plaisaient, des étudiants le plus souvent, qui venaient s'encanailler sur la *Main* et dans le Red Light.

Un beau soir, Maréchal avait un bon client payant qui voulait s'envoyer Monica. Ça devait se passer au-dessus du *Pal's Café*, rue Sainte-Catherine, où on avait aménagé quelques chambrettes sous les combles, derrière la petite manufacture de robes. Le client, plein aux as, avait déjà acheté des photos de Monica nue et était maintenant prêt à payer le gros prix, vingt-cinq dollars, pour une heure avec elle.

Maréchal emmena donc Monica au *Pal's*. Il était assez tôt en soirée; il y avait encore de la lumière dans le ciel. L'homme portait veston et cravate, il était très grand et très maigre, très pâle, avec de gros yeux exorbités, de très longs doigts. Monica ne s'est même pas assise. Elle est sortie tout de suite, presque en courant, et en disant bien haut qu'il n'était pas question que ce paquet d'os la touche. Maréchal l'a rattrapée rue Sainte-Élisabeth, l'a rudoyée, l'a giflée à plusieurs reprises. Il n'est pas parvenu cependant à lui faire changer d'idée.

Le lendemain matin, quand il a aperçu l'œil au beurre noir de sa sœur, Mario est parti pour la rue De Lanaudière où habitait Maréchal, de l'autre côté du parc LaFontaine. Il voulait trouver sa voiture, en taillader le toit à coups de couteau, puis aller lui dire en pleine face : «Va voir ce que j'ai fait à ta bagnole; la prochaine fois, c'est ta peau que je perce.» Mais l'Impala n'était ni dans la rue De Lanaudière, ni dans la rue Rachel, ni dans aucune des rues voisines. Et Mario est rentré bredouille, sa colère tombée.

Monica cependant continuait de voir Maréchal. Elle a même prévenu son frère de ne pas se mêler de ses histoires d'amour. Mais elle était inquiète, insatisfaite et déçue. Elle se rendait bien compte que Maréchal agissait avec elle comme avec toutes les autres filles qui travaillaient pour lui. Il était souvent impatient, parfois violent. Elle tentait de prendre ses distances, sans trop y parvenir. Maréchal savait l'enjôler. Or, chaque fois qu'il avait été gentil avec elle, qu'il l'avait fait rire ou rêver, immanquablement il lui demandait un petit service : faire un client sur la banquette arrière de son auto, passer la nuit chez quelque gros riche d'Outremont ou de Notre-Dame-de-Grâce ou travailler dans un bar à faire boire les clients. Presque toujours elle refusait, et il insistait, jusqu'à lui faire peur ou mal.

Monica s'était alors liée d'amitié avec Françoise Auger, qui avait trois ans de plus qu'elle mais en paraissait autant de moins. Comme les Sparvieri, les Auger erraient depuis des années de taudis en taudis dans tout le centre-ville, mais de l'autre côté de la *Main*, du côté ouest, vers la rue De Bleury et au-delà et même dans Saint-Henri, où se trouvait un autre grand ensemble de misère. «On achève des maisons», disait en riant Camille Auger, le père de Françoise, c'est-à-dire qu'ils étaient les derniers occupants de logements fermés et voués à la démolition. Mais il semblait que ce monde en perdition les attirait et les retenait. Ils auraient pu vivre dans certains secteurs de Saint-Henri ou de la Côte-Saint-Paul, où il y avait plein de taudis sordides, pas chers, qu'il n'était pas question de démolir. Mais Camille Auger, qui vivait d'expédients, aimait sans doute le provisoire, et il revenait sans cesse dans ces zones de la ville où les maisons, condamnées à plus ou moins brève échéance, étaient laissées à l'abandon par les propriétaires, qui se les vendaient les uns aux autres afin de faire grimper les prix. Toute cette activité commerciale créait une telle confusion qu'on ignorait parfois que les maisons étaient habitées.

Les Auger avaient passé six mois dans une maison de la rue Jeanne-Mance, un peu en haut de la rue Sainte-Catherine, sans payer de loyer. Puis, un matin de juillet, à sept heures pile, un bulldozer arrachait la galerie et défonçait la fenêtre du salon où Françoise et sa sœur Nicole dormaient, pratiquement nues toutes les deux, car il faisait très chaud. Les travaux de démolition ont été interrompus. La police est venue, l'entrepreneur, un représentant des propriétaires, le curé de la paroisse, la Société Saint-Vincent-de-Paul. Les Auger ont dû ramasser leurs petites affaires et aller passer deux semaines dans un hangar sans eau courante de la rue Clark, en attendant de trouver un nouveau logement, toujours rue Clark, près du boulevard Dorchester, à deux pas de la *Main*. C'est là qu'ils habitaient lorsque Monica et Françoise se sont connues. Cette dernière était alors accompagnée de l'opérateur du bulldozer qui l'avait surprise dans son sommeil et avec qui elle est sortie pendant quelques semaines.

Françoise, vendeuse dans un magasin Woolworth, était une bonne fille, naïve et douce, toute menue, une rousse aux yeux verts, à la peau claire et fraîche. Elle lisait chaque jour son horoscope dans le *Montréal-Matin*, consultait deux ou trois fois par année une diseuse de bonne aventure, avait toutes sortes de pratiques superstitieuses. Elle n'ouvrait jamais un parapluie dans une maison, ne passait jamais sous une échelle, sortait toujours d'un édifice public en utilisant la porte par laquelle elle était entrée, n'acceptait jamais d'invitation à danser un vendredi soir, se signait quand elle voyait un chat noir, souriait aux bossus, allait à la messe le vendredi et le dimanche.

De temps en temps, Monica amenait la petite Françoise à la maison. Elles lisaient ensemble des romans-photos, regardaient la télévision, puis, vers vingt-deux heures, descendaient sur la *Main* où elles retrouvaient des garçons et des filles de leur âge ou un peu plus vieux. Ils allaient parfois danser dans les grandes salles de la rue Saint-Denis, comme au COEC, près de l'avenue du Mont-Royal, où il y avait des *big bands*. Parfois aussi, ils partaient en groupe, prenaient l'autobus de la ligne 55, puis celui de la ligne 69, et se rendaient au parc Belmont, dans le nord de la ville, où il y avait des manèges, et surtout une grande salle de danse qui donnait sur la rivière des Prairies. Maréchal détestait voir Monica frayer avec ces jeunes. Mais elle sentait que c'était la meilleure façon de lui échapper.

Un jour, les deux amies se sont retrouvées chez Mme Emma, tireuse de cartes et diseuse de bonne aventure. Mme Emma habitait et pratiquait dans un immense appartement au-dessus du *Montreal Pool Room*. Elle prédisait l'avenir à des paumés qui n'en avaient pas, ou à des bonnes femmes de la haute qui en avaient à ne plus savoir quoi en faire.

Mme Emma avait trente-cinq ans environ. Elle était toujours enveloppée de la tête aux pieds de voiles très colorés, de parfums violents. C'était une belle femme à la voix grave, aux yeux noirs, très maquillée, qui parlait en roulant ses *r* et en faisant de grands gestes. Elle expédia rapidement Françoise et s'intéressa vivement à Monica, lui tira les cartes, lui lut dans les lignes de la main. Elle lui dit qu'il y avait autour d'elle un homme qui la mettait en danger et qui l'exploitait, qu'elle avait bien fait de s'en éloigner, parce qu'il finirait mal avant longtemps, que c'était un salaud et un incapable. Monica allait d'ailleurs bientôt rencontrer le prince charmant, il venait de loin et avait beaucoup voyagé, il avait presque deux fois son âge, ils vivraient ensemble un très grand amour.

Monica était extraordinairement excitée. L'annonce du prince charmant lui semblait d'autant plus plausible que Mme Emma lui avait fait de Maréchal une description d'une exactitude stupéfiante.

* * *

Un samedi soir de ce même été 1956, quelqu'un est venu loger trois balles dans la tête de Maréchal, juste en face du *Pal's Café* où il était en train de bavarder avec Flo Gravel. Il était vingt-deux heures environ. La rue grouillait de gens. Personne n'a vu le tueur, pas même Flo. Dans l'énorme silence qui a suivi les détonations, tout le monde a regardé ailleurs, malgré les râles de Maréchal, qui n'ont pas duré bien longtemps mais étaient horribles à entendre, gargouillis et spasmes. Tout le monde a passé très vite son chemin, sans rien voir, sans chercher à savoir qui avait tiré et dans quelle direction s'enfuyait le meurtrier. Maréchal est mort tout seul au bout de son sang, après avoir fait trois pas dans la rue. Mario se trouvait alors au *Montreal Pool Room*. Lorsqu'il est arrivé devant le *Pal's*, quelques minutes plus tard, les policiers étaient déjà là, penchés sur le corps inerte de Maréchal.

Mario était content et horrifié. Il ne comprenait pas que Maréchal n'ait pas vu venir sa mort. Le grand Flo Gravel avait été éclaboussé de sang, et il a envoyé Mario lui chercher une chemise et un veston propres. Mais le *Pal's* est resté fermé, ce soir-là. «La protection, c'est dur, a dit Gravel à Mario. Si je peux te donner un conseil, mon homme, touche jamais à ça.»

Monica était au parc Belmont, le soir où Maréchal a été descendu. Tout était alors pratiquement fini entre eux. Elle avait même cessé de le haïr. Le lendemain matin, elle a cependant tenu à voir, rue Sainte-Catherine, l'endroit où son amant était mort. Le ciment du trottoir était encore taché de son sang, malgré les seaux d'eau qu'avait fait verser Gravel. La mort du seul souteneur qu'elle aura jamais eu a été pour elle une libération. Curieusement cependant, elle éprouvait pour lui une sorte d'admiration. Il avait vécu dangereusement, il était mort spectaculairement. Pendant des jours, sur la *Main*, il serait un héros dont tous parleraient. Et on se souviendrait de lui comme d'un vrai dur tombé au champ d'honneur.

Monica s'était juré de ne plus jamais avoir de *pimp* de sa vie. Trop de filles, comme la cousine de Françoise, Margot Turner, dont elle s'était fait une amie, vivaient complètement subjuguées, prisonnières de leur souteneur. Margot travaillait tous les jours. Même quand elle avait ses règles. Elle devait alors passer ses soirées au *Pal's* ou au *St. John's* à tailler des pipes à des hommes soûls et brutaux. Le pire, c'est qu'elle y mettait du cœur et de l'application. Ses clients revenaient, en redemandaient, et repartaient chaque fois plus satisfaits. Margot s'enfermait ainsi dans un cercle vicieux, elle faisait son propre malheur. Monica l'adorait. Elle lui disait souvent : «Tu es trop bonne, Margot. Tu ne penses pas assez à toi.» Margot lui répondait : «Tu ferais la même chose, Molly, si tu étais à ma place.»

Monica avait continué de fréquenter le *St. John's Café*, où elle avait commencé à danser, même si elle n'avait que seize ans. Campbell, le patron, avait de bons contacts à la police et était prévenu des descentes plusieurs heures à l'avance.

Le soir, quand s'allumaient les rutilantes enseignes au néon et que le cirque recommençait, que revenait le *showtime*, la *Main* était de nouveau ce lieu magique où tout semblait irréel… C'est ce qu'aimait Monica. Elle se laisse ainsi attirer, griser par les sensations fortes. Les seuls souvenirs agréables qui lui resteront du temps où elle a aimé Maréchal, ce sont ces moments où elle a côtoyé l'inconnu, où elle a pu croire que quelque chose de grave pouvait lui arriver, où elle était en danger. Elle s'est prostituée beaucoup plus parce qu'elle était attirée par ce quelque chose d'indéfinissable et

176

de grisant, le danger ou l'inconnu, que parce qu'elle y était poussée par Maréchal. Elle sait maintenant que plus personne ne la poussera à faire quoi que ce soit. Elle sait aussi qu'elle ne résistera pas à l'attrait du danger. Tout le contraire de Margot, qui reste enfermée dans son cercle vicieux sous la protection de son *pimp* tortionnaire. Monica est libre. Elle n'est pas moins en danger…

28

Secoué par la mort de Maréchal, Mario avait une fois de plus résolu de changer de décor et de vie. Bardé de bonnes intentions et d'une farouche détermination, il est entré à l'emploi du ferblantier Marquis, pour qui avait autrefois travaillé son père avant de partir pour la guerre. Pendant un bon moment, il a sérieusement envisagé de devenir un monsieur, comme son oncle Alfonso qui, peu après sa sortie de prison, était parti vivre ailleurs, un peu en dehors de la ville, dans un tout autre monde, mi-ville, mi-campagne, pour échapper à la corruption, aux coquerelles et aux rats du Red Light, et pour que ses enfants soient bien élevés, «avec la crème plutôt qu'avec la lie du monde». Ses enfants, des jumeaux de deux ans, n'appartenaient visiblement pas au monde du bas de la ville. Ils étaient propres, ils avaient de beaux vêtements neufs. Mario avait pris la sage décision de ressembler à son oncle, de se tailler comme lui une petite vie tranquille et sage.

L'oncle Alfonso était sorti de prison, après seize mois de détention, radicalement transformé. Il approuvait maintenant les opérations policières dans le Red Light, les visites à l'improviste qu'effectuaient partout les Morpions, le programme de démolition des taudis, l'extermination désirée, annoncée, enfin entreprise de «cette maudite vermine». Quant au monde dans lequel il était né et où il avait toujours vécu, il le reniait violemment. Il ne voulait plus rien savoir de ce quartier de misère qui s'était développé comme un chancre autour du Red Light et de la *Main* et que les autorités avaient laissé se dégrader au point, disait-il, qu'il n'y avait plus qu'une solution raisonnable. Il fallait, selon lui, mettre le feu, tout faire flamber d'un bout à l'autre, entre les rues De Bleury et Frontenac, depuis le Bord-de-l'Eau jusqu'à la rue Sherbrooke. Comme Sodome et Gomorrhe, autrefois détruites et purifiées par le feu du ciel, Montréal devait être rasé, réduit en cendres. Et on n'aurait plus qu'à reconstruire. De beaux immeubles propres et sains qu'habiteraient des gens bien, honnêtes, irréprochables. Il avait un plan. Il faudrait agir par un jour sans vent; idéalement sous une petite pluie fine qui rabattrait les cendres et contiendrait flammes et fumée dans le périmètre voulu.

On n'a jamais compris si l'oncle Alfonso avait rencontré en prison quelqu'un qui lui avait inoculé ces idées ou si la folie était montée toute seule depuis son for intérieur, mais il était évident qu'il n'était plus le même homme. Il était convaincu que les pécheurs devaient expier, et qu'il valait mieux, si on avait péché gravement, connaître l'enfer sur la terre. Il fallait que tous les coupables, souteneurs et putains en premier, voleurs et joueurs, soient punis, forcés d'expier...

On allait parfois le visiter, car lui-même ne descendait plus jamais dans le bas de la ville. Il habitait une maison toute neuve, un bungalow, avec de la pelouse et des plates-bandes. Il avait les ongles bien taillés, il était toujours bien mis, il parlait avec une certaine recherche, ne jurait jamais, ne se tenait jamais les mains dans ses poches, sentait fort le net, la peinture, la térébenthine et la lotion après-rasage. Quand on allait chez lui, on devait laisser Gazou dans l'auto, parce que l'oncle Alfonso ne voulait pas qu'il entre dans la maison ou qu'il fasse du dégât dans ses plates-bandes. Et l'oncle Alfonso faisait la leçon à tout le monde, même à son frère Téo qui avait seize ans de plus que lui. Mario l'a néanmoins pris comme modèle. Et songea pour la première fois de sa carrière à vivre ailleurs que dans le Red Light.

L'oncle Alfonso disait qu'il y avait dans ces nouveaux quartiers de l'ouvrage pour cent ans, des milliers de maisons neuves à construire, à équiper, à peindre en dedans comme en dehors. À Saint-Michel, à Anjou, et de l'autre côté de la rivière des Prairies, à Duvernay, et sur la Rive-Sud aussi. Pour gagner honorablement sa vie, Mario n'avait qu'à suivre ses pas. Il aurait un jour un bungalow lui aussi, avec de la pelouse, des enfants, une voiture de l'année. L'avenir était dans la construction domiciliaire.

Pendant quelque temps, Mario a donc pensé et dit qu'il serait un jour menuisier ou peintre en bâtiment. Et il a entrepris de ressembler à son oncle Alfonso. Mains propres, cheveux lissés avec raie impeccable, le corps droit, jamais les mains dans les poches… Il irait bientôt vivre lui aussi en dehors de la ville. C'était la mode. Les banlieues exerçaient alors une puissante attraction et engendraient une grande mobilité, un rêve troublant de rédemption sociale.

Mais le discours de l'oncle Alfonso était vite devenu excessif et obsessif. Il faisait taire tout le monde et prêchait comme un curé en chaire. Il ne laissait jamais sa femme Blanche, ombre silencieuse, placer un mot. Un jour, Monica s'est mise à le contredire. Elle disait qu'elle ne voyait pas comment le feu, qui était l'élément du diable, pouvait le chasser. «Si tu mets le feu quelque part, tu fais du bien au diable, non?» Selon elle, en toute logique, le feu ne pouvait purifier, mais au contraire attirer le pire, préparer le nid du mal. Elle était la seule à oser tenir tête à l'oncle Alfonso. Les autres, s'ils riaient de lui dans son dos, le laissaient parler et délirer sans intervenir. Monica le contredisait sans arrêt. Surtout quand il proférait ses énormités sur les gens qui habitaient le Red Light. Elle nommait alors des gens qui n'auraient pas fait de mal à une mouche, à commencer par sa mère, ses deux grands-mères et des voisins, des voisines, elle-même. Et lui, lorsqu'il était à court d'arguments, hochait tristement la tête et disait : «Pauvre fille! Si tu savais, pauvre toi!», comme s'il connaissait plein de choses mystérieuses et terribles dont la révélation aurait confondu tout le monde. Mais Monica lui laissait entendre qu'elle n'était pas du tout impressionnée par ses grands airs. L'oncle Alfonso se faisait alors prophète. «J'ai bien peur que ta fille tourne mal, Téo. Il est peut-être déjà trop tard pour elle. Le mal est en elle. Je le sens.»

N'empêche qu'Alfonso exerçait sur la famille de Téo une grande fascination. Le rêve de partir, d'aller vivre comme lui en dehors de la ville, de quitter cette épave pourrie qu'était devenu le Red Light macérant dans sa lie, pour aller dans cet ailleurs propre et ordonné, avait contaminé non seulement Mario, mais aussi et surtout Marie-Ange qui, pour la première fois de sa vie, s'était mise

180

à rêver, d'un rêve douloureux, désespéré, qu'elle savait irréalisable, trop tard arrivé dans sa pauvre petite vie.

Il y avait quelques vieux arbres aux marges du Red Light, des érables à sucre ou à Giguère, des peupliers et des trembles. Il y avait ce boisé du Mont-Saint-Louis, mais jamais de douce et fraîche pelouse nulle part. Il fallait aller au parc LaFontaine, en haut de la rue Sherbrooke, pour voir un peu d'herbe tendre et des fleurs. Le carré Viger, repaire des clochards, était tout pelé ; y croissaient la chélidoine et le chiendent, l'armoise et le plantain, la grande herbe à poux, la bardane et le chardon. Dans les fonds de cour s'entassaient des monceaux de débris. Les rats couraient partout, comme les blattes et les punaises, les puces, les poux. Dans ce contexte, le rêve impossible d'un monde meilleur devenait vite amer, atroce.

Dans les nouveaux quartiers, on pouvait aller pieds nus. Il y avait beaucoup d'espace, le ciel était immense. Les maisons sentaient bon le bois vert et le ciment frais. Ni rats ni cancrelats... «Pas de voleurs non plus», disait l'oncle Alfonso. Et de l'eau chaude dans presque toutes les maisons, une douche ou un bain, parfois les deux, des pelouses et des plates-bandes. Et, au bout de la rue, des champs, des ruisseaux, des arbres, la grande et pure nature, un paradis pour les enfants. Mais Alfonso ne voulait pas trop voir ceux de son frère venir chez lui, de peur que les siens ne se fassent contaminer. Il aurait voulu faire avec le monde ce qu'il faisait avec ses pinceaux pour les nettoyer : le passer à la térébenthine...

Il n'était pas le seul à penser ainsi. La police était maintenant partout, qui harcelait les pauvres gens. Les Morpions entraient partout, ils avaient tout reniflé, tout pesé, tout noté. Ils savaient ce qui se passait dans chacune des maisons du quartier. Et même dans l'âme des gens. Les journaux et la radio parlaient des Morpions avec admiration et décrivaient les opérations auxquelles ils se livraient. On répétait *ad nauseam* que cette vaste entreprise de nettoyage ferait disparaître la misère et la pauvreté.

Peu à peu, la *Main*, autrefois si élégante et si fière, prit elle aussi des airs de misère. Et le diable, qui aimait tant se pavaner sous les marquises, dut rentrer dans l'ombre. Tout semblait fané, décati ; tout s'était écaillé, et même les néons avaient perdu de leur éclat.

Le milieu lui-même s'épurait. Des caïds tombaient. Le diable était désormais entouré d'ennemis.

29

MONICA tenait de sa mère le goût de la danse; de sa grand-mère Lafontaine, celui de la nuit, et cette étonnante habitude de presque toujours se tenir debout, où qu'elle soit. Elle ne pouvait passer cinq minutes tranquille à table ou assise devant la télévision sans se lever tout à coup pour faire quelques pas, puis se rasseoir. Seul le cinéma parvenait à l'immobiliser. Les yeux de Yul Brynner et la chaleur, la force tranquille de Burt Lancaster. Elle aimait les films d'amour, qui la troublaient, la passionnaient. Devant le grand écran, elle parlait parfois toute seule, conseillant les protagonistes, les abîmant de bêtises, au besoin les consolant. Et parfois les gens des rangées voisines s'impatientaient ou riaient et Mario, qui l'accompagnait, devait la faire taire et la ramener à la réalité.

De temps en temps, les Sparvieri avaient un téléviseur. Mais Téo ne pouvait résister longtemps et finissait par vendre l'appareil. Monica était fascinée par le sémillant spectacle de cette autre vie qu'elle regardait tous les soirs, jusqu'à la fin des émissions. Et après, elle veillait avec sa grand-mère Lafontaine qui, elle, ne dormait pratiquement jamais. Elles lisaient des romans-photos, des histoires d'amour toujours, tristes et belles, qui venaient de France et d'Italie, puis elles se racontaient les histoires qu'elles avaient lues toutes les deux. La grand-mère les commentait et presque toujours les réarrangeait de manière qu'elles se terminent bien. Elle disait : «Moi, à sa place (parlant de l'héroïne du roman-photo), j'aurais choisi Luigi plutôt que Fabricio. Il était moins beau, c'est vrai, il dansait moins bien, c'est sûr, mais j'aurais fini par l'aimer et j'aurais moins souffert qu'avec Fabricio, qui était un beau parleur, un grand parleur et un petit faiseur.» Ou elle disait : «Don Cesare n'aurait pas dû léguer sa fortune à son fils Angelo. Il voyait bien qu'Angelo s'était amouraché de Laetizia et qu'elle en ferait ce qu'elle voulait. Il voyait bien que Laetizia était une intrigante dangereuse.» Et parfois elle s'emportait contre les auteurs qui avaient si mal arrangé ces histoires qu'il lui fallait remettre en place.

Ce goût du rêve et de la nuit et du réarrangement des choses, de l'invention, de la fiction, de l'affabulation, Monica le tenait donc de la grand-mère Lafontaine, qui autrefois transformait les histoires et les légendes qu'elle lui racontait, faisant du Petit Poucet un géant et de Blanche-Neige Noire-Suie, créant des chaperons bleus, verts, noirs, rayés ou transparents…

Quant aux colères de Monica, on en avait maints exemples du côté des Sparvieri. Sauf chez Téo. Les colères et les bagarres de la grand-mère Sparvieri étaient célèbres dans tout le Faubourg-à-Mélasse et le Red Light. Elles éclataient quand ses enfants étaient menacés. Un jour, elle a frappé le marchand de glace qui refusait de lui faire crédit, alors qu'il savait que Sylvana était fiévreuse et qu'il fallait de la glace pour faire baisser sa température, sinon le pire pouvait arriver. La *mamma* lui a arraché des mains son pic à glace et s'est servie abondamment, tout en engueulant le pauvre homme dans son dialecte napolitain. Elle a aussi équipé de deux yeux au beurre noir un homme qui s'était montré nu à Sylvana, quand elle avait huit ou neuf ans, et lui avait demandé de le toucher.

Les colères qui s'emparaient de Monica étaient d'un tout autre ordre. Inexplicables, mais généralement prévisibles. On les voyait venir dans son regard qui se durcissait, dans ses gestes plus saccadés, dans le timbre plus vibrant de sa voix. La colère montait en elle et cherchait tout autour quelque chose ou quelqu'un à mordre, à frapper, à attaquer. Au moindre contact (toucher, regard, voix), elle éclatait. C'était étincelant, électrique. Cela se produisait le plus souvent à la tombée du jour. Parce que Paula avait pris son peigne, ou parce que Mario la regardait et pour jouer la singeait, imitant tous ses gestes, ou parce que Julien voulait écouter CFCF plutôt que CKAC, ou parce que Giovanni ou Marcello n'arrêtait pas de pleurer… Elle prenait feu subitement. Certains jours, par contre, dans les mêmes circonstances exactement, elle restait calme, s'occupait des enfants, riait avec Mario, avec Paula ou Arlette à qui elle offrait son peigne et qu'elle aidait à mettre des bigoudis…

Quand, par exemple, elle était allée voir la grand-mère Sparvieri, à Kingston, au plus fort de la canicule, elle n'avait pas fait la moindre colère, malgré la pesante chaleur qu'il faisait dans la grosse Buick que son père avait empruntée, malgré l'attente le long de la route pendant que Téo et l'oncle Alfonso réparaient une crevaison, malgré la *mamma* qui engueulait son père et cajolait l'oncle Alfonso, son chouchou, son bébé. Monica était restée douce, gentille. Et au retour, dans la nuit, fatiguée, elle avait été patiente, elle était restée assise à l'avant avec son père qui conduisait. Toute la nuit, elle lui avait parlé et l'avait écouté, pour qu'il reste éveillé. Pendant que l'oncle Alfonso dormait ou faisait semblant de dormir sur la banquette arrière. Elle était maintenant assez grande, elle avait vu assez de choses, elle en connaissait assez sur la vie, les gens, même sur l'amour, pour comprendre que cet homme, son père, avait encore des caprices et des rêves d'enfant, qu'il voulait être aimé, écouté, cajolé. Et qu'il était triste sans doute que sa mère ne l'aime pas vraiment. Ou qu'elle soit en si grande et perpétuelle colère contre lui. Elle ne lui avait rien dit de gentil pendant la visite ; elle n'en avait eu que pour son Alfonso.

Monica l'a fait parler de sa jeunesse, de ses voyages, de la guerre. Mais les questions qui lui brûlaient les lèvres, elle ne les a pas posées. Avec lui seul, elle avait des pudeurs. Avec sa mère, avec tous les hommes qu'elle connaissait, avec son frère Mario, sa sœur Paula, elle disait toujours ce qu'elle pensait, tout ce qui lui passait par la tête, et elle demandait ce qu'elle avait envie de demander. Mais avec lui, dont au fond elle savait tout (et si peu), elle restait distante… Et lui aussi. Pendant qu'ils roulaient dans la nuit, elle l'a laissé parler de son enfance, de sa mère, de sa femme, de ses enfants.

Anna était arrivée au Canada à l'âge de quinze ans, en 1907. «Par bateau, racontait Téo. Il n'y avait pas d'avion, dans ce temps-là.» Et alors il se mit à parler de son voyage à lui, quand plus tard ils avaient traversé l'océan à bord d'un avion de l'armée, deux cents soldats avec armes et bagages. «On était partis de Gander au coucher du soleil. Et on l'a vu se lever comme on arrivait en Islande.» Puis il raconte ses vols de nuit au-dessus de l'Europe à bord des Dakota et des Fortress de la Royal Air Force. Monica l'écoute, ravie. Même si elle sait qu'il ment; elle sait qu'il n'a jamais conduit de char d'assaut, ni participé aux raids aériens sur la France occupée ou aux missions de reconnaissance au-dessus de l'Allemagne. Mais elle laisse raconter son père. Il mène toujours plusieurs histoires en même temps, une sorte d'écheveau d'histoires étroitement tressées. Monica le laisse traverser l'Europe dans la nuit glauque à bord de ces Dakota, les canons de la DCA allemande pointés vers eux. Et tôt ou tard il revient à l'histoire de sa mère, car c'est elle qui le préoccupe, c'est elle qui aujourd'hui lui a fait mal. Monica comprend assez bien l'italien pour savoir que la vieille Anna a grondé son fils, qu'elle lui a rappelé ses devoirs envers sa femme et ses enfants, qu'elle l'a traité de fainéant, de bon à rien.

Et Téo parle donc de sa mère à sa fille. «Elle s'était mariée avec un gars de son pays venu sur le même bateau.» Elle avait eu deux enfants, des garçons morts après quelques jours, avant de l'avoir, lui, Téo, son troisième, le seul resté vivant, parce qu'elle était montée avec lui dans ses bras jusqu'en haut du mont Royal pour voir le frère André, en disant à chaque marche un Ave Maria. «Elle voulait que je vive; moi, je voulais mourir. Je refusais le sein. Mais, rendue en haut, ma mère a rencontré le frère André qui m'a béni. Dès que j'ai été béni, j'ai arrêté de gigoter dans les bras de ma mère et je me suis endormi. Quand je me suis réveillé, j'ai pris le sein de ma mère. Elle s'est assise sur le mont Royal, sous les arbres, et je l'ai tétée. C'est comme ça que j'ai survécu. Je suis un miracle du frère André. Et c'est pour ça que plus tard, quand j'avais quinze, seize ans, en plein pendant la crise économique, j'ai construit l'oratoire Saint-Joseph avec Marcotte et Reeves, tout en marbre qui venait du comté de Frontenac…»

Monica sait qu'il ment. Quelques semaines plus tôt, au parc LaFontaine, Mario avait rencontré Michel Gauthier, le grand frère de ce gars que tout le monde dans le quartier appelait Tapette et qui était autrefois un bon ami de Marie-Ange. Gauthier racontait qu'il avait retrouvé son père en Angleterre et qu'il était avec lui le jour où il s'était fait arrêter pour avoir vendu du matériel militaire à des civils (des couvertures et des chaussures). Et que son taureau sur le bras n'était pas, comme il l'avait laissé croire, une décoration pour bravoure, mais qu'il se l'était fait faire en prison par un tatoueur amateur. Et que c'était un miracle qu'il n'ait pas eu une sanction pour cela. Personne n'avait le droit d'utiliser ainsi des écussons, à moins d'appartenir à la brigade. Selon Gauthier, qui semblait prendre plaisir à révéler toutes ces choses à Mario, Téo n'avait jamais fait partie d'aucune division blindée, il n'avait jamais conduit un char d'assaut nulle part, il n'en avait peut-être même jamais approché un de toute sa vie. Et le 19 août 1942, il n'a pas participé au débarquement de Dieppe, pour la bonne et simple raison qu'il était en prison.

Rentré à la maison, Mario s'était mis à raconter toute cette histoire à sa sœur Monica, qui lui a dit : «Si tu répètes un mot de ça à notre mère, je te tue.» Mario eut beau plaider que sa mère avait le droit de savoir qui elle aimait, qu'elle cesserait peut-être de souffrir et de l'attendre si elle savait qu'il n'était qu'un menteur, Monica ne voulut rien savoir. Mario est donc allé raconter à sa mère qu'il avait rencontré le frère de Tapette, qui avait connu son père à la guerre et qui lui avait dit qu'il était un héros. Et il a vu que sa sœur avait cent fois raison. Marie-Ange était heureuse, contente, fière de son homme. Tout le monde a fini par savoir la vérité, à part Marie-Ange et sa fille Arlette.

Malgré la peine qu'il faisait à leur mère, Monica et Mario ne parvenaient toujours pas à ne pas aimer leur père en sa présence. Quand il était absent, par contre, ils se disaient les pires choses à son sujet. Un soir, Marie-Ange avait avoué à Monica qu'elle savait depuis longtemps que son homme avait des maîtresses. Monica avait tout raconté par la suite à Mario. Ça s'était passé dans la cuisine, quand les enfants étaient couchés. Marie-Ange avait la tête dans les mains et les larmes lui passaient à travers les doigts. Mario s'était juré alors de rosser son père quand il rentrerait. Son père est revenu à la maison près d'une semaine plus tard. Il portait des vêtements neufs, il avait les cheveux fraîchement coupés, il était parfumé, tout souriant, tout radieux. Il apportait des fleurs et des chocolats, il a fait rire tout le monde, il a chatouillé les enfants. Et chacun s'est laissé enjôler comme toujours. Et cette nuit-là encore, rentrant de

Kingston à bord de la Buick, Monica a choisi de succomber au charme de son père.

Il lui racontait comment son père à lui était mort dans le Bord-de-l'Eau, la tête arrachée par une grue à vapeur.

«Ton oncle Alfonso avait deux ans à peu près quand c'est arrivé. Moi, j'étais grand déjà, j'étais en train de construire la Sun Life avec mon ami Marcotte…»

C'était la première fois que Monica entendait dire que son père avait travaillé à la Sun Life. Mais elle n'était pas étonnée. À l'écouter, Téo avait construit la moitié de la ville de Montréal. Il disait : «Quand je travaillais au pont Jacques-Cartier…», ou «Le tunnel Gosford, c'est moi qui ai construit ça», ou «J'ai bien failli laisser ma peau au barrage de Beauharnois».

Cette nuit-là, dans la Buick qui les ramenait de Kingston, Monica se rappelait qu'elle avait longtemps cru tout ce que racontait son père. Quand il avait été question de creuser la Voie maritime du Saint-Laurent, Téo, qui avait été engagé comme manœuvre par un petit entrepreneur, disait qu'on lui avait proposé de canaliser le fleuve, de son embouchure à sa source, pour que les transatlantiques puissent le remonter sur toute la longueur. À l'époque, Monica croyait vraiment que son père allait lui-même draguer et creuser le fleuve. Elle savait aujourd'hui qu'il n'avait probablement été qu'un tout petit pion de rien du tout dans cette grande aventure. Mais elle aimait toujours autant l'entendre raconter… Elle aimait toujours autant ce beau menteur qu'était son père, sa tristesse, son besoin d'amour, son charme. Et elle somnolait et se réveillait en sursaut en entendant la voix de son père :

«Tu sais que ma mère est forte ; tu le sais, hein ? Figure-toi que mon père était lui aussi une force de la nature. Il pouvait lever une poche de pois avec ses dents et la transporter sur vingt pas. T'as une idée de combien ça pèse, une poche de pois ?

«On habitait sur la rue Montcalm quand il est mort. C'était pendant la grande crise. Dans ce temps-là, dans tout le bas de la ville, il y avait des boîtes de nuit : sur la rue Cadieux, qui s'appelle De Bullion aujourd'hui, sur les rues Mayor, Sainte-Catherine, partout. Un soir, en rentrant du *Frolics*, qui se trouvait directement sur la *Main*, j'ai trouvé ma mère en larmes. Quelqu'un était venu du Bord-de-l'Eau lui dire que mon père avait eu la tête arrachée par une grue à vapeur. Complètement arrachée. Quand les croque-morts ont installé le cercueil dans le salon chez nous, ils ont fait un faux mouvement. Le corps est resté bien droit dans le cercueil, mais la tête de mon père s'est déplacée sur le côté. Ils ont dû la replacer. Il lui ont mis une lavallière et des petits coussins de chaque côté de la tête. Avant que le cercueil soit fermé, le jour des funérailles, j'ai tenu moi-même à ajouter d'autres coussins pour que la tête de mon père ne bouge pas et qu'il soit mis en terre tout d'un morceau.»

Monica avait peine à rester éveillée. Elle écoutait son père dans une sorte de brouillard.

«On trouve effrayant aujourd'hui que des gens habitent dans des hangars ou des caves ou des garages, disait-il. Mais dans ce temps-là, il y avait du monde qui restait dans des grottes au cœur du mont Royal. La montagne est pleine de trous et de cavernes qui communiquent les unes avec les autres. Ça forme un labyrinthe où on peut facilement se perdre. Je suis déjà allé secourir des gens qui erraient là-dedans depuis plusieurs jours et qui n'arrivaient plus à trouver la sortie. J'étais à peu près le seul à pouvoir m'y retrouver. En fait, il y avait plusieurs sorties. Il y avait aussi des entrepôts où les gens amassaient des vivres. J'en ai connu qui passaient tous leurs hivers là-dedans, sans jamais sortir. Ils se chauffaient à la chaleur du volcan.»

Et de nouveau Téo parlait de sa mère. Puis il a dit soudain quelque chose qui a bouleversé Monica.

«Ma mère s'est retrouvée veuve, toute seule. J'avais dix-huit ans. J'étais en train de construire la Sun Life. Je l'ai aidée, j'ai été soutien de famille. C'est pour ça que je suis fatigué aujourd'hui. Avec ta mère, c'est ma deuxième famille.»

La grosse Buick tanguait doucement sur la route, entre de hauts arbres, le souffle chaud de la nuit entrant par les fenêtres ouvertes. Monica se rendait compte que son père était en train de lui dire qu'il n'aimait pas sa famille ou qu'elle représentait pour lui un poids dont il se serait volontiers passé. Et ça la peinait profondément, même si elle réalisait qu'elle le savait depuis longtemps, qu'elle l'avait peut-être toujours su. Téo ne parlait jamais de sa femme.

Quand ils sont rentrés à Montréal, au petit matin, Monica dormait, allongée sur la banquette, la tête appuyée sur la cuisse de son père. Il sentait le poids de cette tête aimée, sa fille. Ils ont laissé l'oncle Alfonso à un arrêt d'autobus près de la gare Jean-Talon. Puis ils sont allés manger sur la *Main*, des œufs, des saucisses. Monica n'avait jamais vu la *Main* à cette heure du jour, au petit matin. Tout semblait plus vieux et fatigué, défraîchi : le ciment des trottoirs, les filles qui venaient de passer une dure nuit, les souteneurs à qui son père parlait comme s'ils étaient ses amis. Elle connaissait maintenant tout cela. Et son père, à cause de ce qu'il lui avait dit, à cause de la fatigue aussi qui éloigne de tout, lui semblait soudainement étranger. Il y avait cette odeur chaude et sucrée, la canicule pesant sur la *Main*, cette vieille paix usée… Pour la première fois de sa vie, Monica s'est sentie seule au monde. Et elle n'en a pas éprouvé grand effroi.

Elle connaissait déjà la *Main*, Don Leo MacPherson, le grand Noir qui vendait des horoscopes, Mme Emma, diseuse de bonne aventure, ainsi que plusieurs des filles qui se prostituaient, des voisines, des amies, certaines avec qui elle était allée à l'école, et d'autres, des filles venues de la campagne ou même de Québec, d'Ottawa, de Toronto, et quelques Françaises aussi, qui avaient la réputation d'être plus savantes et plus cochonnes que toutes les autres. Cet été-là, Monica avait vraiment connu le petit monde de la *Main*. Non seulement les façades, mais aussi les coulisses. Elle savait comment entrer au *Montreal Pool Room* par la rue Clark, à l'*American Spaghetti House* par la rue Berger, par l'arrière toujours, par les cuisines, par l'entrée des marchandises, des employés. Elle était chez elle dans ce monde. Comme son père, comme son frère Mario.

Elle gardera toujours le souvenir nostalgique de cette *Main* qu'elle a connue ce matin-là avec son père, avec tous les gens, les balayeurs de rues, les marchands, les juifs et les Chinois qui ouvraient leurs boutiques, les putains qui venaient de finir leur nuit, tout ce monde si différent de celui qu'on voit le soir, tellement plus doux, plus songeur et recueilli, moins criard et agité. La nuit, les gens étaient comme hors d'eux-mêmes, emportés par un irrésistible tourbillon…

Avec son père, ce matin-là, elle est entrée au *Montreal Pool Room* par la rue Clark. Ils avaient laissé la Buick à quelques rues de là. Avant même de commander quelque chose, Téo s'est absenté un long moment. Monica est restée seule en tête-à-tête avec le vieux Grec qui tenait le restaurant, si longtemps qu'elle cru un moment que son père l'avait oubliée et qu'il était rentré seul à la maison. Mais le Grec lui disait avec autorité de rester à sa place, que son père reviendrait. Il est revenu tout souriant, frais et dispos. Ils ont mangé, sont sortis par le boulevard Saint-Laurent, sur la *Main*, et sont rentrés à pied à la maison. Monica n'a jamais revu la Buick. Et elle avait compris instinctivement qu'il ne fallait pas demander ce qu'on en avait fait. Choses et gestes cachés. Qu'on évoque en riant, avec des sourires en coin, des regards entendus… La grand-mère Lafontaine le dit souvent : «Il y a des mystères dans la vie qu'il ne faut pas chercher à comprendre. Il y a aussi des choses qu'on aimerait ne pas savoir…»

30

Un soir, comme elle descendait la *Main* vers le boulevard Dorchester où elle devait rejoindre Françoise, Monica aperçut Mario debout devant le *Montreal Pool Room*. Il semblait l'attendre. Dès qu'elle fut à sa hauteur, il la prit par le bras, presque violemment.

«Viens voir.»

Et il l'entraîna devant la fenêtre toute pleine de grosses lettres et de dessins où dominaient le jaune et le rouge. «*French Fries, Steamed Hot Dogs.*» En s'approchant, on pouvait quand même bien voir à l'intérieur sans être vu. Mario plaça Monica devant le *o* de *Dogs*.

«Regarde.»

Et elle vit, tout au bout du comptoir, son père, en tête-à-tête avec Mme Emma. Une main sous ses voiles, Téo caressait doucement le dos de la voyante en lui parlant à l'oreille. Et Mme Emma renversait sa jolie tête et riait aux éclats.

Mario donnait des coups de pied dans le mur de béton. Son père n'était pas rentré dormir à la maison, et sa mère pleurait depuis vingt-quatre heures. Monica s'est alors souvenue de ce matin de leur retour de Kingston, quand Téo s'était absenté si longtemps, la laissant en tête-à-tête avec le vieux Grec du *Montreal Pool Room* qui n'avait rien à lui dire mais insistait pour qu'elle attende son père. Elle savait maintenant que celui-ci était monté chez Mme Emma, qu'il couchait avec elle.

Elle était bouleversée, peinée pour sa mère, cruellement déçue à la pensée que cette histoire de prince charmant de Mme Emma à laquelle elle avait cru si fort n'était sans doute qu'une pure invention. Mais elle était touchée aussi de voir que son père, pour ce qu'elle croyait être la première fois de sa vie, s'était préoccupé de ses fréquentations. Il semblait clair en effet que Téo, ayant appris que Monica et Françoise allaient consulter la voyante, avait demandé à cette dernière de convaincre sa fille de s'éloigner de Maréchal. Ainsi, même s'il était, comme disait Mario, un «bel écœurant», Téo avait tenu, semble-t-il, à protéger sa fille.

Ce n'était pas la première fois qu'il trompait Marie-Ange. À deux reprises, son beau-frère Julien l'avait aperçu en compagnie d'une jeune femme qui travaillait chez Familex. Chaque fois, le brave Julien s'était montré à eux très ostensiblement, afin que Téo sache qu'il était repéré…

Marie-Ange finit par savoir au sujet de Mme Emma. Bien sûr, elle a pleuré, mais elle était peut-être la moins étonnée (presque la moins bouleversée) des escapades de son mari. Qu'il fût infidèle lui semblait tout à fait naturel. Le contraire l'eût étonnée, presque désappointée. Elle ne pouvait imaginer qu'une femme soit insensible au charme de son homme. C'était, selon elle, dans l'ordre des choses, dans la nature de cet homme qu'elle aimait tant et dont les infidélités ne faisaient que confirmer le charme.

Elle savait depuis toujours que Téo était fasciné par le monde des femmes, par leurs conversations, leurs mystères, les secrets qu'elles s'échangeaient, qu'elles ne partageaient qu'avec de rares hommes, comme lui. Il les aimait toutes : les jeunes, les nymphettes, mais aussi les femmes mûres et même les petites vieilles. Et il tentait toujours de les séduire, pas nécessairement pour coucher avec elles, mais pour qu'elles l'aiment. Il cherchait à se faire aimer de tous, même des gens qu'il avait leurrés ou volés. On ne pouvait pas lui en vouloir. Il savait aimer plusieurs femmes à la fois; et donner à chacune de la tendresse, du bonheur. Marie-Ange le savait plus que toute autre, qui était de nouveau, pour la neuvième fois, enceinte de lui.

Quelques jours plus tard, Monica et Mario se sont introduits chez Mme Emma avec l'intention de la voler et de faire un peu de dégâts dans son appartement. Pour venger leur mère. Ils découvriront l'extraordinaire plaisir d'être ensemble sur un coup, tendus tous les deux, aux aguets…

L'appartement est sombre et plutôt en désordre. Il y a du tissu sur tous les murs, de lourds rideaux et des tentures, quelques livres, beaucoup de vêtements, des tables basses, des cartes, une pipe à eau, des statuettes, des assiettes vides et sales. Ils ne savent que faire dans cet environnement si peu familier. Mais c'est plus excitant pour eux que les manèges du parc Belmont. Près du lit, par terre, des mouchoirs sales, des pantoufles, un déshabillé de satin, une ceinture de cuir avec une boucle de l'armée, la ceinture de leur père. C'est tout ce qu'ils prennent. Ils reviendront le lendemain. Mario a ramassé une merde de chien dans la rue. Il la jette dans le lit, replace les couvertures. Ils s'en vont, fiers et excités, vengés.

Quelques jours plus tard, pendant le souper, Téo aperçoit la ceinture que porte Mario.

«C'est à moi, cette ceinture-là!

– Non, monsieur. Cette ceinture-là, je l'ai trouvée.»

Téo sent le regard de Marie-Ange. Il n'insiste pas. Il sait bien qu'elle sait.

TROISIÈME PARTIE

31

Il y a eu trois vendredis 13 en 1956 : en janvier, en avril et en juillet. C'est beaucoup. La plupart des années en ont deux. Certaines n'en ont qu'un. Le 13 janvier, il a fait sombre et très froid. Il y a eu des feux dans les quartiers pauvres de Montréal, des morts. Le 13 avril (vendredi saint), il a plu si violemment que les égouts ont débordé, comme si la terre avait eu de violents haut-le-cœur et s'était mise à vomir. Le 13 juillet, par contre, était une magnifique journée d'été, humide et chaude.

Les jeunes du quartier s'étaient réunis en fin d'après-midi à l'*American Spaghetti House*. Ils avaient décidé de monter en groupe au parc Belmont. Même Monica, qui ce soir-là devait danser au *St. John's*. «Je ne suis pas une esclave», avait-elle dit à Campbell, le patron. Quant à Françoise, après avoir refusé net de se joindre au groupe, elle avait finalement décidé de braver la malchance et de sortir le soir d'un vendredi 13. «De toute façon, qu'est-ce qui peut t'arriver? lui disait Monica. Tu n'as plus de *chum*. Il ne pourra pas te laisser. Le pire qui peut t'arriver, c'est que tu t'en trouves un.»

Quand elle pensait aux malheurs susceptibles de se produire un vendredi 13 et contre lesquels elle croyait se prémunir en ne sortant pas, Françoise imaginait en effet toujours une déception amoureuse, une rupture. Or, depuis qu'elle avait rompu avec l'opérateur de bulldozer qui au printemps avait fait effraction dans sa vie, elle n'avait personne. Personne en tout cas qui faisait battre son cœur. Elle est donc allée danser au parc Belmont, où se trouvait la plus belle piste de danse qu'on pouvait imaginer. Le parc lui-même était un château de lumière, avec ses manèges, la grande roue, la maison hantée, les montagnes russes, les stands de tir. Et la foule en liesse toujours recommencée.

Monica avait un ami, André Blake, qui travaillait aux manèges et qui refila à la bande quelques laissez-passer. Puis, vers vingt et une heures, tous se sont retrouvés à la salle de danse, à l'écart des manèges, tout au bout de la grande allée, sous les gros saules qui bordaient la rivière des Prairies. C'était une grande salle rectangulaire, avec des chaises tout autour, et une large véranda qui donnait directement sur la rivière des Prairies. Pour Monica, il n'y avait pas d'endroit plus excitant et plus beau au monde, surtout le soir, avec les lumières qui flottaient sur la rivière, la musique de l'orchestre, les gros canots à moteur qui passaient, tout blancs, avec des filles et des gars à bord. Quand les musiciens se reposaient, le juke-box poussait les meilleures chansons du hit-parade, si fort, avec une basse vibrante et ferme, que tout le monde, même les garçons, en étaient remués. Et on se laissait envahir par un étrange et presque violent bonheur. Parfois les gars se bagarraient. Pour le plaisir. Certains clans étaient respectés de tout le monde. Celui du parc LaFontaine, par exemple. Ceux de Saint-Henri, de la Petite Patrie, de la Côte-Saint-Paul. Aucun n'était plus célèbre, plus fort et plus craint que celui du Red Light.

Françoise s'est tordu un genou dès la deuxième danse. Sur une musique de Chuck Berry. Crac! Par terre. On a dû la transporter à travers le parking jusqu'à l'autobus 69, puis jusque chez les Sparvieri. «Mon père a un don, lui disait Monica. Il peut arrêter le sang et ramancher les os.» Mario a couru chercher son père qu'il trouva dans un petit café un peu à l'écart de la *Main*. «Je ne soigne pas les genoux», rechignait Téo en rentrant à la maison avec son fils. Il était d'autant plus réticent qu'il avait déjà été condamné pour pratique illégale de la médecine.

Téo admirait pourtant cette magnifique articulation, infiniment moins complexe que la colonne vertébrale, et qui en apparence semblait si simple : la grosse mailloche du fémur posée sur la tête du tibia qu'étaye le péroné, et le triangle de la rotule accroché aux muscles de la cuisse par de solides tendons et au tibia par de fins ligaments. Pourtant, réparer un genou tordu lui semblait toujours épouvantablement difficile. Une épaule démise, rien de plus simple. Une cheville foulée, un doigt ou un orteil démanché, ça pouvait toujours aller. Même avec un torticolis, qui n'était pas une affaire d'os mais de muscles et de tendons, Téo savait comment agir. Un genou tordu, par contre, c'était toujours long. Et parfois, en voulant soigner, on empirait les choses.

Le genou de Françoise était très enflé, un peu bleu. «Je ne peux rien faire, disait Téo. Je ne répare pas les genoux. Ça prend trop de temps. De toute façon, il aurait fallu le mettre dans la glace tout de suite quand c'est arrivé. Maintenant, c'est trop tard.»

Mais il s'est agenouillé devant la jeune fille et il soulève délicatement sa jambe. Le genou est brûlant, la peau moite, très blanche, avec quelques taches de rousseur. Il trouve la rotule bien en place, quoique peu mobile, à cause de l'enflure qui gonfle le côté intérieur. Françoise a peur et soupire. Sa jupe relevée à mi-cuisse, elle pousse des petits cris et presse les mains de Téo qui palpe doucement son genou. Pas de cassure, ni en bas, ni en haut. Tout semble bien en place. Mais les ligaments et les tendons ont souffert, le ménisque est peut-être déchiré.

«À ton âge, ma belle, tout se répare. Il faut juste de la chaleur. Et un peu de temps.»

Il frictionne gentiment le mollet et masse la cheville. Et Françoise, parce qu'elle a peur et mal, se mord les lèvres, tord les pans de sa jupe ou agrippe les mains de Téo, ouvre et ferme un peu les cuisses. Et par moments, il aperçoit sa culotte blanche dans l'ombre de sa petite jupe de coton.

«Je vais te soigner», dit-il enfin.

* * *

Le lendemain soir, Monica travaillait au *St. John's*. Ce fut une soirée torride, démente, survoltée. Il faisait encore un peu clair quand une douzaine de marins déjà un peu éméchés ont débarqué dans la place, des Français. Ils voulaient des filles. Mais comme il arrivait parfois le samedi, en milieu de soirée, il y avait pénurie de filles sur la *Main*. Campbell leur en a quand même trouvé quelques-unes, dont Margot Turner, avec qui ils ont commencé à s'amuser tout en riant de leur accent, de leur accoutrement. Puis ils se sont mis à engueuler la serveuse et le barman parce qu'il n'y avait pas de champagne, ni même de vin potable, ni de pastis, et qu'ils étaient réduits à fêter leur 14 Juillet à la bière canadienne qu'ils trouvaient amère et grossière, et au gros gin ou au whisky, des drinks d'Anglais, sacrilèges, barbares. Ils continuaient cependant de boire ferme et de réclamer d'autres filles. Campbell suppliait Monica, qui ne voulait rien savoir. «J'ai mes règles. Et même si je ne les avais pas, je ne voudrais pas de ces gars-là.»

Campbell avait déjà eu cette discussion avec elle. «Tu n'as pas à vouloir tes clients, lui disait-il. C'est eux autres qui te veulent. Si tu veux réussir dans la vie, faudrait que tu finisses par comprendre ça. Ce n'est pas sorcier; tu n'as qu'à laisser les autres avoir envie de toi.»

Mais Monica ne voulait rien savoir... Campbell cependant l'aimait bien et la protégeait, même s'il considérait par moments qu'elle aurait mérité une bonne correction. Il avait une longue expérience du milieu et n'avait jamais vu une fille tenir tête à ce point. Il connaissait son père, Téo, pour qui il avait toujours éprouvé une certaine sympathie, parce qu'il le trouvait brillant et amusant.

Les deux hommes s'étaient rencontrés avant la guerre, au *Frolics*, qui était devenu le *Faisan doré* après avoir été le *Connie's Inn*, le *Casino de Paree* et le légendaire *Val d'Or* qui, selon Campbell, portait bien son nom car il avait véritablement marqué l'âge d'or de la *Main*. Le propriétaire, Sammy Lipson, avait des idées géniales pour rentabiliser son établissement. Un hiver, quand les affaires avaient commencé à mal aller, il avait créé le «*Beef Trust Review*», sept filles pesant toutes plus de cent cinquante kilos, dont une, l'étoile de la revue, Tiny Sinclair, faisait près de deux cent soixante-quinze kilos et se disait la plus grosse femme du monde. Elle devait d'ailleurs terminer sa carrière dans ce rôle au parc Belmont, où elle promettait tous les soirs d'épouser l'homme qui pourrait la garder sur ses genoux pendant plus de cinq minutes. Les gens venaient de partout pour le «*Beef Trust Review*». Quand l'intérêt s'est mis à décroître, Lipson a remplacé ses «*Beefs*» par des naines, sept naines en tutu qui dansaient et chantaient et qui, dans le grand final, déshabillaient presque en entier un magnifique colosse noir tout bardé de muscles. La revue était intitulée «*Black Soot & the Seven Dwarfs*» (Noir-Suie et les sept naines).

«Les gens avaient de l'humour dans ce temps-là, disait le nostalgique Campbell. Ils savaient apprécier ce genre de choses.»

Le grand projet de Lipson, qui était en contact avec des producteurs américains de spectacles de monstres humains, était de trouver deux paires de siamois pour chanter le quatuor de *Rigoletto* et des chansons tirées du répertoire du Barber Shop Quartet. Il aurait appelé cette revue «*The Siamese Cats*». Mais il n'a jamais réussi à dénicher des siamois capables de chanter convenablement ou assez délurés pour accepter de se prêter à ce petit jeu. Il prétendait cependant que des producteurs des États-Unis lui avaient volé son idée et qu'ils avaient réussi, parce qu'ils avaient plus d'argent et parce que chez eux tout se pouvait, à convaincre deux paires de siamois et à monter un spectacle à New York.

Campbell aurait aimé avoir ce génie, cette audace, ces idées qui avaient fait la fortune et la gloire de Lipson. Au *St. John's*, il n'attirait que de la pure racaille qui voulait boire, baiser et se battre. Il ne présentait jamais de revues autres que les numéros de danse plus ou moins lascive qu'exécutaient des filles très jeunes, le plus souvent mineures, qu'il payait cinq dollars par soirée. Ces numéros étaient cependant réputés plus cochons que presque tous ceux présentés ailleurs, surtout le dernier qu'on donnait un peu avant deux heures du matin. Les filles transgressaient alors allègrement la loi en se mettant tout à fait nues, parfois même en se laissant furtivement caresser ou tâter par quelque client au vu et au su de tous. Certains soirs de grande folie, elles allaient jusqu'à faire des fellations ou des masturbations aux tables qui se trouvaient tout à fait au fond, dans la partie la plus sombre du bar, et la plus dangereuse, une sorte de cul-de-sac qui donnait sur le côté de la petite scène et que les filles et les habitués appelaient le Zoo ou la Soue.

Monica avait prévenu Campbell qu'elle ne participerait pas à ces jeux, à moins d'en avoir envie, ce qui ne s'était jamais produit depuis les quelques semaines qu'elle travaillait au *St. John's*. Campbell se disait que la mort de Maréchal devait l'avoir secouée et qu'il fallait lui laisser le temps de se replacer. Par amitié pour Téo, mais aussi parce qu'il éprouvait une franche sympathie pour cette fille décidée, il n'avait pas trop insisté. Il lui recommandait cependant, bien paternellement, de se prendre un souteneur.

«Tu pourrais faire du beau gros *cash* pendant une couple d'années. Mais ne reste pas seule. C'est dangereux. Et en plus c'est du gaspillage.»

Ce fameux 14 juillet, elle a quand même fait son numéro de danse et elle a servi aux tables sans trop s'offusquer qu'on lui glisse de temps en temps la main entre les jambes. Elle était nerveuse cependant. On sentait l'effervescence monter dans la place, une sourde vibration, une sorte de fièvre dangereusement communicative. Bientôt les Français ont littéralement pris le contrôle des lieux. Ils ont tour à tour baisé les filles, certains sans même quitter leur place, ils ont haussé le volume du juke-box, ils se sont mis torse nu. Les voilà qui hurlent, boivent, s'arrosent de bière, vomissent, recommencent...

Et leur folie se communique à tout le monde dans le bar : aux truands irlandais de la Côte-Saint-Paul, à la *canaglia* descendue de la Difesa, aux *picciotti* des organisations italiennes, aux étudiants d'Outremont, aux vieux voyous du Red Light et du Faubourg-à-Mélasse, même au videur et à ses acolytes, même au laveur de verres. Et le jeune boutonneux chargé de remplir les réfrigérateurs s'était mis à peloter les filles et à boire, ce qui était plutôt inhabituel. Seul Campbell gardait la tête froide. Mais il n'essayait pas vraiment de raisonner son personnel. Il se contentait d'observer. Quel homme étrange! Il savait toujours où trouver des filles, mais n'en consommait jamais lui-même. Il pouvait assister aux orgies les plus torrides sans, apparemment du moins, être le moindrement troublé. Par curiosité, les frères Poirier avaient déjà demandé à Margot Turner, leur plus belle gagneuse, de lui faire une passe. Elle n'y était pas allée de main morte, elle avait déployé tous ses charmes, mais n'avait pas réussi à émouvoir Campbell, pas plus que les tapettes du *New Frolics* et du *Tropical*, qui, le croyant des leurs, avaient tenté de le séduire. Campbell restait pour tous un mystère absolu. Personne ne savait au juste où il habitait, quelque part du côté de Saint-Henri, vraisemblablement seul avec sa vieille mère qu'il sortait chaque dimanche soir dans les beaux restaurants de l'Ouest.

Monica n'avait jamais assisté à de tels débordements. Margot cependant lui avait raconté déjà certaines orgies auxquelles elle avait participé. C'était comme une tempête, un orage électrique. Il y avait effectivement quelque chose d'excitant et de terriblement troublant, de fascinant dans ce tourbillon. Elle sentit bientôt qu'elle ne pourrait y résister.

Quand l'un des Français, un très grand gars mince et musclé, assez âgé, trente ans peut-être, pas laid cependant, l'air gentil, est venu l'inviter à sa table, elle s'est laissé entraîner un peu à l'écart, du côté du Zoo, croyant qu'ils parleraient un peu, puis qu'elle le soulagerait de son mal, comme disait son amie Margot. Mais, dès qu'ils furent dans la pénombre, il la fit asseoir, tout en restant debout près d'elle de manière à pouvoir d'une main lui caresser les seins tandis qu'il ouvrait fébrilement sa braguette de l'autre, lui ramassait fermement les cheveux sur la nuque et lui plaquait le visage contre son pénis, forçant sa bouche. «Suce-moi, disait-il. Allez! Suce-moi.» Monica sentait cette main ferme sur sa nuque, ce bâillon de chair qui s'enfonçait jusqu'au fond de sa gorge, et bientôt les larmes lui coulèrent sur les joues. Elle aurait voulu lui dire : «Attends, je vais te sucer comme du monde», mais le gars la fouillait avec rage.

Elle tenta de le repousser, il resserra la prise, elle suffoquait, elle eut un violent haut-le-cœur et crut qu'elle était en train de vomir. Puis elle entendit un grand cri rageur. Dans une sorte de brouillard, elle eut vaguement conscience que le gars s'était écarté d'elle et la giflait violemment en criant : «La vache, elle m'a mordu!»

Elle est tombée par terre, elle crache le sang. Campbell est accouru, il a fait de la lumière. Et soit qu'il croie vraiment que le sang que Monica a sur les lèvres provient du pénis du Français qu'elle a mordu volontairement, soit qu'il ait peur d'affronter seul cette meute d'enragés prêts à tout casser, toujours est-il qu'il s'en prend à elle, la secoue : «Qu'est-ce qui t'a pris? Es-tu en train de devenir folle?»

Monica est trop sonnée pour répondre. Elle est trempée de sueur. Elle sent la douleur irradier doucement dans sa tête en ondes diffuses. Et monter de très loin, du fond de son cœur glacé, une rage folle. Elle sait où se trouve le revolver de Campbell, dans un tiroir étroit, sous la caisse du bar. Dès qu'elle aura repris ses esprits, elle ira le chercher, et elle va tirer le salaud qui l'a ainsi humiliée, qui lui a fait si mal. C'est un chien qui ne mérite pas de vivre. Elle le tuera.

Quelques-uns des Français semblent cependant avoir compris ce qui s'est réellement passé et entraînent leurs compagnons vers les tables qu'ils occupent, où ils recommencent à boire et à fêter. Elle le tuera. Puis elle ira en prison. Ou elle mourra elle aussi. Peu importe. Pourvu qu'il ne vive plus, lui. Elle est assise au bar. Margot est près d'elle qui l'appelle doucement Molly Baby et lui nettoie le visage et essuie la sueur dans son cou, entre ses seins, sous ses bras. Et Monica se laisse faire, comme une enfant, en pleurant un peu. Brave Margot qui a elle-même les lèvres tuméfiées tellement les gars l'ont sauvagement embrassée, et des bleus sur les bras et les cuisses, des griffures dans le dos, les cheveux défaits.

Elle prendra le revolver de Campbell, elle ira près de lui, et, devant ses amis, elle lui tirera une balle dans la tête. Il mourra en la regardant, il saura qu'il lui doit sa mort, elle sera vengée…

Mais la porte du *St. John's* venait de s'ouvrir et entraient une demi-douzaine de marins anglais, sans doute assoiffés eux aussi, mais sobres, impeccablement mis. Il y eut alors une brusque accalmie. Les Français se sont ressaisis, radoucis, rhabillés… C'était le calme précédant la tempête. Un quart d'heure plus tard, la bagarre éclatait. S'il pouvait rester impassible devant une orgie, Campbell était plus difficilement capable d'assister à une bagarre sans s'en mêler. Ce soir-là, sans chercher à comprendre ce qui avait mis le feu aux poudres et qui avait tort ou raison, il s'était rangé du côté des Anglais, pour le simple plaisir de taper sur les Français qui lui en avaient fait voir de toutes les couleurs depuis plusieurs heures.

En moins de trente secondes, il ne restait plus dans le bar que les gars intéressés par la bagarre. Et les filles, qui s'étaient réfugiées derrière le comptoir avec quelques clients qui ne tenaient pas à se faire assommer et s'étaient trouvés coupés de la sortie. Les chaises volaient, des bouteilles et des verres, des cendriers.

Monica est allée à la caisse, a ouvert le tiroir étroit, trouvé le revolver. Il n'était pas du même modèle que ceux de Maréchal. Il était plus petit. Elle était déçue. Elle aurait aimé une arme plus puissante et plus lourde, de quoi déchiqueter, trouer, faire mal. De plus, elle n'était pas bien sûre de savoir comment l'armer. Elle s'en est quand même emparée et elle est passée de l'autre côté du comptoir, cherchant des yeux son agresseur, qu'elle a visé dès qu'elle l'a aperçu.

Il était aux prises avec un marin anglais beaucoup plus petit qui se battait avec méthode et stratégie, esquivant avec art, ne frappant jamais dans le vide. Mais le grand Français avait cependant l'avantage. Il était assez soûl pour ne pas sentir les coups. Et il avait les bras si longs qu'il pouvait sans peine tenir le marin anglais à l'écart. Monica s'est approchée, s'est placée derrière ce dernier pour voir son agresseur de face. « Je vais tuer cet enfant de chienne d'une balle entre les deux yeux, se disait-elle. Si seulement il pouvait arrêter de bouger un moment que je le tue. »

Le bras tendu vers lui, elle attendait qu'il la regarde. « Je veux qu'il sache que c'est moi qui le tue. » Quand il porta finalement les yeux sur elle, elle eut un moment d'hésitation. Lui aussi. Pas le marin anglais. Il lui plaça en pleine gueule un coup qui lui fendit les lèvres et lui cassa les dents. Le Français n'eut pas le temps de porter la main à sa bouche, ni même de cracher ses dents. Un autre coup en pleine poitrine le pliait en deux. Puis le marin anglais lui plaçait ses deux mains derrière la nuque de manière à accentuer le mouvement de prosternation et à précipiter le visage ensanglanté de sa victime contre son genou. Le grand Français s'écroula. Et pendant qu'il s'écroulait, le marin anglais le frappait encore des pieds et des mains. Quand l'autre fut tout à fait inerte à ses pieds, il se tourna vers Monica. Leurs yeux se croisèrent. Elle, le bras tendu tenant toujours le revolver, les cheveux défaits, le visage ruisselant de larmes, de sueur. Lui, ses yeux mats, noirs, sans éclat, sans lumière, comme une ouverture sur la nuit opaque et froide, un vide vertigineux. Il avait les cheveux tout gris, presque blancs.

Mais déjà il se détournait d'elle pour aider ses compatriotes à achever les Français qui résistaient encore, ce qui fut l'affaire de quelques minutes. Pendant un bon moment, on n'entendit plus dans le *St. John's* que quelques plaintes et des râles, des gémissements, des halètements et une sorte de grésillement qui provenait du juke-box qui avait été cassé. Campbell était près de Monica. Il lui avait enlevé le revolver des mains en lui disant : « Tu n'aurais pas fait mal à grand monde avec ça, pauvre enfant. Il n'est pas chargé. » Monica et Margot ont pouffé de rire, soulagées toutes les deux… « T'imagines-tu, accusée de meurtre ? »

Dès qu'il eut fait le tour des siens, se fut assuré que personne ne semblait trop amoché, le marin anglais qui avait assommé l'agresseur de Monica la chercha des yeux. Il vint vers elle. Ses yeux mats, si noirs, sans lumière. Il avait un œil mi-fermé qui commençait à bleuir, le dessus des mains couvert de sang. Il dit quelque chose à Monica qui se tourna vers Campbell. «Il veut te remercier», fit ce dernier.

Le marin s'est approché d'elle et lui a tendu la main : «*My name is Burns, Michael Burns.*»

Il pleuvait à boire debout quand ils sont sortis du *St. John's*. Des combattants des deux camps fraternisaient sur le trottoir. Deux Français, dont le grand sec qu'avait rossé Michael avec l'aide de Monica, étaient encore inconscients et ont dû être emmenés en ambulance à l'hôpital Saint-Luc, où les blessés légers se sont rendus à pied, sous la chaude pluie qui les a bien lavés et passablement dégrisés. Monica et Michael marchaient côte à côte derrière les autres, en riant. Il s'arrêta net quand il vit une voiture de police, sale bête luisante et noire, parquée contre le mur gris de l'hôpital. Il prit la main de Monica et l'entraîna lentement vers la rue De La Gauchetière en se retournant maintes fois pour voir s'il était suivi.

«*You're a nice girl. Take me to the* Boléro. *Please.*»

Le *Boléro* était une maison de chambres pour touristes, rue Sainte-Catherine, entre la *Main* et la rue Clark. Plusieurs proxénètes y faisaient travailler leurs filles, les plus jeunes surtout, qui avaient peur de la police et des voyous et qui ne savaient pas ou n'osaient pas racoler dans les bars ou sur le trottoir. En chambre, elles pouvaient servir jusqu'à quinze clients en une seule soirée. Elles finissaient presque toutes par craquer et, à dix-huit ou dix-neuf ans, elles suppliaient leur souteneur de les laisser sortir et faire le trottoir.

«*Please, Monica, take me to the* Boléro.»

Sa voix comme du velours. Ils étaient maintenant seuls, rue De Bullion, trempés jusqu'aux os par la grosse pluie chaude. Monica était bouleversée. Elle ne se rappelait pas lui avoir dit son nom. Il tenait toujours sa main et s'engageait rue Vitré vers l'est. Monica le retint et lui indiqua la direction opposée.

«*The* Boléro, *there. The Main, there. Come.*»

Et il l'a suivie. Sa robe était tellement mouillée que, lorsqu'ils sont arrivés sous les lumières de la *Main*, il voyait tout d'elle, même son nombril et la pointe de ses seins. C'était magnifique. Mais il avait épouvantablement mal à sa main et des taches noires dans un œil.

Au *Boléro*, le portier a refusé de déranger son patron, Herbie Daniels, que Michael lui avait demandé d'appeler. Michael l'a repoussé fermement, il a pris le téléphone derrière le comptoir et a réveillé son ami Herbie. Une demi-heure plus tard, celui-ci était là, énorme, soufflant et suant plus que jamais, avec une bouteille de scotch. Un infirmier l'accompagnait, qui a pansé la main de Michael, lui a dit qu'il avait probablement deux doigts cassés et qu'il devrait voir un ophtalmologiste si les taches qu'il avait dans les yeux n'avaient pas disparu dans trois ou quatre jours.

Herbie a emmené Michael et Monica dans une chambre qu'il venait de faire nettoyer et ranger, au cinquième et dernier étage, avec deux fenêtres qui donnaient sur la rue Sainte-Catherine et la *Main*. Et il est parti. Michael a déshabillé la petite, d'une main. Elle se laissait caresser et regarder, sans rien faire. Il l'a emmenée sous la douche. Il tenait son pansement au-dessus du jet d'eau pendant qu'elle le savonnait et le rinçait. Puis elle l'a essuyé, l'a ramené vers le lit. Il était à demi inconscient. Il avait bu un litre de whisky, il s'était cassé deux doigts, avait reçu quatre ou cinq coups de poing en pleine gueule et, pour le rachever, l'infirmier lui avait donné des *goofballs*, un calmant.

Il s'est réveillé au milieu de l'après-midi. Les taches de son œil s'étaient estompées, mais il avait mal partout, à sa main surtout, celle qui avait frappé. Et il mourait de faim. Son pantalon était taché de sang, sa chemise puait la sueur et le tabac. Il s'est dit que la petite merveille qui l'avait raccompagné la nuit précédente aurait au moins pu penser à faire nettoyer tout ça. Mais il ne savait pas où elle était passée. Il ne se souvenait même plus de son nom… Il est resté étendu tout nu sur son lit près de la fenêtre ouverte, par où entraient le bon air frais, les bruits et les cris de la rue, le tintamarre du garage qui faisait l'angle de la petite rue Clark et de la rue Sainte-Catherine.

Elle est arrivée avec un sandwich tomate et fromage, laitue, mayonnaise, des frites, un Coke et un grand sac. Elle l'a fait manger. Puis elle a sorti de son sac un pantalon de toile, une chemise à manches courtes, des sous-vêtements, des espadrilles. Rien de bien grande qualité. Mais tout était neuf. Et tout lui allait parfaitement.

Elle était aux anges. Elle riait et lui disait, avec de grands gestes à l'appui :

«*I size you, Michael, I size you.*»

Et il comprit qu'elle lui avait mesuré les pieds, les jambes, le cou, les bras et la taille pendant qu'il dormait, étendu tout nu sur son lit. Quand il lui a demandé son nom, elle a semblé étonnée et lui a répondu :

«*You know it, Michael, you know it.*»

Elle était debout à côté du lit. Il n'a eu qu'à tendre la main pour l'attirer et lui enlever sa petite robe bleue. Elle n'avait rien en dessous, que sa beauté. Elle n'était pas effarouchée, ni timide. Elle se laissait aimer, les yeux fermés, avec des petits gémissements. Il a pris son temps, l'a travaillée de son mieux, et l'a fait jouir. Elle a pleuré. Puis ils ont ri et recommencé. Le soir, tard, elle l'a emmené au *Pal's Café*, qui se trouve juste à côté. Ils y ont rencontré son amie Margot et son frère Mario. En les écoutant parler, Michael s'est souvenu qu'elle s'appelait Monica. Puis ils sont allés à l'*American Spaghetti House*, au *Val d'Or* et dans d'autres grills. Monica cherchait sa meilleure amie, Françoise. Mais elle ne l'a trouvée nulle part. Elle est restée avec Michael pendant deux jours, jusqu'à ce qu'il rembarque.

32

L E JOUR où Michael Burns est parti, Monica s'est précipitée chez Françoise. Elle voulait tout lui raconter : la bagarre, la marche sous la pluie, les deux jours au *Boléro*, l'amour, le grand amour dont elles avaient si souvent parlé ensemble et que Mme Emma avait très justement prévu. «Un étranger qui a presque deux fois ton âge… Vous vivrez ensemble un très grand amour.» Mais elle a trouvé Françoise distante et froide. Elle crut alors que son amie était jalouse. Même si elle avait eu plusieurs flirts sérieux, Françoise n'avait jamais été vraiment amoureuse.

Ce que Monica ignorait, c'est que son amie avait vécu elle aussi de grandes choses au cours de cette torride fin de semaine du 14 Juillet. Comme promis, Téo l'avait soignée. Tous les jours.

À trois reprises, il était allé la voir dans le petit logis de la rue Clark. Il s'agenouillait devant elle, prenait sa jambe dans ses mains, tâtait le genou très délicatement. Elle grimaçait un peu.

«Je t'ai fait mal?

– Un peu.

– Et comme ça, ça fait mal aussi?

– Moins.»

Elle frémissait. Sa jambe était lourde et chaude dans la main de Téo. Le dimanche, il lui a caressé le dedans des cuisses très doucement, du bout des doigts. «Ça fait mal encore?» Elle n'a pas répondu. Elle s'est renversée dans les coussins en haletant, elle a tiré sa jupe sur ses cuisses et a lentement entrouvert ses jambes en le regardant dans les yeux. Avant de la pénétrer, elle toujours mi-allongée sur le divan, lui à genoux sur le plancher, il l'a placée légèrement de côté de manière que sa jambe blessée, délicatement appuyée au creux de son cou, soit bien soutenue par son épaule. Il lui a demandé ensuite d'ouvrir sa chemise et de lui dévoiler ses seins, en les sortant lentement l'un après l'autre de son soutien-gorge, et de les caresser. Elle s'est prêtée, ce jour-là, à tous les jeux qu'il lui proposait...

Françoise avait ce lourd secret qui l'effrayait en même temps qu'il la remplissait de joie et la rendait indifférente au bonheur de Monica.

Michael avait laissé un grand vide dans la vie de celle-ci. Pendant trois jours, il avait occupé tout son temps, son esprit, son cœur et son corps. Curieusement, elle se sentait maintenant capable de faire les clients qu'elle pouvait racoler dans les bars de la *Main* ou que Campbell lui proposerait. Ce qu'ils attendaient d'elle et ce qu'elle avait vécu avec Michael était tellement différent qu'elle n'avait pas l'impression de trahir qui que ce soit, pas même l'amour, en les soulageant de leur mal. Michael était réellement entré en elle, jusqu'au fond de son âme. Et elle s'était abandonnée, donnée à lui. Il avait percé les plus grands secrets de son corps. Il avait emporté les clés avec lui. Et il reviendrait à l'automne, dans deux mois, trois au plus. Son absence était pour Monica une sorte d'enfermement. En l'attendant, elle se proposait donc de reprendre du service. Et de faire de l'argent, beaucoup d'argent, pour être chic et belle quand il reviendrait.

Mario s'opposa à son projet, très fraternellement. «Je ne veux pas te voir te prostituer, disait-il à sa sœur bien-aimée. Tu vas te faire faire mal. Tu vas attraper des maladies. Tu vas faire de la peine à maman.»

Leur père Téo avait toujours été fier de dire qu'il n'y avait pas d'Italiennes parmi les prostituées de la *Main*. «Cherchez-en, vous n'en trouverez pas. Pas de juives non plus. Parce que les Italiens et les juifs ont le sens de la famille, ils se tiennent.»

Téo avait séduit beaucoup de femmes. Parmi elles se trouvaient quelques prostituées, bien sûr, mais il n'avait jamais payé pour aucune d'entre elles. Téo ne payait jamais rien, ni personne, ni ses dettes. Il suffisait qu'on lui confie, qu'on lui donne ou qu'on lui prête quelque chose pour ne jamais recevoir de lui quoi que ce soit. Par contre, il donnait généreusement à ceux de ses amis ou de ses connaissances qui se trouvaient dans le besoin, et d'autant plus volontiers qu'il était certain de ne rien recevoir en retour. Donner était pour lui une façon de s'approprier l'admiration, l'amitié, la reconnaissance, l'âme des gens. C'était sa manière de prendre.

Il s'était amusé à cultiver, mine de rien, la réputation de Robin des Bois que lui avaient faite ses amis. Il affichait un souverain mépris pour tous les marchands, pour tous ceux ou celles qui avaient quelque chose à vendre. Ses enfants savaient mieux que personne qu'il n'aimait pas la prostitution. Il avait passionnément haï Maréchal, non seulement parce qu'il lui trouvait une tête à claques, mais parce que Maréchal était un vulgaire vendeur et qu'il exerçait son métier (proxénétisme et racket de la protection) par la terreur plutôt que par le charme, ce que Téo voyait comme une faiblesse.

La prostitution exerçait tout de même un puissant ascendant sur Monica et sur Mario, comme sur la majorité des jeunes du Red Light. C'était certainement la meilleure façon de faire rapidement de l'argent, d'être réellement quelqu'un. Si Monica, régulièrement sollicitée, non seulement par Maréchal mais aussi par Campbell et beaucoup d'autres, avait toujours refusé d'entrer tout à fait dans ce monde où elle aurait pu se tailler une carrière fort intéressante, c'était d'abord et avant tout à cause des idées que son père avait souvent exprimées sur ce métier. Elle aurait pourtant bien aimé le contredire et lui faire de la peine. Mais Téo savait penser mieux que personne. Et sa fille aînée restait, à seize ans, subjuguée par lui. Comme Mario. Comme plein de gens, même ses amis les moins recommandables, les plus dangereux truands de la *Main*, Georges Morissette, Jules Reeves, Jean-Paul Fournel, Corso, Franco, Lauzon, Georges Marcotte. Sur eux tous, le charme de Téo opérait presque infailliblement, qui tenait à sa nature mais aussi au fait qu'il avait, chose rarissime dans le monde où il vivait, des idées, des opinions, qu'il savait exprimer avec clarté et brio.

Ainsi, beaucoup de gens réprouvaient la prostitution par convictions religieuses. Pas Téo. Il méprisait les prostitués des deux sexes et plus encore leurs clients, parce qu'ils avaient renoncé à exercer ce qui, selon lui, donnait tout son sens à sa vie : la séduction. Et il disait qu'il fallait être terriblement démuni et sans génie pour être obligé de payer une femme. Ou qu'il fallait être vraiment imbécile pour s'imaginer qu'on pouvait acheter de l'amour. Il croyait qu'il y avait toujours moyen de moyenner, c'est-à-dire de s'entendre, d'obtenir des autres, des femmes surtout, tout ce qu'on voulait, tout ce dont on avait besoin.

Il y avait cependant des gens auprès de qui son charme opérait plus ou moins bien. Son beau-frère Julien Lafontaine, par exemple. Téo parvenait parfois de peine et de misère à lui arracher un sourire, mais jamais il n'a pu lui emprunter trente sous sans que l'autre rapplique deux jours plus tard pour réclamer son dû. Julien faisait partie de ce petit monde sur lequel Téo n'avait jamais eu le moindre pouvoir.

Or, depuis quelque temps, ce monde adverse avait commencé à s'élargir, à grossir. Plusieurs sur la *Main* en avaient maintenant assez des grands airs de Sparvieri. Et ce dernier s'en rendait compte. Il fuyait maintenant certains lieux, évitait les cafés où, le sachant lié au terrible Morissette et à sa bande, on le regardait avec suspicion. Apercevait-il Don Leo MacPherson, le grand Noir vendeur d'horoscopes qui était devenu le meilleur ami de Mme Emma, qu'il changeait rapidement de trottoir.

Téo se rendait compte qu'il était moins populaire et moins aimé. Il s'en inquiétait bien un peu, sachant qu'un charme qui n'opère pas se perd vite. Mais il s'en fichait royalement. Il était amoureux de la petite Françoise. Que le reste de l'humanité l'aime ou non ne lui faisait, au fond, ni chaud ni froid. Il voyait parfois le reproche, le ressentiment, même la haine dans le regard de sa fille Monica, de son fils Mario, de sa femme Marie-Ange… Ça ne le touchait jamais beaucoup. Jamais longtemps.

Quand l'automne est revenu, Mario eut beau fouiller partout dans la maison, sous les lits, dans les placards et dans le grenier où sa mère avait l'habitude de ranger les vêtements d'hiver, il ne trouvait nulle part les souliers à grosses semelles crêpées qu'il avait volés le printemps précédent dans un magasin de Cartierville où il était entré de nuit avec Forçure et Dufort.

Il allait en faire son deuil quand, un beau soir, rôdant sur la *Main*, il aperçut ses souliers qui marchaient devant lui. Il les a suivis de loin, a traversé la rue pour voir de profil leur nouveau propriétaire. C'était Roger, le jeune frère de Françoise Auger, qui les avait dans les pieds. Mario a retraversé la rue, s'est approché de Roger par-derrière et, quand celui-ci s'est arrêté pour s'allumer une cigarette, il s'est penché, lui a passé ses bras autour des chevilles et l'a soulevé de terre. Roger est tombé en pleine face sur le trottoir. Avant qu'il n'ait eu le temps de se rendre compte de ce qui se passait, Mario avait ses souliers dans les mains, et lui, le visage en sang. Mario lui a pris aussi ses cigarettes, son canif et la patte de lapin qu'il avait à la ceinture.

Mario avait compris, alors même qu'il marchait derrière Roger Auger, que son père devait coucher avec la petite Françoise. Et il s'était dit que Roger allait vraisemblablement raconter sa més-aventure à sa sœur et que celle-ci saurait que Téo avait volé son propre fils et qu'il était un beau salaud. Mais il savait fort bien que ça n'empêcherait pas la petite Françoise d'aimer son père. Les femmes étaient folles de lui. Et lui, Mario, à seize ans, savait déjà qu'il avait hérité cela de son père admiré et honni : la passion des belles voitures et des femmes jeunes. Il savait que ce qui séduit vraiment les femmes n'est pas l'argent ni la beauté, mais autre chose, un mystère que certains hommes portent en eux ou sur eux, d'autres pas.

C'est par Mme Emma, quelques jours avant son mariage avec Michael Burns, que Monica eut la confirmation que son père et Françoise Auger étaient amoureux. Elles s'étaient retrouvées par hasard assises à des tables voisines de l'*American Spaghetti House*. Mme Emma achevait son repas, et Monica sirotait un lait fouetté à la vanille en attendant Margot Turner, qu'elle rencontrait presque chaque fin d'après-midi pour bavarder un peu. Tout le monde sur la *Main* savait que la voyante se languissait de Téo qui l'avait laissée tomber après une courte aventure dont elle se remettait à peine. Elle avait même cessé de pratiquer pendant une bonne partie de l'au-tomne. Les gens avaient beaucoup ri. Qu'une voyante qu'on con-sulte surtout pour ses affaires de cœur n'ait pas vu venir sa peine et se soit amourachée de l'homme le plus infidèle du Red Light en amusait plusieurs. Et le prestige de Mme Emma en avait pris un coup. Son visage aussi qui, en quelques mois, semblait s'être flétri.

Elle se doutait bien que Monica ne la portait pas dans son cœur et qu'elle l'avait certainement détestée quand elle avait su qu'elle couchait avec son père. Elle croyait cependant que la peine qu'elle avait eue la mettait désormais à l'abri de toute haine et de toute vengeance.

«J'ai appris que tu te mariais, Monica.»

Elles ont parlé comme des presque amies. Et, en parlant, Mme Emma a révélé à Monica ce que beaucoup de gens savaient depuis déjà un joli bout de temps : que Téo l'avait laissée pour la petite Auger.

«Je ne peux pas croire que tu ne le savais pas!»

Monica l'ignorait, en effet, mais, sous le choc, bien des choses s'expliquaient : les absences de plus en plus fréquentes et prolongées de Téo, et surtout le comportement de Françoise qui, à la fin de l'été, avait peu à peu cessé de la voir. Monica comprenait enfin pourquoi la belle complicité qui autrefois les unissait s'était brisée. Quand, par exemple, pendant les quelques mois qu'avait duré l'absence de Michael, elle tentait de renouer avec Françoise et, voyant son indifférence et sa froideur, lui demandait : «Est-ce que je t'ai fait quelque chose?», celle-ci répondait : «Mais non, tu ne m'as rien fait, voyons.»

Plus jamais cependant elles n'avaient ri ensemble, ni parlé librement des hommes et de l'amour et de leurs rêves. Quand Michael était revenu, à la mi-octobre, elles avaient tout à fait cessé de se voir. Quatre mois plus tard, Monica comprenait enfin ce qui s'était passé. Non seulement son père était-il en train de briser la vie de sa mère, non seulement avait-il pratiquement abandonné ses frères et sœurs, mais il lui avait également volé sa meilleure amie. Quand Margot est entrée à l'*American Spaghetti House*, elle a trouvé Mme Emma en larmes, Monica en colère. Elles ont dit ensemble du mal de Téo. Et fait le souhait qu'enfin il ait trouvé celle qui un jour le laisserait tomber, qui lui briserait le cœur; il avait quarante ans, vingt et un de plus que Françoise.

«Quand elle aura mon âge, disait Margot, ton père aura pas loin de cinquante ans.

– Quand elle aura le mien, renchérissait Mme Emma, il va friser la soixantaine. Penses-tu qu'une femme de mon âge peut avoir envie de vivre avec un vieillard ? »

Monica ne disait rien. Elle savait bien, au fond, que ces considérations étaient oiseuses et sans fondement. L'homme qu'elle aimait, qu'elle épouserait dans quelques jours, n'était-il pas deux fois plus âgé qu'elle ? Michael avait eu trente-quatre ans le 1er janvier ; elle en aurait dix-sept dans quelques jours, le vingt-cinq février, surlendemain de son mariage avec l'homme de sa vie.

33

L E MARIAGE eut lieu à l'église du Mont-Carmel, boulevard Dorchester, près de la rue Saint-André. Michael était évidemment tiré à quatre épingles, complet-veston gris fer, chemise blanche, cravate et pochette bourgogne. Il avait vite fait comprendre à Mario, d'abord étonné, qu'il ne porterait jamais de vêtements volés, fussent-ils tout neufs et de bonne qualité. Michael Burns, qui avait un respect quasi sacré pour les vêtements, s'habillait chez un tailleur. Comme le gros Herbie qui, ce jour-là, lui servait de père.

Monica portait une robe de tulle et de dentelle. Le corsage était fait d'une guipure sans fond dont les motifs étaient séparés par de grands vides qui laissaient voir la peau des bras, le cou, le décolleté profond. Téo avait «emprunté» pour elle un manteau de fourrure d'écureuil. Et, on ne savait comment, il avait trouvé des roses, en plein mois de février, une énorme gerbe de roses qu'il avait fait placer au pied de l'autel.

Pour la noce, il avait fait un arrangement avec le propriétaire de la pizzeria *El Corso*, rues Saint-Dominique et Sainte-Catherine. En échange de deux cent quarante heures de travaux de menuiserie, de peinture et de ménage qu'il s'engageait à effectuer avec l'aide de son fils Mario au cours des trois prochains mois, on organisait la réception, repas et boisson, serveurs, musiciens compris. Téo avait présidé à la décoration, composé le menu (italien, bien sûr), imposé aux musiciens un répertoire de son choix : du bel canto, des tangos, des valses. Il n'aimait pas danser, mais il adorait la musique de danse, sans doute pour l'effet excitant ou alanguissant qu'elle avait sur les femmes. Et il avait mis au programme quelques chansons qu'il allait interpréter… si on lui en faisait la demande.

L'oncle Alfonso avait refusé de venir aux noces de Monica, ce qui peinait beaucoup Téo. Mais Alfonso avait été intraitable : «Pas question que je remette les pieds dans le Red Light, surtout si Morissette et compagnie sont là.»

Morissette était un grossier personnage, brutal, sale, sans manières. Il avait le cheveux rare et gras, les dents cariées, jaunies par les cinquante cigarettes qu'il fumait chaque jour, le visage secoué de tics. Il mâchouillait sans cesse des cure-dents ou des allumettes de bois qu'il réduisait dans sa bouche en petites effilochures qu'il postillonnait partout autour de lui. Il était toujours accompagné de deux ou trois de ses semblables qui terrorisaient tout le monde. Ils ne payaient jamais la note dans les restaurants, les cafés et les bars où ils descendaient en rois et maîtres. Les quelques tenanciers qui avaient osé protester s'étaient retrouvés avec des dents en moins et autour d'eux des dégâts matériels considérables.

Morissette, Lauzon, Frappier, Franco, Marcotte surtout, le dangereux et imprévisible Georges Marcotte, et Reeves, son comparse, qui faisait de l'épilepsie, et Fournel, qui formait avec eux le Trio infernal, tous ceux qu'Alfonso considérait, non sans raison, comme des déchets de la société, des malfrats, voleurs, extorqueurs, «qui finiront sur l'échafaud s'il y a une justice en ce monde et laissez-moi vous dire qu'il y en a une», répétait-il, étaient effectivement à la noce. Téo savait bien, lui aussi, que ses amis n'étaient pas des enfants de chœur et que beaucoup de petites gens les haïssaient passionnément, mais il avait grandi avec eux, ils avaient été là quand il en avait eu besoin. Et surtout il tenait à les présenter à son gendre, Michael Burns. Celui-ci n'apprécierait certainement pas leurs méthodes, mais il pourrait mettre ses talents à leur service et leur ouvrir des portes du côté des gangs de l'Ouest, chez les Irlandais de Saint-Henri et de Côte-Saint-Paul. On ne peut pas être un proche ami du gros Herbie, propriétaire d'une demi-douzaine de maisons de chambres, sans avoir de solides accointances dans le milieu.

Memère Lafontaine a pleuré. Pour une foule de raisons. Parce que sa petite-fille chérie se mariait, parce que sa fille Hélène s'est soûlée au point de perdre la carte, parce que son fils Julien, qui n'avait pas l'habitude de boire, s'est disputé avec Téo et avec le mari de Sylvana, le si gentil Carol Desaulniers, qu'il traitait d'imbécile heureux parce qu'il ne voyait pas ou faisait semblant de ne pas voir et de ne pas comprendre qu'il se trouvait entouré de dangereux criminels et qu'il continuait de parler de restauration urbaine et de politique du logement, exposant de fumeuses théories sociales, épiloguant dans l'indifférence générale sur le développement et le progrès.

Carol militait très activement au sein de ces groupes plus ou moins utopistes qui avaient obtenu la démolition du Red Light qu'on allait bientôt entreprendre et son remplacement par des tours et des immeubles d'habitation, des «vrais clapiers», disait Julien, où, selon lui, personne n'aurait envie de vivre. Et il reprochait à Carol d'avoir été l'un des artisans de la réforme urbaine et d'être un suppôt du communisme. Il rappelait que les curés avaient dénoncé du haut de leurs chaires cette idéologie qui faisait de l'homme un numéro, qui ne respectait pas la famille, ni la religion, ni les libertés fondamentales. Le maire Drapeau, qui s'était farouchement opposé au projet des Habitations Jeanne-Mance, avait lui-même traité ceux qui le défendaient de communistes et de méchants matérialistes. Mais, au grand dam de Julien, il avait été battu aux élections par Sarto Fournier, qui s'était fait le champion de ce projet.

Téo, même s'il était d'accord sur le fond avec Julien et s'il regrettait la démolition du Red Light, s'est porté à la défense de Carol. Et alors Julien a tourné vers lui sa hargne. Toute l'amertume accumulée depuis des années est sortie. Il s'est mis à dire bien haut devant tout le monde que Téo était responsable de la mort de son frère Laurent, qu'il trompait sa femme, qu'il ne s'occupait pas de ses enfants. Téo a préféré ne pas répondre à ses attaques. Marie-Ange, la mère Lafontaine et Sylvana, en larmes, ont fait taire Julien. Mais la noce était gâchée.

Vers le milieu de l'après-midi, quand on a emmené la tante Hélène, ivre morte, on a trouvé le très vieux Gazou devant la porte du *El Corso*, où il attendait, bien sagement. Presque impotent, il ne disparaissait plus comme autrefois pendant des jours. Si Téo, son ennemi, se trouvait à la maison, il se tenait tapi dans un coin, sous un lit, derrière une porte. Le matin des noces, dans le va-et-vient et l'effervescence, personne n'avait remarqué qu'il était sorti lorsque Téo était arrivé.

34

D'UNE CERTAINE MANIÈRE, les vœux de l'oncle Alfonso étaient en train de se réaliser, non par le feu du ciel, comme il l'avait souhaité si fort et annoncé si souvent, mais sous l'action des bulldozers qui avaient minutieusement démoli des quartiers entiers de la vieille ville. Dans l'Ouest déjà, boulevard Dorchester, on avait construit l'hôtel Reine-Elizabeth et, juste à l'est de l'édifice de la Sun Life, on allait édifier une tour immense, un chef-d'œuvre de fer, d'aluminium et de verre, la Place-Ville-Marie, phare et symbole, la marque étonnante et indélébile, au sein de la Grande Noirceur, d'une nouvelle génération de gens d'affaires, d'une bourgeoisie industrielle canadienne-française s'affirmant avec force.

Dans le grand quadrilatère formé par les rues Ontario, Saint-Denis, Dorchester et Jeanne-Mance, presque tous les logements seraient bientôt détruits. On disait que Montréal, métropole incontestée, allait devenir la Manhattan du Nord. Tout le Québec avait alors une furieuse envie de vivre de grands changements. Sauf peut-être les petites gens du Red Light et des minables quartiers du Centre, qui savaient bien qu'ils resteraient à jamais des étrangers dans un monde de plus en plus étrange où ils n'auraient rien à dire, où ils seraient parqués sans ménagement.

Le 17 mai 1957, moins de trois mois après le mariage de Michael et de Monica, la Ville de Montréal avait enfin acheté toutes les maisons du secteur résidentiel situé immédiatement à l'est de la *Main*, jusqu'à la rue Sanguinet, entre les rues Sainte-Catherine et Ontario. On allait enfin réaliser le fameux plan Dozois, dont on parlait depuis si longtemps. Et construire des habitations à loyer modique, des tours. On disait que ce projet allait créer de nombreux emplois et redonnerait au petit monde du Red Light d'autres valeurs, une dignité renouvelée.

Les abords du marché Bonsecours, la rue Saint-Paul, tout ce quartier du Bord-de-l'Eau pratiquement laissé à l'abandon depuis une vingtaine d'année et décrété insalubre avait été inventorié, mesuré. Un formidable désordre y régnait. On disait que la Ville allait acquérir d'immenses terrains et y construire des maisons pour les pauvres. Des maquettes avaient été publiées dans les journaux. Les gens ne reconnaissaient plus leur quartier.

Le petit peuple du Red Light était inquiet. Il avait compris que ses jours étaient comptés et qu'il allait subir, impuissant, écrasé, éclaté, une profonde mutation. Des rumeurs affolantes couraient. On disait même que tout serait démoli au sud de la rue Sherbrooke depuis l'avenue De Lorimier jusqu'à la rue De Bleury et même plus à l'ouest. Que tout serait rasé, anéanti, «comme à Hiroshima»… Et qu'il y aurait bientôt, à la place de leur monde, une ville neuve, étrangère, avec de gros buildings de fer et de verre, des esplanades. Certains croyaient que les habitants seraient déportés dans des camps en dehors de la ville. Ou, pire encore, éparpillés aux quatre coins du Québec. Et alors, ils se perdraient de vue. Beaucoup de gens n'étaient jamais sortis de ce quartier de toute leur vie. Pas même une fois. L'ailleurs leur apparaissait comme une autre vie, un au-delà terrifiant, la mort presque assurée.

Peu à peu, dans le tissu urbain, apparurent des trouées, des vides. Des rues entières de maisons furent fermées, débranchées; elles attendaient le coup de grâce, sans électricité, sans eau, leurs fenêtres placardées ou laissées béantes. Des épaves de maisons soigneusement pillées que même les rats et les coquerelles abandonnaient peu à peu, car elles n'avaient plus de chaleur, plus d'âme. Le Bord-de-l'Eau avait changé. Depuis qu'on avait entrepris la construction de la Voie maritime du Saint-Laurent, l'activité avait considérablement diminué. La plupart des petits restaurants et des tavernes autrefois si animés, certains de nuit comme de jour, étaient maintenant fermés. Le Faubourg-à-Mélasse, situé un peu plus à l'est, de part et d'autre de la rue Frontenac, faisait partie de ce grand ensemble de misère, mais il serait épargné.

Téo, pour sa part, considérait avec tristesse cette vaste entreprise de démolition. À ses yeux, il était illusoire de penser construire en détruisant. Il aimait ces maisons de briques rouges qui formaient le paysage du Red Light, presque toutes pareilles, trois étages, avec les lucarnes là-haut, les hautes fenêtres, les mansardes, les frises, les combles brisés.

La Ville s'était engagée à reloger les gens du quartier dans les habitations qu'elle allait construire sur le site des démolitions. On leur avait montré des maquettes de carton où l'on voyait les tours de dix-neuf étages et les immeubles qu'on érigerait entre les rues Saint-Dominique et Sanguinet. L'artiste avait ajouté çà et là des arbres avec leurs ombres et des figurines minuscules représentant des gens par petits groupes qui discutaient ou jouaient dans des parcs bien aménagés. En réalité, il n'y avait déjà plus un seul arbre dans le quartier. Dès l'acquisition du quartier par la Ville, on avait commencé à les couper, sous prétexte qu'il fallait faciliter le travail de démolition qui devait commencer au cours de l'été suivant.

Mario passait par hasard rue Saint-Dominique, à la hauteur de la ruelle Leduc, quand il aperçut des bûcherons en train de couper le gros érable de la cour où il avait autrefois passé des heures à rêver, à observer le monde. Il eut envie d'y grimper encore et d'empêcher les hommes de faire leur travail. Mais c'étaient des gars de la campagne, timides et gentils. Et Mario a parlé avec eux. Puis il les a regardés travailler. Il leur a fallu près de deux jours pour abattre l'érable, le tronçonner, charger les bûches dans leur vieux tacot. Ils avaient des crampons qu'ils attachaient à leurs bottes, des sangles, des câbles, des coins, des haches, des scies, dont une à moteur, une tronçonneuse, une chose jamais vue dans le quartier, effrayante. Ils ont laissé les branches en tas énormes dans la cour. Et ils ont fait de même dans tout le quartier. Quand l'hiver est venu, il n'y avait plus un arbre au sud de la rue Ontario, entre le boulevard Saint-Laurent et la rue Sanguinet. Et, ici et là, traînaient ces gros tas de branches sèches auxquels, pour s'amuser, les enfants mettaient le feu, ce qui faillit à plusieurs reprises engendrer des incendies catastrophiques.

Mais on ne s'inquiétait pas trop. Il y avait même dans le quartier une certaine euphorie, un relâchement, une sorte de laisser-aller qui n'était pas du tout déplaisant, une petite fin du monde. Avec, bien sûr, chez certains, un fond de tristesse et de nostalgie. Les jeunes, eux, attendaient le printemps suivant avec impatience. Ils avaient bien l'intention de faire leur part dans la démolition du quartier : créer des incendies, abattre des murs, des cheminées, provoquer peut-être des explosions. En attendant, ce qui se brisait restait brisé. On laissait tout à l'abandon.

On n'avait jamais vu autant de rats. Il en sortait de partout. Chaque fois qu'un mur s'écroulait, ils sortaient en courant et se dirigeaient vers le Bord-de-l'Eau, vers le Faubourg-à-Mélasse, ou ils montaient la rue Sherbrooke en direction du Mile-End, du plateau Mont-Royal ou d'Outremont. Quelques semaines avant de commencer à démolir, la Ville avait pourtant procédé à une dératisation en règle.

Une bonne partie du quartier avait déjà été évacuée, mais les jeunes y allaient quand même, pour piller, pour baiser, pour être dans cet endroit fascinant qu'est une ville sans monde, sans eau, sans électricité. Ils ont vu les rats malades, mourants, qui sortaient dans la lumière du jour et se traînaient en pleine rue avec une lenteur incroyable, cherchant de l'eau, de l'air. Les ouvriers de la Ville venaient les ramasser à la pelle et les faisaient brûler dans les fonds de cour. Puis il y en eut de moins en moins. Juste avant qu'arrivent les bulldozers et les béliers, la Ville a fait savoir aux gens des quartiers environnants de ne pas s'inquiéter, que l'opération de dératisation était réussie, qu'il n'y avait plus de rats dans le Red Light ni autour.

Mario avait le sentiment que c'était probablement faux. Le rat est trop intelligent. Il ne peut pas voir mourir ses semblables sans réagir d'une manière ou d'une autre, sans prendre une leçon. Il était sûr que des rats s'étaient cachés quelque part dans les égouts et qu'ils avaient jeûné pour ne pas être empoisonnés ou qu'ils avaient respiré le moins possible, le temps que les gaz se dissipent, et que plusieurs avaient survécu, qu'ils se reproduiraient, qu'ils recommenceraient, plus forts, plus intellligents, mieux organisés que jamais. À tout hasard, sous les conseils de Monica, il a entrepris de les aider. Il en a capturé une demi-douzaine qu'il a gardés en cage pendant plusieurs semaines au rez-de-chaussée d'une maison abandonnée de la rue

Saint-Dominique. Il les nourrissait grassement des restants du Mont-Saint-Louis et à même les poubelles des bouchers du marché Saint-Jacques. Son père lui avait dit que les souris et les rats de laboratoire se reproduisaient à un rythme effarant, encore plus vite que les lapins et les chinchillas. Et il s'imaginait pouvoir libérer à l'automne plusieurs centaines de bons gros rats bien dodus qui iraient semer l'effroi dans les beaux quartiers. Mais ses rats d'égout le décevaient. Il ne mangeaient pas beaucoup. Il ne les a jamais surpris en train de forniquer. Deux d'entre eux ont refusé de manger et se sont laissés mourir de faim. Il a finalement libéré les autres juste avant les gros froids.

Aux premiers coups de bélier, on a vu des rats sortir des fondements du quartier. Ils étaient affolés, amaigris et nerveux, mais vifs et enragés. Mario avait vu juste : conscients du danger, les rats s'étaient enfoncés davantage dans leurs trous, dans le fin fond des égouts ; ils avaient jeûné, ils avaient attendu, et ils avaient survécu. Leurs positions devenant intenables, ils ne pouvaient plus désormais que s'enfuir. Chaque fois que Monica, Mario et leurs amis en voyaient un qui s'échappait et qui prenait la direction de la rue Sherbrooke, ils faisaient le souhait qu'il se rende jusqu'à Outremont et qu'il y fonde une prospère dynastie.

35

À LA FIN DE L'ÉTÉ, la famille de Téo quittait encore une fois la rue Parthenais pour emménager au 1664 de la rue Sainte-Élisabeth, entre les rues Sainte-Catherine et De Montigny, en plein cœur, presque au centre géométrique du secteur à démolir. Un sursis d'un an, même pas, trois saisons, avant de quitter définitivement le Red Light, ou plutôt avant que celui-ci disparaisse à jamais de la carte du monde. Ils habiteraient dans le provisoire, le condamné. Mais Téo, comme le père de Françoise, semblait se complaire dans cette atmosphère.

Propriété de la Ville de Montréal, la maison qu'occupaient les Sparvieri était, comme toutes celles du voisinage, en très mauvais état. Les coquerelles, les punaises et les rats ajoutaient leurs fortes odeurs à celle de l'urine (quatre des enfants mouillaient leur lit), de l'huile à chauffage, de la moisissure et de la pourriture. Il y avait dans la cave de l'eau stagnante, putride. La gangrène gonflait les fondations de la maison. Les fenêtres et les portes fermaient mal ou n'ouvraient pas.

Ces maisons, de trois étages, faites de briques rouges ou de pierre grise, formaient de chaque côté de la rue des sortes de remparts continus, rigoureusement symétriques, percés à intervalles réguliers de larges porches qui s'ouvraient sur les cours arrière. Entre chacun de ces porches et le suivant se trouvaient trois portes très rapprochées. Celle du centre conduisait, par un escalier commun se terminant en Y, aux logements qui occupaient de chaque côté les deux étages. Les deux autres donnaient sur les logements du rez-de-chaussée, plus étroits, à cause de l'empiétement des porches.

Les Sparvieri n'avaient pas de voisin de palier. Le logement était fermé, déjà pillé... Un homme seul, qu'on appelait Théodore, vivait au rez-de-chaussée. C'était un Hongrois arrivé tout récemment dans le quartier. Il ne parlait jamais à personne. Il travaillait de dix-neuf heures à quatre ou cinq heures à l'entretien du marché Saint-Jacques. Le dimanche, il se rendait à l'église orthodoxe, rue Sherbrooke, près de Clark. Il passait ses journées enfermé, les rideaux tirés, sans musique, sans radio, souvent sans lumière. La rumeur du quartier voulait qu'il ait un trésor. Et plus d'un jeune caressait le projet de le cambrioler. Personne cependant n'avait osé passer à l'action. Pour de confuses raisons, Théodore était craint et respecté.

Depuis le mariage de Monica, ils étaient huit enfants chez les Sparvieri, plus Téo et Marie-Ange, et parfois un chambreur, Harold : onze personnes entassées dans le logement de la rue Sainte-Élisabeth. À droite, en haut de l'escalier, se trouvait l'entrée du salon, qui donnait sur la rue et où couchaient les trois filles, Paula, Lola et Arlette, avec le téléviseur au pied de leurs lits. Un peu plus loin, toujours à droite, la chambre de Marie-Ange et de Téo. Michel, le bébé, dormait auprès de ses parents, et Lison, juste en face, sous l'escalier étroit et raide par lequel on accédait au dernier étage. Un peu plus loin, devant la salle de bains, juste au pied de l'escalier, se trouvait la fournaise à huile. Puis on débouchait sur la cuisine. La porte du fond menait à un petit hangar. Par la fenêtre au-dessus de l'évier, le regard portait, au-delà de la ruelle, sur la partie déjà totalement évacuée du quartier, masse noire, sans lumière, un trou béant, un gouffre dont la seule vue terrorisait Arlette et Lola. La chambre de Mario et de Harold était à l'étage, du côté de la ruelle. Celle de Marcello et de Giovanni, basse et sombre, occupait le devant de la maison.

Marie-Ange ne s'était pas vraiment donné la peine de décorer. Elle commençait alors à perdre le sourire. Elle aurait bientôt quarante ans. Elle savait qu'elle ne pouvait plus plaire à Téo qui se détournait d'elle chaque jour davantage. Elle avait compris qu'elle ne sortirait jamais de la misère. Et que ses enfants aussi y resteraient probablement toute leur vie. Quand, après s'être confessée, un peu avant Noël, elle a demandé au curé si elle pouvait «empêcher la famille» d'une manière ou d'une autre, lui rappelant qu'elle avait déjà neuf enfants et que son mari ne travaillait pas, elle eut droit à une sainte colère : «Va-t'en chez vous, lui dit le curé. Réfléchis. Et si tu veux l'absolution, reviens me voir quand tu seras dans de meilleures dispositions.» Elle était rentrée en pleurant.

Monica allait régulièrement voir sa mère, qu'elle trouvait toujours plus éplorée, triste et oisive, se laissant porter par les vagues de désordre déferlant autour d'elle. Ses enfants étaient cajolés abondamment, mais elle n'exigeait jamais rien d'eux. Il fallut à plusieurs reprises que le curé de la paroisse intervienne pour qu'ils aillent à l'école. Si elle s'était écoutée, Marie-Ange les aurait gardés tout le jour auprès d'elle.

Elle avait commencé à fumer. Elle sortait de temps en temps avec sa jeune sœur Hélène et quelques amies. Elles allaient prendre un verre au *Rialto* ou au *Club Champlain*. Marie-Ange regardait les autres danser. Depuis l'âge de dix-huit ans, elle avait été presque toujours enceinte. Elle disait qu'elle avait perdu ses pas.

Parfois aussi, avec Hélène, elle allait magasiner dans l'Ouest, chez Eaton et chez Simpson, où elles n'achetaient presque jamais rien. Elles ne faisaient que regarder le beau monde élégant et fier, les belles dames hautaines de l'Ouest, des anglophones surtout, ou des francophones d'Outremont, qui portaient nonchalamment des fourrures chères, des parfums suaves… Marie-Ange allait dans ce monde, comme elle lisait ses romans-photos, pour rêver, pour le plaisir.

Plusieurs fois, elle avait eu recours à la Société Saint-Vincent-de-Paul et à l'Armée du Salut. Elle entrait dans leurs bureaux, toute timide. Elle commençait à raconter ses malheurs en hésitant, en bafouillant, submergée, tétanisée par la honte. Puis elle se laissait prendre au jeu, fondait en larmes ou sombrait dans une froide colère, devenait éloquente, convaincante. Les fonctionnaires, émus, bouleversés, touchés, l'écoutaient, parfois sombraient eux aussi dans une froide colère. Certains avaient même les larmes aux yeux. Marie-Ange se sentait alors libérée de son monde de misère, même si elle s'y était plongée tout entière. Elle avait transformé sa vie en un rôle qu'elle jouait. Elle maîtrisait son personnage, lui donnait de la profondeur et de la grandeur, du tragique. C'était sa vie qu'elle racontait, ses sept, huit, neuf enfants, son mari infidèle, irresponsable, égoïste, sa fatigue à elle… Elle ressentait un étrange plaisir en voyant qu'elle touchait et émouvait. Et on lui donnait. Elle rentrait à la maison, retrouvait son petit monde de misère, ses sept, huit, neuf enfants, sa fatigue, sa solitude.

Ces appels au secours, s'ils lui permettaient de remplir le garde-manger et d'acheter des médicaments ou des vêtements pour les enfants, causaient cependant certains problèmes. Ceux qui donnaient faisaient enquête sur les activités de Téo, pourvoyeur irresponsable. Comment se faisait-il que cet homme dans la force de l'âge et en pleine forme ne puisse subvenir aux besoins de sa famille? Marie-Ange devait alors mentir. Des enquêteurs venaient à la maison. Elle couvrait son homme. Il avait eu la grippe, il s'était foulé une cheville… Un jour cependant, on menaça de lui enlever ses enfants, sous prétexte que son mari était irresponsable et qu'elle était incapable à elle seule de les élever convenablement. Recevoir de l'aide, c'est laisser le regard des autres pénétrer chez soi, scruter à la loupe l'histoire de la famille; c'est vendre son intimité, se mettre tout nu devant le monde.

Poussée par un fonctionnaire et encouragée par sa sœur Hélène et son amie Léona, Marie-Ange se résolut à porter plainte contre son mari pour refus de pourvoir. Téo fut sommé de comparaître devant une sorte de tribunal. Au cours des jours qui ont précédé la comparution, Marie-Ange était si perturbée et regrettait tellement son geste que Téo devait la consoler. Bon prince, il lui a suggéré une façon de se débarrasser de ses remords. Elle a préparé les enfants, les a fait répéter à la maison. Quand elle s'est présentée devant la cour avec eux, ils se sont précipités sur Téo en criant : «Papa, papa!», en pleurant devant le juge et les fonctionnaires, qui ont été drôlement secoués.

Et Marie-Ange a expliqué à la cour qu'elle regrettait d'avoir dénoncé son mari, que c'était la fatigue et la misère, le surmenage qui l'avaient poussée à poser ce geste insensé. Elle disait que Téo, s'il n'était pas le mari idéal, était un bon père et que les enfants avaient besoin de lui. Et, d'une certaine manière, c'était vrai. Les enfants étaient fous de lui. Le juge a quand même condamné Téo à verser quatre-vingt dollars à sa femme… devant témoins du ministère. Marie-Ange a vendu le téléviseur et un petit réchaud électrique.

Et elle est elle-même allée montrer l'argent au commissaire. Téo ne s'est occupé de rien. Téo ne s'occupait jamais de ces choses-là. Il ne s'occupait jamais de rien. Que de lui. Sauf quand la misère devenait intolérable. Il pouvait alors déployer des trésors d'ingéniosité, remuer ciel et terre, donner tout son temps, pour aider les siens à vivre mieux.

À moins qu'il ne puisse l'exécuter très rapidement, en quelques jours, il n'avait jamais mené un projet à bien. Il en avait cependant fait germer quelquefois autour de lui, des projets et des rêves, dans la tête de sa femme, de ses enfants, de ses amis. Sans trop s'en rendre compte. Quand il les voyait éclore, il les stimulait, les cultivait.

C'est ainsi, sans qu'il sache trop comment, qu'il avait mis dans la tête de sa fille Monica l'idée d'ouvrir un restaurant. Pour profiter de cette grosse clientèle qu'apporteraient bientôt dans le secteur la démolition du vieux Red Light et la construction sur ce site d'un complexe domiciliaire que les urbanistes et les aménageurs appelaient déjà les Habitations Jeanne-Mance.

Ce projet de restaurant avait mijoté pendant tout l'automne. Téo avait même fait des plans et dressé le menu, vingt menus. Il avait écrit à sa pauvre mère, toujours emprisonnée à Kingston, pour lui demander des recettes de pain, de pâtes et de sauce. Il a trouvé un emplacement, rue Saint-Dominique, côté ouest, juste au nord de la rue Ontario. Un nom : *Chez Monique*. La ville devait très bientôt commencer à démolir plusieurs pâtés de maisons dans ce secteur. Il y aurait un énorme chantier, plusieurs centaines de travailleurs de la construction qui constitueraient une bonne clientèle. Et, plus tard, les habitants des nouveaux quartiers.

Un peu avant les fêtes, Téo et Mario, parfois aidés de Burns, se mettaient à l'ouvrage. Ils ont refait le plancher, installé un comptoir et un évier, repeint les murs, trouvé cinq tables de bridge, vingt chaises qu'ils ont rafistolées. Il ne manquait plus que les permis de la Ville, une cuisinière et une friteuse… Si tout se passait bien, si Burns pouvait trouver, comme promis, les six ou sept cents dollars manquants, *Chez Monique* ouvrirait le 1er mars, en même temps que le chantier de démolition.

Téo ne s'était pas pour autant désintéressé de la petite Françoise. Il avait même fini par avouer à Marie-Ange qu'il sortait sérieusement avec elle. Mais qu'il avait du remords et que la peine qu'il lui faisait lui gâchait le bonheur qu'il aurait pu connaître. Et la pauvre Marie-Ange a pleuré. Autant, sinon plus, sur le drame que vivait son mari que sur son malheur à elle. Elle disait à Hélène : «Qu'est-ce que tu veux que j'y fasse? On ne peut pas empêcher un cœur d'aimer.» Elle se résignait, persuadée qu'on ne pouvait rien contre l'amour, qui a sa fatalité, qui est une sorte de maladie…

À l'automne, la rumeur s'était mise à circuler que la petite Françoise Auger était enceinte. Marie-Ange est allée la rencontrer au Woolworth où elle travaillait. Françoise eut un choc en la voyant arriver, les cheveux défaits, le manteau râpé, ouvert sur sa robe fripée, l'air fatiguée, vieillie, tenant nerveusement sa cigarette.

«Laisse-moi mon mari, lui disait Marie-Ange de sa voix rauque, les yeux rougis, hagards et fous, et je garderai ton enfant. Je vais l'élever comme s'il était à moi. Je vais l'aimer, je le jure sur la tête de mes enfants.»

Françoise s'est mise à pleurer et est allée se cacher dans l'entrepôt du magasin, où Marie-Ange a voulu la suivre. Elle lui demandait à travers la porte où ils faisaient l'amour, Téo et elle. Au *Boléro*? Dans les anciens bordels de la rue Berger? Le gérant est intervenu. Il a fermement ramené Marie-Ange à la porte du magasin.

Quelques semaines plus tard, un peu après les fêtes, Marie-Ange est retournée la voir pour lui dire qu'elle était enceinte, elle aussi. «Tu vois? Téo t'a trompée avec moi. Ce n'est pas un homme pour toi. Il va te faire souffrir. Moi, j'ai l'habitude. Laisse-le-moi, je prendrai ton enfant.»

Mais Françoise, cette fois encore, ne faisait que pleurer. Elle voulait cet enfant, et elle voulait Téo, elle aussi.

36

MICHAEL s'était acheté une Ford 55 bleu poudre, décapotable. Il n'aimait pas conduire. En voiture comme à pied, il s'égarait facilement, tant en ville qu'à la campagne. Il pouvait dessiner de mémoire la carte détaillée des Antilles et toute la côte africaine, de Casablanca au cap de Bonne-Espérance; il savait en un coup d'œil repérer dans le ciel nocturne Sirius, Deneb ou Bételgeuse. Mais dès qu'il s'éloignait un tant soit peu du Red Light et du Bord-de-l'Eau, il était tout à fait désorienté. Il laissait donc souvent le volant à Monica qui, ayant accédé à la majorité par son mariage, avait pu obtenir son permis de conduire malgré son jeune âge. Ils allaient rouler pendant des heures dans les Cantons-de-l'Est, dans les Laurentides. Un jour, ils se rendirent jusqu'à Québec, où ils ont passé la nuit.

Ils ont marché sur la terrasse Dufferin du Château Frontenac, devant le plus grandiose paysage que Monica ait jamais vu de sa vie. D'un côté, au-delà du fleuve, les puissants rouleaux des Appalaches qui déboulaient du fond de l'horizon; de l'autre, les puissants contreforts des Laurentides. Et, droit devant, l'île d'Orléans, comme une grosse barge lente et basse. La terrasse Dufferin ressemblait au pont d'un navire de guerre fonçant vers la mer.

C'est pendant cette promenade que, pour la première fois, Michael a parlé à Monica de son grand projet. Il ne lui a rien dit de précis, lui faisant seulement comprendre qu'il avait en tête un plan, une idée qui, lorsqu'elle se matérialiserait, ferait de lui un homme riche.

«Et après, on ira se promener, simplement. On traversera le monde.

– Et on aura des enfants.»

Ils ont marché dans l'air doux du couchant. Partir, bien sûr. Mais pour où? Pour nulle part, mon bébé. Pour être en mouvement, tout simplement. Et Monica rêvait avec lui. Leur but ne serait pas d'arriver où que ce soit, mais de voyager. Ils iraient dans de grands hôtels, dans des bals, des casinos tout illuminés. Il serait en smoking; elle, en robe longue. Et leurs enfants seraient avec eux, toujours bien habillés eux aussi, et ils auraient tous les jouets imaginables…

Jamais, devant Monica, Burns ne faisait allusion à ses activités criminelles. Jamais non plus il n'a voulu la mêler de quelque façon que ce soit à ses projets. Monica croyait ou faisait semblant de croire qu'il était en affaires, opérant divers trafics, vente de tableaux, de vins et de bibelots. Quand elle le voyait partir avec ses outils, toujours bien astiqués et huilés, à vingt-deux heures, tendu, nerveux, elle savait fort bien qu'il n'allait pas accorder des pianos, mais elle prenait plaisir à jouer à la petite fille naïve qu'on protège, à qui on cache le danger… Pour la première fois de sa vie, elle pouvait ne s'occuper que d'elle-même et de l'homme qu'elle aimait, de leur logement, des repas. Quand Burns lui remettait une liasse de billets de vingt ou de cinquante et même de cent dollars, elle ne lui demandait jamais d'où ils provenaient. Elle les cachait dans la maison ou le hangar. Sans compter.

De temps en temps, après qu'ils furent passés souper rue Sainte-Élisabeth, Burns lui disait : «Achète des souliers à ta mère», ou «Fais livrer de l'huile chez vous», ou «Va faire le marché avec Paula».

Et Monica exécutait les ordres bienveillants de son homme.

Burns s'était marié sous son vrai nom. Cependant, parce qu'il était recherché par la police canadienne, il avait produit de faux papiers le rajeunissant de cinq ans et le faisant naître à Édimbourg plutôt qu'à Stonehaven, un 4 décembre plutôt qu'un 1er janvier. Il est ainsi devenu citoyen canadien. Et il espérait pouvoir se fondre dans le milieu des truands montréalais où l'avaient introduit son ami Herbie et son beau-père Téo. Il avait son plan, son projet, la certitude qu'il le réaliserait tôt ou tard…

Ils s'étaient installés, «en attendant», rue Beaudry, dans un petit appartement propret, un peu à l'écart du Red Light. Avec l'aide de Mario, qui était toujours fourré chez eux, ils avaient décoré, repeint, installé des rideaux, posé de la tapisserie, un nouveau linoléum.

Le gros Herbie et Téo avaient fait savoir dans le milieu que Michael Burns était un habile perceur de coffres-forts, et ils l'avaient mis en contact avec la bande de l'Ouest et avec celle de Morissette, Marcotte, Reeves et compagnie, qui était alors dangereusement active. Burns s'était rapidement imposé comme un spécialiste des bris de serrures, ce que le législateur appelle l'effraction intérieure.

Il pratiquait également quelques petits commerces, il vendait des tableaux sur velours. Personne ne savait trop d'où venaient ces peintures. Beaucoup étaient très osées : des femmes entièrement nues, allongées sur des lits défaits, draps de satin noir… Et une, un jour, la plus chère : une femme attachée et bâillonnée, nue, jambes largement écartées, l'effroi dans son regard. Burns avait toujours en stock une douzaine de ces tableaux que d'éventuels clients triés sur le volet venaient examiner, et pour lesquels ils payaient le gros prix.

Il s'absentait parfois pendant quelques jours pour rencontrer, disait-il, de gros clients en Ontario, à Ottawa, à Toronto. Parfois même aux États-Unis, où il était interdit de séjour depuis le début des années 50. Il passait la frontière à Philipsburg, en voiture, ayant l'air d'un homme d'affaires, avec complet-veston, ses cheveux blanc bien lissés. Quand il rentrait, il menait la grande vie pendant quelques semaines. Mais il disait : «Ce n'est pas ça, je n'y suis pas encore, pas tout à fait.»

Il travaillait souvent dans la nuit du vendredi au samedi ou du samedi au dimanche, quand les bureaux et les banques étaient fermés. Le plus souvent, on lui proposait des opérations plus ou moins bien planifiées, telle banque, telle Caisse populaire, telle compagnie. On lui donnait un plan des lieux, parfois la marque du coffre-fort qu'il devait ouvrir, une idée de son contenu. Les premiers coups auxquels il avait participé, au cours de l'été, avaient été fructueux. Il avait donc rapidement acquis dans le milieu une certaine notoriété, celle d'un homme de sang-froid, pas très chaleureux, pas vraiment sympathique, mais qui travaillait vite et bien.

Soucieux de minimiser les risques, il n'acceptait de forcer un coffre-fort que lorsqu'il avait confiance en ses indicateurs. Or, ceux-ci n'étaient pas toujours à la hauteur, si bien qu'il prit l'habitude de vérifier lui-même chaque détail du plan. Il y trouvait presque immanquablement des failles, engueulait copieusement ses employeurs, exigeait un plus fort pourcentage des recettes, repréparait et replanifiait le coup.

Il ne conduisait jamais lui-même, car il connaissait mal la ville. L'un des guetteurs devait donc lui servir de chauffeur. Il déposait Michael sur les lieux, l'aidait à y pénétrer, puis retournait faire le guet. Michael aimait être seul quand il forçait un coffre. Il transportait ses outils dans des étuis de cuir qu'il s'attachait au corps, de sorte qu'il avait les mains libres si jamais quelque chose de fâcheux se produisait. Ses clés, ses limes et ses lames, ses mèches, ses pinces, chacune dans son fourreau, son stéthoscope dans le cou. Jamais d'arme.

Il se mettait au travail. En quelques secondes, il était tout entier à la tâche. Il entrait en esprit dans le mécanisme, l'imaginait, le visualisait. Et quand, après une série de déclics, le coffre-fort s'ouvrait, il éprouvait une joie si intense qu'il se demandait parfois si elle n'était pas supérieure au plaisir que lui procureraient l'argent ou les valeurs qu'il y trouverait. Car il y avait cet inconnu qui l'excitait aussi : on avait beau être bien renseigné, on ne pouvait jamais savoir avec certitude ce que contenait un coffre-fort.

Le 24 janvier 1958, par exemple, il était entré dans les bureaux de la Canadian Import Company, dans le port le Montréal, avec deux soldats de la bande, Trépanier et Frappier. Michael ignorait qui avait préparé ce coup, mais on lui avait laissé entendre que le coffre pouvait contenir jusqu'à vingt-cinq mille dollars, peut-être plus. Il avait donc accepté de travailler au pourcentage plutôt que d'exiger un forfait comme il faisait parfois. Le danger n'était pas bien grand. Le travail semblait routinier. Les profits pouvaient être intéressants.

Dès qu'ils furent sur les lieux, ils ont ligoté et bâillonné le gardien sans le molester. Ils ont même été très corrects avec lui. Pendant que Michael travaillait au coffre-fort, Trépanier et Frappier ont à deux reprises desserré ses liens parce qu'il commençait à manquer d'air et tenait des propos confus. Burns a peiné pendant trois heures. À cause du bruit des chaufferies, dont personne ne lui avait parlé, il ne parvenait pas à «entendre» correctement le mécanisme, de sorte qu'il a dû travailler à tâtons, un peu au hasard. Sans résultat.

Il s'est finalement résolu à découper la paroi du coffre-fort à la torche à acétylène, puis, à partir du moment où il risquait de mettre le feu au contenu, à terminer le travail à la foreuse électrique. Il a cassé deux mèches. Il était humilié, enragé. Ces deux imbéciles, Trépanier et Frappier, ne se gêneraient pas pour dire qu'il avait mis un temps fou à ouvrir le coffre, en utilisant des méthodes à la portée de n'importe quel soudeur.

Le coffre, sur lequel il avait sué tout ce temps, ne contenait que des papiers notariés sans valeur. Pas un sou. Michael aura une engueulade terrible avec l'indicateur qui leur avait laissé entendre qu'il contenait une fortune. Morissette, qui avait financé le coup, a été compréhensif et correct. Il a dédommagé Michael en lui allongeant un forfait de mille dollars en plus d'une substantielle avance sur un travail qu'il devrait effectuer au cours de la fin de semaine suivante, en Ontario.

Le 31 janvier, Michael est donc parti pour le nord de l'Ontario. Il avait passé une partie de la semaine à étudier le plan de la petite ville de Timmins que Morissette lui avait fait remettre, les rues et les places, les routes d'accès, même les boisés, les maisons isolées, les lacs et les rivières. Il avait en tête aussi un plan très détaillé de la banque et des rues avoisinantes.

Ils devaient rentrer le mardi, en passant par l'Abitibi, Témiscaming, Rouyn, Val-d'Or, une très longue route que le chauffeur, originaire de Ville-Marie, connaissait très bien. Burns se laisserait conduire. Il adorait voir défiler les paysages, même la nuit, quand on voit dans la fenêtre le reflet déformé du tableau de bord et de son visage. Ça lui rappelait le temps où il naviguait. Il s'asseyait toujours à l'avant, à droite du chauffeur. Il ne parlait pas.

C'est par la radio, alors qu'ils traversaient Malartic, le lundi en fin de journée, qu'il a entendu parler du drame épouvantable qui s'était produit pendant la nuit à Montréal, dans un vieux quartier du centre-ville en instance de démolition. Il a tenté de joindre Monica au téléphone. Il a ensuite appelé chez ses beaux-parents, où il n'a pas obtenu de réponse non plus. Alors, il sut que le pire s'était produit. Il a finalement trouvé le gros Herbie chez lui, qui lui a tout raconté au téléphone. Ils ont roulé toute la nuit. Ils sont rentrés à Montréal au petit matin.

37

L A FIN DE SEMAINE du 1ᵉʳ février 1958 avait commencé en douceur, par un brusque redoux. Le vendredi, pendant la journée, le mercure avait grimpé à près de 10 °C. Et le soir, tout s'était mis à fondre. Le lendemain matin, ça sentait le printemps dans les rues, le chlore et l'ozone, le moisi. Et tout le monde était en joie.

Le dimanche, à la tombée du jour, Monica s'était rendue rue Sainte-Élisabeth. La maison avait une drôle d'odeur, un mélange d'huile à chauffage et de gâteau au chocolat. Harold, le chambreur, était en train de remonter le carburateur de la fournaise, qu'il avait nettoyé. Et Marie-Ange préparait un gâteau de fête pour son mari, qui n'était évidemment pas là.

Le givre et le frimas qui, quelques heures plus tôt, masquaient le bas des vitres avaient fondu en petites flaques sous chaque fenêtre et le toit coulait dans les chambres du haut. Marie-Ange avait planté des clous au plafond, là où les gouttes apparaissaient. Elle y attachait une ficelle le long de laquelle l'eau glissait goutte à goutte jusqu'aux chaudrons ou aux seaux qu'elle avait placés dans les encoignures. Ainsi, il ne pleuvait pas dans les lits des enfants. Dans les chambres du haut, où pendaient toutes ces ficelles, on aurait dit de gigantesques toiles d'araignée…

Malgré la douceur du temps, il y avait de la tristesse dans la maison. Même les chansons du hit-parade de CFCF, même la voix si veloutée de Connie Francis chantant *Jealousy*, même les musiques de Little Richard et de Chuck Berry semblaient ternes. Elles flottaient nonchalamment dans l'air et pénétraient dans l'âme où elles se flétrissaient. Toutes les chansons du monde parlent d'amour. Et tout amour est triste.

Il fait tout à fait nuit quand arrive enfin Téo. Il joue distraitement avec les bébés, les chatouille et les cajole. Il aide Monica et Paula à mettre la table, à faire manger les plus petits. Pendant le repas, il s'anime, il parle du temps où il était petit, quand il avait sept ou huit ans, comme Giovanni et Marcello, qui sont suspendus à ses lèvres, charmés par cet homme qui sait tout, qui a tout vu, tout fait. Monica et Mario le regardent et l'écoutent en silence. Ils lui en veulent, ils savent qu'il ment, qu'il invente, qu'il trompe tout le monde.

Vers vingt et une heures, «on le savait, on l'aurait juré», dès que les garçons sont couchés, Téo va embrasser les tout-petits, Lisa et Michel, qui ont encore la couche aux fesses, et il annonce qu'il s'en va, simplement. Il est debout près de la porte, il dit à Marie-Ange qu'il sort. Monica, Mario et Paula regardent leur mère qui, dès le départ de son homme, fond en larmes. Quelques minutes plus tard, Mario sort aussi. Il remonte en courant la rue Sainte-Élisabeth jusqu'à la rue Ontario, rejoint son père, et il marche tout près de lui, presque collé à lui, leurs pas emmêlés, Téo trébuchant que Mario traite de sans-cœur, de chien sale. Ils pleurent tous les deux. Téo presse le pas, Mario aussi, et ils montent la rue Sanguinet presque au pas de course, tous les deux à bout de souffle. Et soudain Mario abandonne. Il regarde son père traverser la rue Sherbrooke, la tête basse. Jamais il ne s'est senti aussi proche de lui; jamais il ne l'a autant haï.

Il a froid tout à coup. Depuis la fin du jour, la température a considérablement chuté. Mario redescend vers la rue Ontario, vers ces pâtés de maisons qui seront bientôt démolis, qui n'appartiennent plus à personne, mais à la Ville, qui désormais ne se donne plus la peine de les entretenir. Certaines maisons sont vides déjà, béantes, pillées. Mario songe que sa mère a préparé ce gâteau au chocolat, le préféré de son père, et qu'elle s'est faite belle pour rien, pour faire encore plus pitié. Elle savait, tout le monde savait que Téo partirait. Mais elle est ainsi, Marie-Ange. Elle veut que sa peine soit totale. Pas de baume. Le cœur à vif, toujours.

À la maison, Mario trouve sa mère et ses sœurs Monica, Paula, Lola et Arlette devant le *Ed Sullivan Show*, toutes les cinq en chemise de nuit, blotties sur le divan, à regarder un magicien équilibriste, puis un crooner. Mario s'assoit par terre devant elles. Il est bien. Marie-Ange lui joue dans les cheveux. Elle laisse sa main flotter sur son épaule. Mario s'en empare doucement, la frotte contre sa joue, y dépose un baiser. Sa mère a les plus belles mains du monde, des ongles magnifiques. Ses sœurs, elles, Monica surtout, se rongent les ongles jusqu'au sang. Mario laisse la main de sa mère dans son cou, légère, chaude. Gazou, le très vieux Gazou, presque aveugle, puant l'huile à chauffage, est sorti de sous le lit après le départ de Téo, qu'il exècre toujours autant, et est venu s'allonger près de Mario. Il ronfle. Mario regrette de ne pas avoir frappé son père. Il l'aurait peut-être fait si celui-ci s'était défendu, mais Téo lui tournait le dos, et ça n'aurait rien changé. Et Mario avait compris que son père était impuissant, emporté par une force irrépressible… Marie-Ange elle-même l'avait dit : «On ne peut pas empêcher un cœur d'aimer.»

Quand Mario est monté se coucher, le givre s'était refait dans les vitres et le long des cadres des fenêtres, et le toit avait cessé de couler. On sentait le froid de nouveau pénétrant.

* * *

Harold le chambreur dormait souvent tout habillé, quand il faisait froid ou qu'il avait trop bu. Mario n'était donc pas étonné de le voir en chemise et en pantalon. Mais il s'est demandé un moment ce qu'il faisait ainsi debout entre les deux lits. Il avait l'impression que quelque chose de très lourd venait de tomber sur lui.

Puis il y eu un cri sauvage, déchirant, un hurlement. «C'est ma mère!», cria Mario. Puis il s'est retrouvé dans l'escalier aux côtés de Harold. Un mur de fumée montait lentement vers eux, suivi d'une lueur orange et chatoyante au-delà de laquelle des ombres s'agitaient, Marie-Ange en bas avec un enfant dans les bras, puis Monica, Paula peut-être, derrière elle. De longues flammes coulaient de la fournaise et montaient dans le tuyau qui tremblait au point que ses segments menaçaient de se détacher. Puis le réservoir d'huile s'est rempli de feu et a éclaté, une flamme liquide s'est répandue sur le plancher. Et la chaleur est devenue si forte que Mario est tombé à la renverse et a dû ramper vers le haut de l'escalier, où s'était déjà réfugié Harold.

Ces images, ces odeurs, ces cris, le hurlement affolé, animal, de Marie-Ange en bas de l'escalier, Mario savait que jamais il ne les oublierait. Et, par-dessus tout, le son lourd et vibrant du feu déchaîné, brutal. Il a couru dans la chambre des garçons, mais Giovanni et Marcello n'étaient pas dans leur lit. «Ils ont dû descendre avant que ça explose», songea-t-il. À l'arrière, Harold essayait de lever la fenêtre à guillotine, malgré la glace qui s'était formée tout autour et la maintenait hermétiquement fermée. Mario l'a poussée de toutes ses forces. Les carreaux ont cédé, et il y a eu, venant d'en bas, une sourde détonation. Harold et Mario ont senti un souffle brûlant les emporter, littéralement les pousser au dehors. Harold a glissé sur le toit incliné de la remise et entraîné Mario dans sa chute. Ils sont mal tombés tous les deux, tête-bêche, l'un se frappant dûrement le crâne, l'autre se tordant une cheville.

Réveillée par les cris et les flammes, Marie-Ange s'était précipitée au bas de l'escalier, le petit Michel dans les bras. Elle avait vu Mario et Harold qui tentaient de descendre. Quand le réservoir de la fournaise a explosé, elle a crié à Mario de s'occuper des garçons qui étaient couchés en haut et elle s'est dirigée vers la sortie. Elle voyait le petit jour gris au bout du corridor, la porte grande ouverte sur la cage de l'autre escalier, celui qui descendait vers la rue. Elle a marché longtemps, longtemps, le bébé dans les bras, vers la pâle lumière au bout du corridor. Puis il lui a semblé qu'elle flottait dans une immense pièce toute grise, tout enfumée, très vide... Elle était à demi inconsciente lorsque Monica et Paula, qui étaient sorties, sont rentrées, retenant leur souffle, et l'ont emportée, presque jetée en bas de l'escalier.

Marie-Ange est restée un long moment à genoux sur le trottoir glacé, hébétée, hagarde, secouée de sanglots et de haut-le-cœur, refusant de se séparer du bébé, Arlette et Lola près d'elle, pleurant.

Pendant ce temps, Monica et Paula couraient derrière la maison. En apercevant Harold et Mario en train de reprendre leurs esprits, elles se sont mises à hurler toutes les deux. Les enfants n'étaient pas avec eux. Giovanni, Marcello et Lisa étaient restés dans la maison. Paula est tout de suite repartie en criant du côté de la rue.

Avec Monica, qui comme lui était pieds nus, Mario a tenté d'arracher la vieille échelle de bois accrochée au mur du hangar. Mais elle était coulée dans une gangue de glace si dure qu'elle s'est finalement cassée sous leurs efforts. Alors, ils ont couru vers l'avant de la maison, où les voisins s'étaient attroupés et criaient. Mario, Monica et Paula ont vu tous ces gens qui regardaient fixement, immobiles et silencieux, le trou béant de l'entrée d'où s'exhalait un sourd feulement… Et ils ont compris que leur mère était retournée dans le feu. Après avoir entendu les cris de Monica et de Paula, elle avait remis le petit Michel dans les bras d'Arlette et elle était rentrée dans la maison. Mario et Monica ont voulu s'y précipiter aussi. Des gens, dont Théodore, leur voisin d'en bas, qui avait donné l'alarme et avait couru avertir les pompiers, les ont retenus. Paula, elle, a pu entrer.

Elle n'est pas allée bien loin. Quand les pompiers sont entrés, quelques minutes plus tard, ils l'ont trouvée recroquevillée devant la porte du salon, juste en haut du premier escalier. Marie-Ange était étendue un peu plus loin. Inconsciente elle aussi, affreusement brûlée. Elle tenait la petite Lisa dans ses bras. Monica et Mario ont vu le visage de leur mère couvert de cloques. Elle n'avait plus de cheveux, ses lèvres étaient gonflées, ses oreilles boursouflées, ses paupières bouffies.

La voisine d'en face avait fait entrer Arlette et Lola chez elle. Arlette tenait toujours le bébé dans ses bras. Debout devant la fenêtre, elles ont vu les ambulanciers emporter leur mère et leurs sœurs. Et soudain un sentiment effroyable s'est emparé d'Arlette. Le bébé que sa mère lui avait remis n'avait pas bougé ni pleuré, malgré les cris de tout le monde, malgré le froid. Elle l'a posé sur un fauteuil et, réprimant avec peine un mouvement de recul, elle a lentement écarté la couverture qui l'enveloppait. L'enfant avait les yeux ouverts, les lèvres bleues, la bouche ouverte, il ne respirait plus. Il était probablement déjà mort asphyxié quand Marie-Ange l'avait sorti de la maison.

On a retrouvé les deux garçons dans la cuisine, à l'arrière de la maison. Ils y étaient sans doute déjà quand Mario les cherchait en haut, dans leur chambre. Désorientés, noyés dans la fumée, écrasés par la chaleur, ils auront cherché la sortie du mauvais côté. Giovanni était déjà mort. Marcello mourra dans l'après-midi; et Lisa, deux jours plus tard.

Marie-Ange et Paula reposaient toutes les deux dans un coma profond, la mère à l'hôpital Notre-Dame, l'enfant à l'hôpital Sainte-Justine. S'ils croyaient pouvoir ramener Paula à la vie, les médecins n'entretenaient aucun espoir de sauver Marie-Ange. «À moins d'un miracle», avait dit le docteur Deshaies. Et encore, ce serait un miracle maudit et honni, amèrement regretté. Si jamais Marie-Ange vivait, elle serait très certainement aveugle, elle n'avait plus d'oreilles, elle n'aurait plus de cheveux, elle ne pourrait pratiquement plus se servir de sa main gauche, elle ne marcherait probablement plus jamais, elle vivrait dans des souffrances physiques et morales intolérables.

Monica et Mario avaient néanmoins choisi de croire au miracle. Tous les jours, ils allaient voir leur mère à l'hôpital Notre-Dame. Mario prenait sa main droite dans les siennes, sa main restée intacte, si belle et si douce, aux ongles encore parfaitement nacrés. Il l'ouvrait doucement, y posait sa bouche, son front, et restait ainsi un long moment, sans bouger, sans pleurer.

Les enfants seront exposés au salon funéraire Pelletier, au 1575 de la rue Sainte-Catherine Est. Les funérailles auront lieu à l'église Notre-Dame-du-Mont-Carmel, boulevard Dorchester, là où Monica s'était mariée l'hiver précédent. Ce fut l'un des derniers services religieux célébrés en cette église. Quelques jours plus tard, elle était fermée. Et au printemps, elle fut jetée à terre comme beaucoup de maisons du côté nord du boulevard Dorchester, qu'on avait entrepris d'élargir.

Arlette et Lola avaient subi toutes les deux un violent choc nerveux et des brûlures mineures. Mario s'était foulé une cheville, infligé de vilaines coupures à une jambe et au visage, et, parce qu'il avait passé près de deux heures nu-pieds, avait récolté de graves engelures et une double pneumonie. Monica s'était fait à l'avant-bras gauche une longue et profonde estafilade qui se terminait en Y sur le poignet, sans doute au moment où, avec Mario, elle avait tenté d'arracher l'échelle du mur de glace qui couvrait le hangar. Seul des onze membres de la famille, Téo était indemne. Monica et Mario s'étaient juré de ne plus jamais lui adresser la parole.

N'empêche qu'on a parlé des larmes de Téo jusque dans les journaux, jusqu'à la une de *La Presse* du samedi 8 février. Le journaliste, avec les trémolos à la mode du temps, a campé le personnage dans le corridor de l'hôpital, pauvre homme prostré, écrasé par sa peine, qui s'en voulait terriblement d'être parti si tôt ce matin-là, mais c'était pour bien faire, il travaillait à installer un comptoir dans le restaurant de la rue Saint-Dominique que devait ouvrir sa fille Monica au printemps.

Dès qu'il eut lu ce récit, Mario est parti pour l'hôpital, où il espérait trouver son père et lui dire sa façon de penser. Qu'on puisse ainsi mentir quand sa femme et ses enfants se mouraient lui semblait odieux. Mais il trouva son père si accablé qu'il fut incapable de lui parler. Comme le dimanche soir précédent quand il l'avait suivi dans les rues, il a senti qu'il était possédé, emporté par une force à laquelle il était incapable de résister. Il lui en a quand même voulu énormément. Son père avait une consolation, si terrible et déchirante fût-elle : Françoise, l'amour, l'avenir. Dès que Mario l'eut quitté, sa rage contre lui est revenue.

La mère de Téo, la vieille Anna, avait obtenu une permission spéciale pour sortir de prison. Elle était venue de Kingston passer quelques jours auprès de sa famille. Elle avait maintenant soixante-six ans. Elle souffrait gravement d'asthme cardiaque, ahanant ou suffoquant au moindre effort. On l'a installée chez Monica et Michael, qui venaient d'emménager rue Sanguinet, juste en haut de la rue Ontario. Anna Sparvieri n'était plus la femme forte d'autrefois, la grande pourvoyeuse capable de voir à tout, de rassurer, de défendre farouchement les siens. Elle était défaite et brisée, amaigrie. Voilà qui ajoutait à la colère et à la peine de Monica et de Mario. Ils étaient attristés de voir que leur grand-mère avait perdu en prison cette formidable énergie qui en faisait la terreur du quartier, qui lui permettait de nourrir et de protéger sa famille, de chasser la misère.

Anna n'a cependant pas eu pitié de son fils aîné. Elle a questionné les enfants jusqu'à ce qu'elle sache où il était, la nuit du grand feu. Et, contrairement à Mario qui comprenait confusément son père et lui pardonnait presque, elle l'a accusé des pires maux, l'a tenu responsable. «C'est Dieu qui te punit.»

Marie-Ange est morte le 11 mars, après avoir repris connaissance pendant de courtes périodes au cours desquelles elle a demandé à plusieurs reprises qu'on ne laisse pas son mari entrer dans sa chambre. On ne saura jamais pourquoi. Parce qu'il lui était devenu odieux? Ou parce qu'elle se savait affreuse et ne voulait pas, elle qui l'avait tant aimé, qu'il la voie ainsi?

Quand elle a vu arriver son père au salon funéraire en compagnie de sa nouvelle maîtresse enceinte de huit mois, Monica n'a pu se contenir. Devant ses sœurs et son frère, ses oncles et ses tantes, ses deux grands-mères, tous les amis de la famille, et Frank Shoofey, Morissette aussi, et des journalistes, des curieux venus visiter le malheur comme une attraction, elle l'a apostrophé, sans jamais cependant le regarder. Elle était debout au milieu du salon, devant le cercueil de sa mère, la tête légèrement inclinée. Elle s'est mise à parler d'une voix sourde, vibrante, et tout le monde s'est tu. «T'es content, hein? Maudit chien sale! T'es enfin débarrassé de ta femme. Et tu n'auras même plus à t'occuper de tes enfants. On va se débrouiller sans toi. Et même mieux qu'avec toi. Tu peux refaire ta vie.» Et elle est sortie en pleurant. Ses sœurs et son frère l'ont suivie.

38

Les enfants de Téo et de Marie-Ange pouvaient effectivement s'arranger tout seuls. Ou avec un peu d'aide de Burns et de Monica. Les jumelles Lola et Arlette avaient eu quatorze ans à l'automne, et Mario aurait bientôt dix-sept ans.

Pendant quelques semaines, les jumelles sont allées vivre chez Memére Lafontaine, qui fondait en larmes chaque fois qu'elle tentait de parler et dont les sanglots les réveillaient parfois au milieu de la nuit. Chaque jour, en fin d'après-midi, la tante Hélène passait faire son tour. Elle essayait bien vainement de faire manger sa mère. Elle buvait de la bière en silence, souvent jusqu'à se rendre malade. Et Julien la ramenait chez elle. Un jour, Téo est venu frapper à la porte. Il voulait voir ses filles. Julien lui a fermé la porte au nez.

Mario s'était installé chez Monica, où il avait déjà ses habitudes. À la mi-février, avec un peu d'aide de la Société Saint-Vincent-de-Paul, des pompiers et de son beau-frère Michael Burns, il avait pu réaménager un rez-de-chaussée de la rue Sainte-Élisabeth, en face de leur ancienne maison, juste à côté de Théodore le Hongrois, dont le logement considérablement endommagé par l'eau avait été épargné par les flammes. Mais le jour où Arlette et Lola sont venues pour s'installer rue Sainte-Élisabeth, près de deux mois après le drame, elles furent toutes deux prises de tremblements et de nausées avant même d'entrer, terrorisées à la vue de la maison sinistrée dont les fenêtres aux cadres calcinés béaient horriblement, et bouleversées par l'odeur de cendre froide et mouillée qui semblait émaner des murs, lourde et visqueuse, pénétrante. Le soir même,

Mario a ramené ses sœurs chez Memére et a continué de vivre scul dans son taudis.

Chaque jour de ce printemps, il allait à l'hôpital Sainte-Justine prendre des nouvelles de sa sœur Paula. Quand il arrivait à l'étage où se trouvait la chambre de sa sœur, l'effroyable odeur de chair en putréfaction lui chavirait le cœur. Même inconsciente ou endormie par les médicaments, sa sœur criait, gémissait et pleurait. Le médecin avait dit à Monica qu'aucun malade ne souffrait plus qu'un grand brûlé.

Paula était allongée à plat ventre, toute nue, sur un lit. Pendant des semaines, elle a déliré, réclamant sa mère souvent à grands cris. Puis sa tante Hélène. Et Hélène est venue. Sa présence calmait Paula. Hélène restait des heures auprès d'elle, à tricoter ou à regarder la télévision. Elle était heureuse, parce qu'à l'hôpital elle ne buvait pas. Quand elle s'est rendu compte que sa voix apaisait sa nièce, elle s'est mise à lui parler, à lui chanter des berceuses, à lui lire les journaux, à lui raconter par le menu les derniers épisodes de *La Famille Plouffe*, des *Belles Histoires des pays d'en haut*, du *Survenant*. Paula n'émergeait pas pour autant de son coma, mais elle était nettement moins agitée. Ce n'est que lorsqu'elle a retrouvé tout à fait ses esprits, six mois plus tard, qu'Hélène lui a appris la mort de sa mère, de ses trois frères et de sa petite sœur. Et pendant trois jours, Paula a refusé de voir sa tante…

Lorsqu'il lui rendait visite, Mario prit l'habitude de traverser le mont Royal à pied pour rentrer chez lui. Après s'être égaré quelques fois et s'être retrouvé au lac des Castors, derrière l'université McGill et l'hôpital Victoria ou sur le chemin Cedar, il s'est finalement tracé un sentier qui menait à l'avenue du Parc, un peu au-dessus de l'avenue des Pins, après avoir longé l'abrupte falaise du haut de laquelle il pouvait, sans être vu, regarder la ville. Et il flânait parfois là-haut pendant des heures, ne pensant à rien, seul, oubliant l'horreur. La rumeur de la ville montait vers lui, avec ses borborygmes, ses sirènes et ses klaxons…

Monica lui avait rapporté cette histoire que racontait leur père, qui prétendait que des milliers de gens autrefois habitaient à l'intérieur du mont Royal dans de grandes cavernes bien aménagées, chauffées par la chaleur du volcan endormi, et dont les entrées gardées secrètes n'étaient plus connues aujourd'hui que de quelques personnes. Mario ne croyait pas du tout à cette légende, pas plus qu'il ne croyait aux innombrables histoires que son père racontait. Mais il ne pouvait s'empêcher de regarder de temps en temps dans les anfractuosités du rocher, et de chercher, sans trop y croire, une entrée. Et il rêvait de trésors fabuleux, d'aventures incroyables.

Mais, au fur et à mesure qu'il descendait vers la ville, la grisaille l'enveloppait, la tristesse l'écrasait. Il avait dix-sept ans. Il avait laissé l'école depuis déjà un bon bout de temps. Il n'avait plus de mère, plus de père, plus d'espoir que la vie puisse un jour être meilleure…

Michael Burns se débrouillait tant bien que mal pour faire entrer un peu d'argent et veillait à ce que les plus jeunes, Lola et Arlette, soient bien nourries, convenablement vêtues. Mario était en admiration devant son beau-frère. Il voulait lui ressembler. Il s'était mis à se peigner comme lui, à entretenir de longs silences comme faisait Burns, à imiter ses airs blasés, à parler comme lui d'une voix posée, douce, feutrée. Il n'a jamais réussi cependant à boire comme lui. Jamais non plus il n'a eu cette aura de mystère que son beau-frère partageait avec eux qui sont venus d'ailleurs, qui ont voyagé au loin et vu et côtoyé d'autres mondes. Mais il a pris sa colère. Il s'est donné, lui aussi, l'air du crime…

Pendant l'été, Burns avait entrepris de lui parler de son grand projet, sans cependant lui en dévoiler la nature. Il lui confiait certaines tâches – surveillance, repérage, courses –, de mieux en mieux rémunérées. Et bientôt Mario put laisser tomber son emploi à la ferblanterie Marquis.

Après la mort de Marie-Ange, le projet de restaurant avait été définitivement abandonné. Téo n'était plus là pour le soutenir. Il avait quitté le Red Light et s'était installé quelque part dans le nord de la ville, d'où il ne descendait que rarement pour rendre visite à ses enfants. Entre eux et lui, l'agressivité s'était dissipée, mais une gêne profonde subsistait. Ils ne lui posaient jamais la moindre question, n'avaient pas cherché à savoir où il habitait, quel était son numéro de téléphone, comment il gagnait sa vie, quel était le sexe de l'enfant dont Françoise devait avoir accouché au tout début du printemps, quel nom ils lui avaient donné. Ils lui offraient un café ou une bière, une cigarette, et ils se regardaient, se souriaient parfois, ne se disaient presque rien…

S'il souhaitait rester en contact avec ses enfants, Téo avait coupé les ponts avec la *Main* et le milieu, où il s'était fait quelques ennemis sans humour qui n'acceptaient pas d'avoir été roulés par lui. À quelques reprises, presque autant pour le plaisir de jouer un tour que par appât du gain, Téo avait en effet volé les voleurs qui opéraient dans le quartier, ce qui, en son âme et conscience, ne constituait pas une faute. Il connaissait les caches de plusieurs receleurs du Faubourg-à-Mélasse ou les plans de vol ou les acheteurs éventuels. Il intervenait au moment judicieux, s'emparait du butin ou, mieux encore, se faisait payer à la place des voleurs.

Ainsi, un jour, des jeunes avaient volé le cheval du livreur de glace qui passait dans le quartier. Le gars était monté livrer ses cubes au troisième étage d'une maison de la rue de la Visitation. Quand il en est ressorti, son cheval avait disparu. Informé de l'incident, Téo s'était mis à réfléchir. Il était vite venu à la conclusion que les voleurs n'avaient pas pu se promener bien longtemps dans les rues du quartier avec un cheval harnaché que plein de gens connaissaient. Ils avaient dû le cacher quelque part ou même l'atteler à une autre voiture garée en un lieu sûr. Et ils ne quitteraient la ville avec lui qu'à la faveur de la nuit. C'était ce qu'il aurait fait; c'était la seule chose à faire.

Il est allé rôder du côté du marché Saint-Jacques où, moins de trois heures après le vol, il a repéré le cheval, effectivement attelé à une voiture de fruits et légumes. Il s'en est emparé, est allé cacher la voiture dans un garage du voisinage et a conduit le cheval, toujours harnaché, quelques rues plus loin, où il l'a laissé en liberté. Deux jours plus tard, la voiture était repeinte, revendue. Et le marchand de glace avait retrouvé son cheval. Tout le monde, même le légumier du marché Saint-Jacques, qui avait volé le cheval et s'était fait voler sa voiture, connaissait le rôle qu'avait joué Téo dans cette affaire.

Une autre fois, deux jeunes voyous avaient vidé la petite manufacture de robes située au-dessus du *Pal's Café*. Ils ont entassé la marchandise dans un camion qu'ils ont garé à l'arrière de la boutique d'un regrattier de la rue Craig. Un troisième larron devait venir au petit matin chercher le précieux camion et le conduire à Trois-Rivières et à Québec, où la marchandise serait revendue. Mais à l'aube, le camion n'était plus là. De mèche avec le propriétaire de la manufacture volée qu'il avait lui-même prévenu, Téo s'en était emparé, avait entreposé les robes en lieu sûr et s'était débarrassé du camion. Il était rentré chez lui quand, à huit heures du matin, le propriétaire de la manufacture déclarait le vol à la police. Il a touché l'assurance, écoulé les robes volées auprès de ses clients habituels, et partagé les bénéfices avec Téo.

À cause de toutes ces frasques qu'on se racontait de bouche à oreille, Téo laissait sur la *Main*, surtout auprès des hommes et des femmes de la génération de Marcotte, Morissette, Reeves, une véritable légende, celle d'un personnage haut en couleur, grand joueur de tours et bon vivant, plus intelligent et rusé que la moyenne des ours… Cependant, ceux aux dépens de qui s'étaient constituées cette réputation et cette légende ne portaient pas Téo dans leur cœur. Il avait donc choisi de faire de l'air.

39

Eₙ ₛₑₚₜₑₘBₑₑ, Burns était arrêté et incarcéré pour vol avec effraction et possession d'outils de cambrioleur. Plusieurs de ces outils étaient introuvables dans le commerce. Ils avaient été modifiés ou fabriqués de toutes pièces. C'était pour Michael une perte grave.

Monica et Mario se trouvaient de nouveau orphelins, plus esseulés et démunis que jamais. Depuis la mort de Maréchal, Mario s'était éloigné depuis trop longtemps de Flo Gravel et de l'organisation du *Pal's Café* pour pouvoir espérer s'y refaire une niche intéressante. Les gars ne le laisseraient certainement pas rentrer dans le milieu et y occuper avant longtemps une fonction lucrative. La prostitution lui était également fermée. Il pourrait peut-être se trouver une fille ou deux, mais les autres souteneurs ne le laisserait sans doute pas opérer librement sur leur territoire. Il devrait recommencer au bas de l'échelle...

Par ailleurs, travailler seul est toujours difficile et dangereux. Un voleur a besoin d'être encadré et secondé. Il lui faut plusieurs paires d'yeux, d'oreilles, de bras... Mario était donc dangereusement esseulé. Il tenta, mais en vain, de retourner travailler chez Marquis, puis de se placer dans les ateliers de mécanique du quartier et même à l'usine Canadair, près de laquelle habitait maintenant son père.

Début octobre, moins de trois semaines après l'arrestation de Michael, Monica découvrait avec stupeur qu'elle était enceinte. Elle se disait, en se rendant à la prison de Bordeaux annoncer la nouvelle à son mari, qu'elle devrait normalement être catastrophée, et qu'il serait probablement en colère, lui que la prison rendait déjà taciturne et amer. Il avait souvent dit à Monica qu'il ne souhaitait pas avoir d'enfants avant d'avoir réussi son grand coup et s'être donné les moyens de vivre honorablement. Elle accoucherait à la mi-mai, à peu près au moment où il serait libéré. Ils n'auraient pas un sou, pas de job ni l'un ni l'autre; elle ne pourrait peut-être même pas garder ce petit appartement de la rue Sanguinet qu'elle aimait tant.

Michael Burns, d'abord abasourdi, accueillit la nouvelle avec joie, comme si elle avait déclenché en lui la certitude qu'ils s'en sortiraient tous, qu'un miracle se produirait, comme si cet enfant allait, en naissant, apporter la solution à tous leurs problèmes.

Ils étaient maintenant confrontés à la nécessité de trouver de l'argent d'une manière ou d'une autre. Ils avaient enfin un but, une échéance, du nouveau.

* * *

Un samedi après-midi de fin d'automne, Mario venait de descendre du mont Royal et, après avoir traversé le Red Light déjà à moitié démoli, s'apprêtait à monter chez Monica quand il aperçut juste en bas de chez elle, dans la rue Sanguinet, une auto immatriculée au Massachusetts. À l'époque, plusieurs modèles de voitures étaient munis d'une petite fenêtre triangulaire qui s'ouvrait en deux secondes avec un tournevis ou un coup de genou. Sans réfléchir, Mario l'a défoncée. Sur la banquette arrière, il a trouvé des vêtements, un cartable, des livres; et dans le coffre à gants, un appareil photo et trois paquets de cigarettes. Il a ramassé tout ce qu'il a pu et s'est sauvé. Il est revenu deux heures plus tard avec un arrache-clou et il a ouvert le coffre arrière. Il y avait là un trésor : trois valises remplies de vêtements de femme et d'homme. Il se demandait comment des gens aussi riches se trouvaient dans un endroit pareil, à proximité d'un quartier en démolition que ne fréquentaient plus que les rats et des voyous.

Le Red Light n'existait plus. Du côté ouest, on avait commencé à construire les fameuses tours à logements qui, selon le maire Sarto Fournier, garderaient le bon petit peuple au centre-ville. En attendant que ce soit prêt, certaines familles s'étaient entassées dans des logements du Faubourg-à-Mélasse, dans des hangars parfois, dans des sous-sols sommairement aménagés. D'autres, plus fortunées, étaient parties vers les nouvelles banlieues, où elles occupaient des maisons neuves et propres avec de la pelouse et des plates-bandes tout autour. Mais ce n'était pas si simple. Il fallait avoir une voiture, les moyens, le goût de quitter ce petit coin du monde où on était né, où on avait toujours vécu, dont on connaissait tous les coins et recoins. Beaucoup de gens étaient incapables de s'exiler ainsi.

L'hiver fut rude, froid et long. Heureusement, Mario, unique pourvoyeur de la famille, était entré en janvier comme apprenti dans un atelier de débosselage de Tétreaultville, où il travaillait, dans ses moments libres, à refaire en cachette le trousseau de son beau-frère toujours en prison et à fabriquer des outils de cambrioleur d'autos. Il avait trouvé un grand appartement pour Lola, Arlette et lui, rue Ontario, entre les rues Saint-Denis et Berri, à deux pas de chez Monica. Il en avait repeint les murs et, pris d'une frénésie de restauration, avait tout rafistolé, remplacé les linoléums, repeint murs et plafonds, installé un chauffe-eau et une douche.

En mai, tout est arrivé en même temps. En l'espace de deux semaines, Paula est sortie de l'hôpital, Michael de prison, et Debbie du ventre de sa mère, le 17 mai 1959.

Paula devait retourner régulièrement à l'hôpital pour divers traitements. Son corps était guéri, mais il resterait marqué très profondément. La peau de ses bras, de tout son dos, de ses fesses et de l'arrière de ses cuisses était horriblement flétrie et fripée. Elle ne dépliait son bras droit qu'avec difficulté. Mais son visage, que le feu avait épargné, était resté remarquablement beau. Ses seins aussi, encore très pleins, très fermes. Et ses cheveux étaient plus fournis encore qu'autrefois.

Rue Ontario, on lui avait réservé la chambre la plus spacieuse, celle qui donnait sur la cour et la ruelle, ainsi que le meilleur lit, au pied duquel Mario avait installé un gros téléviseur Admiral. Les quatre sœurs, auxquelles se joignait souvent la tante Hélène, passaient leurs journées dans cette chambre, à jouer à la poupée avec Debbie. Elles jouaient à se maquiller, se friser, se déguiser. Quand Mario rentrait en fin de journée, il les trouvait souvent toutes les quatre au lit, en chemise de nuit. Mais le soir, presque immanquablement, Paula pleurait.

Ses médecins prétendaient qu'on n'avait jamais réussi à sauver quelqu'un d'aussi gravement brûlé qu'elle. Et que c'était parce qu'elle voulait vivre de toutes ses forces qu'elle s'en était sortie. «Ce n'est pas vrai. Je voulais mourir, disait-elle. Et je veux encore mourir. N'importe quelle fille à ma place voudrait mourir.» Elle en voulait aux médecins qui l'avaient sortie de la mort. «J'ai été leur cobaye, disait-elle. Ils se sont servis de moi pour faire toutes sortes d'expériences.»

Elle était restée fâchée; en elle frémissait un bouillon d'humeurs imprévisibles qui tantôt la laissaient défaite et brisée, tantôt la poussaient à d'énormes colères ou à d'incontrôlables crises de larmes. Elle se rendait compte qu'il lui faudrait recommencer à vivre avec sur le dos cette enveloppe déchirée, brûlée, faite de ces lambeaux de peau qui avaient pourri et séché sur elle, qui s'étaient accrochés à elle, à ses bras et à ses jambes, à ses cuisses, à ses fesses. Et elle croyait parfois retrouver sur son corps l'odeur nauséabonde dans laquelle elle avait trop longtemps baigné.

Mario continuait d'aller faire un tour sur la *Main* de temps en temps. Il y rencontrait parfois Frank Shoofey. Mais ils se parlaient à peine. Une sorte de gêne était née entre eux. Mario n'était plus sur la *Main* qu'un client parmi d'autres à qui on faisait payer sa bière; Frank, lui, avait continué de tisser habilement son réseau de contacts, à se faire connaître et apprécier de ses futurs clients. Il entrerait bientôt à l'université McGill, en droit. Il vivait déjà dans un autre monde. Depuis trois ans, il passait ses étés à Las Vegas, où il travaillait à l'hôtel MGM Grand et au casino que dirigeait son oncle Alex. Mario était pris d'un furieux vague à l'âme chaque fois qu'il le rencontrait. Frank avait la pleine maîtrise de sa vie. Et lui, Mario, ne tenait à rien. Il était emporté de-çà de-là, pareil à la feuille morte, par ce furieux tourbillon dont l'épicentre semblait se trouver au cœur du Red Light démoli et qui soulevait, tout autour, des passions étranges et folles. Il y avait trop de bruit, trop de poussière, de trop grosses machines qui, du matin au soir, faisaient tout vibrer, même l'air et la lumière, même les pensées des gens, et créaient chez tous une sorte de délire, d'ivresse. Trop d'animation, trop de vie.

Jamais on n'avait signalé, au poste de police numéro 4 de la rue Ontario, autant de gestes déments, excessifs, irraisonnés,

251

spectaculaires et gratuits. Des courses d'autos improvisées et des concours de démolition rue Sherbrooke, des scènes de nudisme, beaucoup d'exhibitionnisme, des comportements excessifs. Les enfants Sparvieri, qui, au cours de l'année précédente, avaient vécu des drames épouvantables, étaient plus que quiconque sensibles à ces vibrations…

Ainsi, le jour où Mario découvrit que sa sœur Arlette fréquentait un certain Dionne, décorateur de son métier, qu'il prétendait homosexuel, il est entré dans une colère démente et a posé des gestes qui auraient pu avoir des conséquences tragiques. Il est allé rencontrer Dionne pour lui dire qu'il ne tolérerait pas qu'il fréquente sa sœur, parce qu'il ne voulait pas de taré dans sa famille. L'autre a pris peur et a signifié le soir même à Arlette qu'il voulait rompre. Celle-ci, en larmes, est allée se plaindre à Monica qui, enjoignant à son frère de laisser Dionne tranquille, a eu cette phrase malheureuse : «De toute façon, il n'est pas plus tapette que toi. Tu es seulement jaloux parce qu'il a une belle auto.» Et Mario a pris feu. Il savait, Monica savait, tout le monde savait que tout cela n'était qu'un jeu, qu'une scène de cet étrange théâtre qui se jouait quotidiennement aux abords du Red Light. Il savait aussi, comme Monica, qu'il la jouerait jusqu'au bout.

Quelques jours plus tard, en plein jour, il aperçoit, rue Sainte-Catherine, sa sœur Arlette en compagnie de Dionne, bras dessus, bras dessous. Il va chercher une barre à clou et, devant témoins, rue Saint-Denis, juste en haut de la rue Émery, il brise les phares et le pare-brise de l'Impala de Dionne. Puis, après avoir jeté la barre à clou sur le siège avant, il s'en va souper dans le petit restaurant très couru qui faisait le coin des rues Sanguinet et Émery, juste en face du chantier de démolition.

Il était en train de manger sa soupe aux coquilles quand un garçon d'une douzaine d'années, tout essoufflé, est venu lui dire que sa sœur Monica le cherchait. Elle habitait tout près, sur Sanguinet, juste au nord de la rue Ontario, dans cette maison où Debbie était née. Mario a tranquillement fini sa soupe, a demandé à la serveuse de garder son pâté chinois au chaud et est parti à la rencontre de sa sœur. Il n'avait pas fait trois pas qu'il l'a aperçue qui descendait la rue Sanguinet avec la 22 long rifle de leur père, en plein jour, devant tout le monde, à deux pas du poste 4.

Il est tout de suite allé vers elle, mais, avant qu'il n'ait le temps d'ouvrir la bouche, elle lui a pointé le canon de la 22 en plein front et lui a dit que leur sœur Arlette était en larmes à cause de lui, qu'il devrait s'occuper de ses oignons et qu'il était jaloux et peut-être lui-même tapette. Mario sait bien, tout le monde savait que tout ça n'était qu'un jeu, qu'une folie, du théâtre. Il marche vers sa sœur, lui arrache la 22 des mains, la repousse, la secoue, lui dit de s'occuper elle aussi de ses oignons... Ils sont là tous les deux à crier en pleine rue, et les gens les regardent, Mario avec la 22 long rifle de son père dans les mains, Monica qui a perdu un soulier dans la lutte. Finalement, elle fait demi-tour en criant d'autres insanités à son frère, qui lance la carabine dans sa direction et l'atteint à la jambe. Elle ramasse l'arme, se retourne et, sans viser, tire aux pieds de Mario.

La balle laisse une courte trace blanchâtre sur le ciment du trottoir. Mario pousse un cri et tombe en se tenant la jambe à deux mains. Après un court moment de stupeur, Monica se jette sur lui en pleurant, en criant : «J'ai tué mon frère, j'ai tué mon frère!» Elle l'embrasse. Elle est pratiquement couchée sur lui. Devant tout ce monde qui les regarde, les ouvriers du chantier voisin, la fille du restaurant qui venait de servir Mario, le jeune garçon venu l'avertir que sa sœur le cherchait, Arlette et Lola accourues derrière Monica, quelques passants, les gens aux balcons, Mario réussit tout de même à se relever. Il repousse sa sœur et rentre à la maison en claudiquant, laissant à chaque pas quelques grosses gouttes de sang sur le trottoir. Elle le suit en pleurant, la 22 dans les mains. Arrivé chez lui, rue Ontario, il lui ferme la porte au nez et la verrouille. Paula s'est levée, affolée. Elle aide Mario à se déchausser et entreprend de lui faire un pansement, pendant que Monica frappe à la porte, crie et pleure, finit par se taire et partir.

Après avoir ricoché sur le trottoir, la balle a traversé la jambe, sous le mollet. Elle a dû toucher des nerfs, elle a peut-être sectionné le tendon d'Achille. La douleur vient, lancinante. Paula a presque convaincu son frère de se rendre à l'hôpital lorsqu'on frappe de nouveau. «Police!» Mario se lève, sautille jusqu'à la porte, écarte le rideau, se retrouve face à face avec deux agents du poste 4 derrière lesquels se tiennent ses trois sœurs, Monica, Lola et Arlette, en larmes. Il ouvre.

Monica était allée dire aux policiers, parmi lesquels se trouvait Martin Paquin, un ami d'enfance de Mario, qu'elle venait de tirer sur son frère, puis elle les a amenés chez lui, pleurant toujours. Elle se jette aux pieds de son frère et entreprend de refaire son pansement pendant que Mario tente d'expliquer aux policiers qu'ils n'ont rien à faire dans cette histoire. Mais ils disent à Mario qu'ils vont l'emmener à l'hôpital d'abord et qu'ils iront ensuite au poste pour sa déposition. Mario leur répond qu'il n'a pas de déposition à faire, qu'il est tombé tout simplement, qu'un clou rouillé lui est entré dans la jambe. Et qu'il est écœuré, comme tout le monde du quartier, de vivre dans ce maudit chantier. Les policiers veulent voir le clou, le lieu où l'accident s'est produit. Ils disent que ce serait plus simple pour tout le monde s'il admettait que c'est sa sœur qui a tiré sur lui et s'il portait plainte, car elle a déjà avoué, de toute façon. Mario répète que Monica est une cinglée, qu'elle invente sans cesse des histoires pour se rendre intéressante. Monica pleure. Arlette et Lola aussi. Paula se tait.

Finalement, Mario se retrouve à l'hôpital Saint-Luc. Il attend avec ses sœurs dans une salle aux murs verdâtres où paraît soudain un jeune médecin tout souriant et frais, un Noir. Mario se lève, outré : «Comment? Tu n'es pas en Afrique, toi? Tu sauras qu'il n'est pas question qu'un nègre me touche.» Mario considère que les étrangers, surtout ceux d'une autre race, sont des traîneries dans la société, et que chacun doit rester à sa place : les macaronis au pays des macaronis, les requins dans la mer, les rats dans les égouts et les nègres en Afrique…

En 1960 à Montréal, les Noirs étaient de très rares curiosités de la nature et ils exerçaient sur la plupart des gens une fascination amusée et bienveillante. Il s'agissait surtout d'intellectuels et de professionnels haïtiens qui, fuyant les tontons-macoutes de François Duvalier, étaient généralement plutôt bien accueillis dans les collèges où ils enseignaient et les hôpitaux où ils pratiquaient. Celui qui eut affaire à Mario fut si étonné de sa réaction qu'il choisit d'en rire et s'éclipsa. Deux heures plus tard, Mario attendait toujours qu'on s'occupe de lui. Le sang ne coulait plus, mais la douleur était devenue intolérable et l'articulation totalement immobilisée. Finalement, Monica est partie à la recherche du médecin noir et en a trouvé un blanc qui est venu examiner Mario, l'a rassuré, «rien de cassé, rien de sectionné non plus», l'a pansé proprement et lui a fait administrer un sérum antitétanique. Trois jours plus tard, clopin-clopant, Mario quittait l'hôpital et se rendait directement au poste 4 pour récupérer la 22 long rifle de son père que le sergent Martin Paquin, en souvenir de leur vieille amitié et soucieux d'éviter les tracasseries administratives qu'eût entraînées l'arrestation de Monica contre qui personne n'avait porté plainte, voulut bien lui remettre.

40

DEUX JOURS après être sorti de l'hôpital, Mario retournait à l'atelier de débosselage, où venait d'entrer un singulier personnage qui allait jouer un rôle important dans l'histoire de la famille Sparvieri. Ti-Moineau, de son vrai nom Louis Nault, était un peu plus âgé que lui, vingt-deux ans peut-être. À cause de sa calvitie naissante, il en paraissait facilement dix de plus. Il était grand et fort, avait l'œil bleu, froid, très calme, et il parlait peu, lentement, un peu trop bien au goût de Mario. Fils de bonne famille, né et élevé à Cartierville, il avait entrepris des études en génie mécanique à l'École polytechnique, mais s'était lassé au bout d'un an. Vaguement intimidé, Mario considérait que Ti-Moineau n'était pas à sa place dans un atelier de débosselage de Tétreaultville. Et, à cause de cela, il s'en méfiait beaucoup.

Ti-Moineau le surprit un jour alors qu'il était en train de fabriquer une pince à branches télescopiques dont les extrémités recourbées devaient servir à saisir et tirer les loquets des portières d'auto. C'était un objet qui n'avait rien de courant et dont un profane n'aurait pas soupçonné l'utilité, mais dont tout voleur le moindrement sérieux connaissait le maniement. Il y en avait plusieurs modèles, tous artisanaux. Les mieux faits, les plus solides, se vendaient dans le milieu jusqu'à cent cinquante dollars.

Mario tenait sa pince dans ses mains lorsqu'il vit le regard de Ti-Moineau posé sur lui. Il tenta de dissimuler l'objet, mais Ti-Moineau s'était approché et lui donnait à mi-voix quelques conseils qui apparurent tout de suite fort pertinents. Ils sont devenus amis sur-le-champ. Ils ont travaillé plusieurs jours à perfectionner leur outil. Ils l'ont ensuite essayé sur la voiture de Ti-Moineau, qu'ils pouvaient déverrouiller en moins de dix secondes sans laisser de traces.

Puis ils sont passés à l'action. Ti-Moineau avait un ami, Gaston Lussier, qui était en contact avec un acheteur de voitures volées de Jacques-Cartier, un ours dénommé Bélanger qui tenait une fourrière où s'approvisionnaient de nombreux garages et des ateliers de réparation automobile de la région, formidable bric-à-brac au milieu duquel il s'était construit une minuscule bicoque qu'il habitait seul. Il parlait peu, les prix qu'il proposait étaient horriblement bas et indiscutables, mais il payait sur livraison. Gaston, Mario et Ti-Moineau lui ont apporté trois voitures en moins d'une semaine : une Pontiac Meteor, une Chevrolet Biscayne et une Plymouth Reliant. Bélanger paya quatre mille deux cents dollars pour les trois voitures. Les gars se retrouvaient avec chacun l'équivalent de deux mois et demi de salaire d'un débosseleur, d'un chauffeur de taxi ou d'un ouvrier spécialisé.

Gaston Lussier, garçon prudent, a su convaincre ses comparses qu'il ne fallait pas en faire plus pour le moment. Il avait toutes sortes de théories et de préceptes auxquels il croyait dur comme fer : un voleur qui se tient dans les limites du raisonnable ne risque pas de se faire prendre; on doit toujours minimiser les risques, ne jamais rien improviser, surtout ne jamais faire étalage de la richesse acquise par le vol. «C'est la rançon à payer», disait-il.

Pas très haut sur pattes, plutôt rondouillard, Gaston paraissait beaucoup plus âgé qu'il ne l'était en réalité, parce qu'il perdait ses cheveux, faisait un peu de ventre et s'habillait à l'ancienne, en gris ou en brun le plus souvent, pantalon de toile, chemise de térylène. Il marchait lentement, en posant délicatement les pieds sur le sol, comme s'il avait craint de broyer ou d'écraser quelque chose. Il portait toujours des Hush Puppies, ces souliers souples à semelles de crêpe qui ne font pas plus de bruit que des pantoufles. Il avait vingt-huit ans, «mais un vieux modèle de vingt-huit ans», disait son ami Ti-Moineau. Il n'aimait pas les motos ni le rock-and-roll, et pas tellement les autos.

«Goutte à goutte», disait-il, pour inciter ses partenaires à ne pas dépenser follement l'argent mal acquis. «N'oubliez jamais qu'il y a deux sortes de voleurs, leur répétait-il : ceux qui se servent de leur tête et qui réussissent leurs coups, et ceux qui sont en dedans.» Voleur honteux, il aurait aimé être l'homme invisible, ne laissant jamais de traces nulle part, marchant toujours à l'ombre.

Cette manière d'être ennuyait et déprimait profondément Mario Sparvieri. Même avec de l'argent plein les poches, Gaston se comportait comme un gars fauché, de peur d'attirer l'attention sur lui. Mais comment vivre sans laisser paraître la richesse qu'on a si longtemps désirée et enfin acquise? Sans que la joie que donne l'argent à ceux qui en ont acquis éclaire leur visage, donne à leurs gestes ampleur et souplesse?

Pour Mario comme pour Monica, le métier de voleur n'était pas moins honorable que celui d'avocat ou de dentiste. Et s'ils volaient, c'était justement pour sortir de l'ombre, pour paraître, être mieux habillés, avoir de plus belles voitures… Mario était fier des coups qu'il avait réussis. Il considérait que l'argent qu'il avait amassé était bien mérité. Il avait travaillé fort, il avait pris des risques, il avait eu peur. Et la peur, disait-il, ça se paye.

«Qu'est-ce que tu ferais si tu étais avocat?», demandait-il à Gaston. Ce à quoi ce dernier répondait : «Ce n'est pas du tout pareil. Qu'un avocat soit riche, c'est normal! Qu'un moins que rien comme toi ou moi roule en Harley, ça ne marche pas.» Mais Mario refusait de considérer qu'il n'était qu'un moins que rien. Et que seuls les beaux riches instruits pouvaient prétendre être quelqu'un. Selon lui, les avocats étaient des voleurs, les pires voleurs qui soient, doublement voleurs et usurpateurs, parce qu'ils affichaient, selon lui, une honnêteté qu'ils n'avaient pas. «Voleur, je veux bien. Menteur, jamais.» Il avait cependant renoncé à rouler en Impala, voiture trop voyante, trop grosse, et s'était acheté une Austin Cooper.

Mais même si Gaston insistait auprès de ses compagnons pour que rien ne paraisse de leurs activités, la vie s'était néanmoins mise à changer. Pour la première fois dans l'histoire de la famille Sparvieri, on ne manquait pas d'argent. Les filles s'habillaient mieux, allaient parfois dans de vrais salons de coiffure… Paula avait commencé à sortir un peu; elle s'était fait quelques amis qui l'emmenaient parfois danser ou au cinéma.

Il suffisait alors qu'un homme la regarde avec douceur ou convoitise pour qu'elle se mette à roucouler et se jette à son cou. Elle croyait que les femmes étaient aimées pour le plaisir qu'elles donnaient aux hommes. Mais elle ne pouvait souffrir qu'ils la touchent et qu'ils voient son corps. Elle les satisfaisait donc avant qu'ils n'entreprennent de la déshabiller.

Un soir, Mario et Ti-Moineau arrivent à la maison et la trouvent en pleurs, entourée de ses sœurs. Deux Anglais qui étaient passés quelques fois rue Ontario, où Michael Burns entreposait ses toiles sur velours, l'avaient emmenée en voiture et violée. Paula avait seize ans, un corps de femme faite et une certaine expérience des hommes, mais, parce qu'elle avait passé deux ans à l'hôpital, elle accusait un certain retard dans les choses de l'amour. Cette brutale initiation l'avait profondément perturbée. Mais ce qui la peinait le plus, c'était que l'un de ses ravisseurs avait manifesté un profond dégoût devant la peau fripée de son dos. «Je ne baise pas ça, moi», avait-il dit. Et il avait forcé Paula à lui faire une fellation.

La nuit suivante, Monica, Mario et Ti-Moineau (Gaston, prudent, ennemi de toute violence, ayant refusé de participer à l'opération) se postaient dans le parking de *Chez Mario's*, rue de la Montagne, où se tenaient les deux gars qui avaient violé Paula. Vers deux heures du matin, ils sont sortis du bar accompagnés d'un troisième larron, tous passablement éméchés. Ils allaient monter dans leur voiture quand Monica surgit devant eux, un revolver dans chaque main. Avant qu'ils n'aient le temps de réagir, Mario et Ti-Moineau étaient sur eux et les bourraient de coups de pied et de poing. Bientôt, les gars étaient à terre, le visage en sang, à moitié assommés. Monica les a néanmoins forcés à se traîner entre les voitures jusqu'au fond de la cour, où se trouvait un désordre végétal fait d'érables à Giguère et de trembles. Et là, Ti-Moineau et Mario ont fini de leur casser la gueule et de leur broyer les couilles après leur avoir bien fait comprendre qu'il ne fallait plus jamais toucher à une Sparvieri, pas même y penser. Mario leur a fait les poches, pendant que Ti-Moineau tailladait les quatre pneus de leur voiture et versait une pleine boîte de mélasse dans le réservoir. Puis ils se sont rendus au *Pal's*, où les hommes se sont tranquillement soûlés au gros gin.

Par la suite, Ti-Moineau s'est mis à fréquenter assidûment la rue Ontario. Mario était persuadé que son ami jetterait son dévolu sur Lola ou sur Arlette, qui avait finalement rompu avec ce pauvre gars que Mario considérait à tort comme un homosexuel. Mais, à l'étonnement de tous, c'est à Paula que s'est intéressé Ti-Moineau. Elle avait plus de vécu à elle seule que Lola et Arlette réunies, un humour mordant, une intelligence innée des hommes et de l'amour. Dès qu'elle s'est aperçue que Ti-Moineau s'intéressait à elle, elle a exploité au maximum le peu qu'elle avait, couvrant ses lèvres pulpeuses d'un rouge vif, donnant à ses yeux un accent velouté, laissant entrevoir ses seins en de vertigineux décolletés où Ti-Moineau, d'abord intimidé, finit par laisser plonger ses regards, puis ses mains.

Ti-Moineau a été le premier homme à qui Paula s'est vraiment abandonnée avec plaisir, le premier qui s'est donné la peine de lui parler, de la caresser amoureusement et longuement, et sans qu'elle soit effarouchée. Et elle l'a aimé vraiment, elle aussi. Ti-Moineau faisait désormais partie de la famille.

Depuis le printemps, lui et Mario aidaient financièrement Michael Burns qui, en liberté surveillée et menacé d'expulsion, ne pouvait reprendre le travail et participer à leurs opérations. Il était humilié et enragé. Il continuait néanmoins de parler de son grand projet à l'occasion et en avait dévoilé quelques détails à Gaston Lussier, dont la maturité le rassurait. Il s'agissait, selon lui, du vol du siècle, qui ne pouvait être perpétré qu'à certains moments de l'année, en certaines circonstances qu'il serait le seul à connaître. Il avait mis au point un plan qu'il pourrait mettre à exécution sans qu'aucun des neuf ou dix partenaires qu'il devrait réunir puisse comprendre comment fonctionnait l'ensemble de la machine. Et si jamais ça tournait mal pour l'un ou l'autre, le projet ne serait pas compromis, mais simplement reporté à une prochaine fois.

Gaston avait commencé par dire à Burns de ne pas compter sur lui, qu'il serait incapable de s'embarquer les yeux bandés dans une telle aventure sans savoir où elle le conduirait et comment on tirait les ficelles. Mais Burns fascinait et déroutait. Il disait qu'on ne devenait jamais riche en volant des voitures, des cargaisons, des entrepôts et des dépôts, ni même en braquant des succursales bancaires. *« You gotta think big, folks. »* Il avait d'abord pensé mettre son plan à exécution dans le courant de l'hiver. Mais Monica, de nouveau enceinte, devait accoucher en février, possiblement le 25, le jour de ses vingt et un ans…

Or, quand Steve est né, le 26 février 1961, son père était de nouveau en prison, condamné cette fois pour avoir conduit une voiture portant de fausses plaques d'immatriculation. Le grand projet soigneusement planifié semblait de nouveau compromis.

Dès que Burns fut en prison, Georges Morissette et Jules Reeves, par l'entremise de Herbie Daniels, ont offert à Burns de lui en acheter le plan et le «bottin», c'est-à-dire les coordonnées de tous ceux qui devaient y participer. Burns était furieux et inquiet. Il cherchait nerveusement à savoir qui était allé raconter à ces deux ordures qu'il travaillait sur un grand coup. Il a refusé de leur donner quelque indication que ce soit. «Si ce coup-là se fait, disait-il, ce n'est pas un autre que moi qui va en profiter.»

Cette fois cependant, Monica n'était pas en peine. La bande menée par Gaston Lussier était bien organisée. Les gars avaient commencé à voler sérieusement, professionnellement, pourrait-on dire. Et prudemment, comme le voulait Gaston. Des voitures, mais aussi des stocks d'entrepôt, de manufacture, du fret, toutes sortes de marchandises, des vêtements très souvent, des chaussures, mais aussi des cigarettes, des appareils ménagers, des matériaux de construction.

Un jour, peu après la naissance de Steve, Monica partit avec Mario livrer une voiture volée chez Bélanger, à Jacques-Cartier. Ils se sont rendus à la fourrière, mais ne l'ont trouvé nulle part. Ils ont finalement renoncé à le chercher, croyant qu'il lui était arrivé quelque chose. Ils roulaient dans la rue Saint-Charles, à Longueuil, quand l'idée leur est venue de faire un vol de banque. Ils sont aussitôt rentrés en ville, ont ramassé la vieille 22 long rifle de leur père, qui se trouvait chez Monica, puis un gros sac de toile bleu qui avait appartenu au père Lafontaine, puis ils ont retraversé le pont Jacques-Cartier. Mario a garé la voiture volée devant la banque, où ils sont entrés sans cagoule, Monica ayant simplement ramassé ses cheveux sous une casquette. Mario tenait la 22 d'une main, et Monica portait le sac de toile de son grand-père.

Leur plan était d'une simplicité absolue. Ils s'étaient dit qu'ils entraient dans la banque, que Mario criait «*Hold up!*», qu'il faisait coucher les gens par terre, que sa sœur passait derrière le comptoir et ramassait l'argent, puis qu'ils sortaient, montaient dans l'auto et s'enfuyaient. Tout s'est passé très exactement comme ils l'avaient imaginé.

En entrant, Monica a sauté par-dessus le comptoir, puis elle a vidé les trois tiroirs-caisses, sans un mot. Tout le monde était sagement couché par terre. Ils sont sortis en courant, ont repris l'auto et traversé le pont, s'arrêtant même au poste de péage pour changer un billet de deux dollars qu'ils venaient juste de voler. Ils sont rentrés tranquillement à Montréal et se sont rendus directement rue Parthenais, chez Memére Lafontaine, où ils ont compté l'argent : quatre mille trois cent vingt-deux dollars. Du balcon arrière, ils pouvaient observer les policiers en train de dresser un barrage sur le pont Jacques-Cartier.

Mario était en sueur et essoufflé comme s'il avait couru le kilomètre en moins de deux minutes. Ils sont restés une bonne heure sans proférer un seul mot, poussant seulement à intervalles plus ou moins réguliers de gros soupirs ou pouffant d'un rire nerveux, se levant comme mus par un ressort pour se rasseoir la seconde d'après, grisés tous les deux par une sensation violente et enivrante qui leur rappelait, en cent fois plus puissant et plus excitant, ce qu'ils avaient connu autrefois dans la chambre de Mme Emma, la maîtresse de leur père, chez qui ils étaient allés faire du désordre.

Comme le soir tombait, Mario est allé perdre l'auto volée dans la rue Dorion. Le lendemain dans les journaux, on disait que deux très jeunes hommes avaient perpétré un vol à la Caisse populaire de Longueuil.

Gaston a copieusement engueulé Mario. Rien de plus idiot qu'un vol improvisé. S'ils s'étaient fait prendre, ils compromettaient la sécurité de tout le monde. Mais Mario savait qu'il n'oublierait jamais la sensation qu'il avait connue pendant et après le vol. Et que Monica n'oublierait pas, elle non plus. C'était comme après qu'ils eurent battu ces trois gars dans le parking de *Chez Mario's*, souvenir exaltant, impérissable…

41

Trois mois à peine après être sorti de prison, Michael était de nouveau arrêté. Et cette fois, estimant que sa présence sur le territoire canadien constituait une menace pour l'ordre public, le procureur demanda et obtint son expulsion. En mars 1963, il recevait son avis. Il avait huit semaines pour ramasser ses affaires et rentrer dans son pays.

En fait, Burns n'était pas à sa place ici. Le milieu dans lequel il vivait manquait totalement de «profondeur». Il ne pouvait s'y couler, bien à l'abri des regards et des enquêtes. Des gars comme Ti-Moineau ou comme Gaston Lussier pouvaient toujours aller se perdre dans la nature, aller crécher pendant un temps chez un oncle fermier dans les Bois-Francs ou en Gaspésie ou au Lac-Saint-Jean. Ils avaient des amis d'enfance qui leur prêtaient au besoin leur chalet dans le Nord ou dans les Cantons-de-l'Est. Ou ils pouvaient se trouver du travail quelque part sur un chantier hydroélectrique ou forestier de la Côte-Nord, du Lac-Saint-Jean, de l'Abitibi. Mais Burns ne pouvait obtenir de permis de travail. Il ne connaissait que des gens du milieu. De plus, parmi le peu de gens qu'il connaissait, il n'avait pas que des amis. Il se faisait immanquablement repérer.

Monica avait vu s'éteindre bien des rêves. Elle avait cru que Burns l'entraînerait hors de son monde. Or, c'était lui qui était en train d'entrer dans le sien. Il était toujours aussi élégant, ses vêtements étaient toujours maniaquement propres, repassés, sans un accroc. Mais il n'avait plus d'argent.

Depuis quelque temps déjà, elle avait pu déceler en lui un fond d'amertume. De la rage aussi. Et de la haine, une haine latente, haletante, patiente, qui lui faisait un peu peur et en même temps la fascinait.

Même en prison, Burns continuait de dire qu'il visait plus haut, qu'il voyait et pensait plus gros que les gens parmi lesquels il vivait. Il rêvait encore de réaliser un jour son grand coup, son «*big one*», comme il disait. Et de se retirer dans la respectabilité, la sainte paix. Il disait qu'il avait des idées plein la tête. Il jurait qu'un jour il réussirait ce grand coup qui ferait de lui un homme riche et indépendant. Gaston et Ti-Moineau croyaient qu'il pensait à la Brinks ou à un camion postal, à l'Hôtel des Monnaies peut-être ou à l'enlèvement d'un directeur de banque, à une demande de rançon. Il parlait de l'argent comme d'un être vivant, possédant une personnalité, une adresse, des habitudes changeantes, un repaire où il fallait le trouver, le débusquer, le capturer.

Il avait littéralement contaminé les gars du petit milieu dans lequel il se tenait à Montréal : Gaston, Ti-Moineau, Mario, quelques amis qui gravitaient autour d'eux et parfois participaient à leurs coups. Il leur a fait comprendre qu'il était ridicule de risquer sa vie pour quelques milliers de dollars, comme ils le faisaient tous, en braquant des banques sans préparation adéquate. Il fallait non seulement minimiser les risques, comme le professait Gaston Lussier, mais aussi et surtout maximiser le rendement. Burns racontait qu'il avait préparé des plans pour des opérations extraordinaires auxquelles personne n'avait jamais osé penser sérieusement. Il avait procédé déjà à de minutieux repérages, à des relevés détaillés sur le terrain, à des reconstitutions d'horaires. De plus, par le truchement des gangs d'anglophones de l'ouest de la ville, il possédait vraisemblablement de précieux contacts dans d'autres milieux, des gens de Londres, de New York, d'Ottawa, de Boston, de sorte qu'il disposait de solides appuis pour préparer de bons gros coups et blanchir rapidement l'argent et les valeurs volés. Il connaissait également des gens assez haut placés dans les banques et dans certaines institutions financières. Il pouvait certainement acheter des renseignements de première main et avoir de bons tuyaux.

Il n'écrivait jamais rien, pas même les noms ou les adresses et les numéros de téléphone des gars avec qui il se proposait de travailler. Il avait tous ces détails en tête, mais, même soûl, il n'en donnait jamais assez pour que les gars puissent comprendre de quoi il s'agissait.

Un jour, par exemple, il a demandé à Ti-Moineau de surveiller la résidence d'un homme d'affaires de Laval-sur-le-Lac qui avait tout l'air d'être un gros directeur de banque ou de compagnie. Ti-Moineau devait simplement noter à quelle heure il sortait, à quelle heure il rentrait. Quand il a voulu savoir qui était cet homme, Burns lui a laissé entendre que ça ne le regardait pas. Mais Ti-Moineau savait qu'à l'autre bout il devait y avoir un autre pion comme lui qui surveillait les allées et venues de l'homme à son bureau. Burns pouvait ainsi constituer un dossier complet sur cet homme. Les petits cueilleurs d'informations, comme Ti-Moineau, ne savaient rien. Seul Burns possédait toutes les données. Il connaissait les habitudes de l'homme, l'adresse et le nom de sa maîtresse, son tailleur, son barbier; il savait avec qui il jouait au golf, quelle sorte de scotch il buvait, etc.

Bizarrement, Gaston et ses amis trouvaient ça normal et ne s'en formalisaient pas vraiment, même s'ils sentaient bien que Burns ne les tenait pas en très haute estime. Il exerçait sur eux tous, sans doute beaucoup à cause de son âge et parce qu'il était étranger, un puissant ascendant.

Mais il était si régulièrement en prison et si souvent en instance de procès ou en liberté surveillée qu'il ne parvenait jamais à mettre ses projets à exécution. Et il refusait d'en confier la réalisation à qui que ce soit d'autre.

Il aurait bientôt quarante ans et il avait échoué lamentablement. Il avait réveillé Monica cependant. Elle avait attrapé son rêve, comme on attrape une maladie. Elle était prête à tout pour réaliser ce rêve, et elle irait jusqu'au bout. Elle aimait toujours Michael Burns, mais elle s'était rendu compte qu'il avait ses limites, ses faiblesses, et qu'il n'était peut-être, comme avait dit Paula qui ne le portait pas dans son cœur, qu'un grand parleur, un petit faiseur... Quand il est parti pour l'Angleterre, tout le monde, même Mario qui autrefois l'admirait tant, avait commencé à douter de lui.

QUATRIÈME PARTIE

42

Dans le train, entre Londres et Worthing, Monica s'est endormie contre l'épaule de son mari, épuisée par la nuit blanche qu'elle venait de passer à bord de l'avion de la BOAC, son baptême de l'air qui, avec l'escale à Reykjavík, avait duré plus de dix heures; par la peur qui l'étreignait depuis des jours à l'idée de retrouver celui qu'elle n'était plus certaine d'aimer; par la peine d'être séparée de ses enfants, Debbie qu'elle avait laissée chez Memére, Steve chez Paula.

Michael Burns avait été arrêté et condamné pas moins de cinq fois au cours des quatre dernières années (assaut, effraction, possession d'explosifs, d'instruments de cambrioleur, de véhicule volé). Chaque fois, Monica avait eu l'impression pendant un moment qu'elle l'aimerait moins. Il y avait à ses yeux quelque chose d'incompréhensible dans ces arrestations, quelque chose d'incompatible avec l'image qu'elle s'était d'abord faite de lui, celle d'un homme fort, maîtrisant sa vie, comprenant le monde.

Quand elle allait le voir en prison, elle le trouvait chaque fois plus secret, vieilli. Et il était terriblement désagréable. Il la regardait à peine. Il ne demandait jamais de nouvelles du dehors, pas même des enfants, et il ne lui demandait jamais de revenir. Elle y retournait quand même; elle lui parlait de Debbie et de Steve, de Memére Lafontaine, des amis. Il l'écoutait distraitement, en hochant la tête avec des «*yeah, yeah*», tout bas.

Monica avait connu bien des hommes condamnés à la prison, à commencer par son père, son frère Mario, des amis de la famille.

Elle avait toujours aimé les visiter. La prison les rendait doux et tendres, toujours plus aimables et chaleureux que dans la vraie vie. Son amie Margot Turner, qui collectionnait les peines d'amour, disait même que si tous les hommes étaient en prison, ce serait la paix sur la terre. «Ils nous aimeraient à mort. Et on ne serait même pas obligées de baiser.» Margot détestait faire l'amour. Mais comme elle était belle à faire peur, pulpeuse et rieuse, avec une poitrine généreuse, des lèvres charnues, une peau pâle et onctueuse, ses souteneurs, à qui elle était maladivement attachée, envers qui elle était toujours dévouée, lui trouvaient des dizaines de clients chaque jour, qu'elle satisfaisait avec application. Et malgré les rebuffades innombrables, les volées, les trahisons, elle continuait de rêver qu'avec ses souteneurs adorés l'amour serait un jour tendre et romantique. Or, c'était plus souvent qu'autrement pire qu'avec les autres. «Cordonnier mal chaussé, putain mal baisée», disait-elle à Monica.

Margot était une fille de joie rieuse et sans joie, cynique. Elle donnait chaque jour du plaisir à quinze ou vingt hommes sans que personne lui en donne. Monica l'aimait bien et l'encourageait à se défendre, à refuser les clients qui la dégoûtaient, à prendre de temps en temps une petite nuit de congé. Mais, sur la *Main*, Margot Turner pouvait rapporter beaucoup. Les frères Poirier, qui l'avaient rachetée d'un souteneur gaspésien mis au ban du milieu montréalais, la faisaient travailler tous les jours. Quand ils se sont tous les deux retrouvés en prison pendant quelques mois, ils ont placé Margot leur trésor sous la protection d'un certain Bordeleau et elle a continué de travailler pour eux au même rythme. De plus, elle allait régulièrement les visiter à Bordeaux. Ils étaient gentils avec elle, lui disaient qu'elle était belle et désirable. Pour leur faire plaisir, elle portait des robes profondément décolletées et elle se penchait devant eux pour qu'ils puissent voir ses seins. André, l'aîné, dont elle était follement éprise, s'était même plusieurs fois masturbé devant elle. Il lui promettait qu'à sa sortie ils iraient passer deux semaines à Nassau. Tout le temps qu'ils ont été en prison, Margot a été heureuse; elle faisait son petit rêve de voyage au soleil avec son *pimp* bien-aimé. Mais quand ils ont été libérés, elle déchanta. André est effectivement parti pour Nassau, mais avec une autre fille.

Burns, lui, c'est quand il était libre qu'il faisait des promesses et caressait de grands projets. Dès qu'il se retrouvait à l'ombre, il devenait taciturne, brutal, amer et buté. Il restait cependant toujours tiré à quatre épingles, toujours frais rasé, les cheveux impeccablement lissés, le peigne et le stylo dans sa poche de poitrine, le pli du pantalon bien droit qu'il tirait toujours quand il s'assoyait, les souliers vernis. La seule chose qu'il ait jamais demandée à Monica quand il se trouvait en prison était de lui apporter des vêtements. Il était certainement le seul détenu de Bordeaux à porter des chandails de cachemire ou des foulards de soie, un pantalon repassé et des souliers anglais en cuir marron...

«Tous les marins sont comme ça, disait-il. Quand tu vas en mer, il te faut de l'ordre.»

Lorsqu'il était à la maison, même soûl, il rangeait toujours ses vêtements avant de se coucher. Il mettait son portefeuille en peau de lézard et sa monnaie sur la commode, et rangeait à côté le stylo et le peigne, ses souliers sous le lit avec ses chaussettes étendues par-dessus, sa chemise et son pantalon sur un cintre qu'il pendait à la poignée de la porte. Il savait toujours combien d'argent exactement il avait sur lui, ses dollars bien rangés et pliés, les plus grosses coupures à l'intérieur, dans la poche droite de son pantalon.

Au début, Monica avait aimé ce bel ordre parfait, quand elle croyait qu'il était l'indice d'une grande maîtrise des choses, d'un savoir-faire et d'une force hors du commun. Mais chez un homme emprisonné, ces habitudes et ces attitudes lui semblaient chaque fois sordides et déplacées. Elle aurait préféré qu'il soit négligé et débraillé, qu'il avoue sa défaite même dans sa tenue, qu'il soit tendre et gentil. Ces épreuves que subissait son mari le diminuaient chaque fois à ses yeux. Elle découvrait peu à peu qu'il n'était pas l'homme qu'elle avait connu; elle avait aimé l'image qu'elle se faisait de lui, le marin au long cours, le perceur de coffre-fort le plus en demande dans tout l'est de l'Amérique du Nord, le gentleman cambrioleur agissant avec élégance et désinvolture. Elle le croyait autrefois invulnérable, trop brillant pour se faire prendre. Elle savait désormais qu'il avait ses faiblesses, qu'il pouvait faire des erreurs, qu'il en faisait même beaucoup. Elle savait également qu'il n'avait plus la considération et la confiance des gars du milieu, même de Gaston et de Ti-Moineau, qui l'aimaient bien et qui avaient quelquefois travaillé avec lui.

Un homme qui se fait prendre cinq fois en quatre ans devient dangereux et inquiétant pour tout le monde. Quand elle arrête quelqu'un, la police jette toujours un coup d'œil autour de lui, sur son milieu, ses amis. Il y avait de la malchance, bien sûr. Mais de la maladresse aussi. C'est avec soulagement, Monica en était persuadée, que les gars avaient appris au printemps que Burns serait expulsé du pays. N'empêche qu'avant son départ Ti-Moineau et Mario s'étaient fait arrêter l'un après l'autre. Le premier, accusé de recel, avait été libéré après deux mois. Mario, pris en flagrant délit de cambriolage, resterait en prison au moins jusqu'aux fêtes, peut-être même jusqu'au printemps.

Monica craignait, en se rendant à Londres, de trouver son mari coulé dans sa froide colère, aussi intraitable que s'il était en prison. Mais à l'aéroport, dès qu'elle eut repéré sa tête blanche dans la foule qui se pressait aux barrières, elle a senti toutes ses peurs se dissiper. Elle s'est rappelé qu'elle avait été privée d'amour depuis plus de trois mois. Et qu'elle allait enfin être comblée. Michael Burns avait son air des jours heureux. Il a été très tendre, il l'a embrassée longuement, lui qui, à Montréal, même dans des endroits comme le *St. John's* ou le *Pal's*, où il se passait pourtant des choses à faire se dresser les cheveux sur la tête, n'était jamais très enclin aux démonstrations affectives et aux épanchements amoureux.

Il avait préparé des sandwichs, et il y avait des poissons fumés, de la bière fraîche et du whisky. Ils ont regardé les photos de Debbie et du petit Steve que Monica avait apportées, deux dessins au crayon gras de Debbie qu'ils ont épinglés sur le mur au-dessus de la table. Et Monica a parlé de son père Téo, de Gaston et de Ti-Moineau qu'elle était allée voir deux jours plus tôt en prison, de Memére Lafontaine surtout, que Michael aimait bien parce que, née à Huntingdon, elle parlait parfaitement l'anglais, presque mieux même que Téo.

Mais Michael ne semblait pas avoir très envie d'entendre parler de ce qui se passait à Montréal. Il savait bien que tous le considéraient maintenant comme un perdant en grande partie responsable de l'arrestation de Mario et de Ti-Moineau. Et Monica, qui le savait aussi, n'a pas longtemps parlé d'eux. Ils ont fait l'amour sans un mot. Et Monica a dormi jusqu'au lendemain, très tard. Et ils ont recommencé. Burns avait encore toutes les clés du corps de Monica. Il faisait l'amour avec sérieux, comme un artisan habile, très attentif, très absorbé dans son ouvrage. Il ouvrait Monica comme ses coffres-forts, à tâtons d'abord, en explorant longuement, se dépensant, cherchant minutieusement, puis s'attachant à un moment du corps, à un lieu du plaisir, selon une stratégie patiente, infaillible. Monica était chaque fois emportée... Jamais aucun homme ne lui avait fait le moindrement cet effet, jamais aucun n'avait trouvé ainsi toutes les clés secrètes de son corps, de son plaisir, et ne l'avait ouverte toute grande, pâmée...

Dans l'après-midi, pour la première fois de sa vie, Monica a vu la mer, cet English Channel dont Michael lui avait si souvent parlé quand il était à Montréal. La mer était gris aluminium et striée de friselis blancs. Monica lui trouva une odeur de renfermé, de cave humide. Il y avait beaucoup de navires dessus, très gros, des cargos qui couraient au large en tous sens. Le monde de Michael Burns.

Quelques jours plus tard, ils sont allés en train à Brighton et à Portsmouth, où Michael l'a entraînée sur les docks et les chantiers navals, dans des petits pubs où il retrouvait des amis avec qui il parlait si vite un anglais si étrange qu'elle n'y comprenait par moments strictement rien. Ils sont montés à bord d'un cargo, le *Harveston III*, sur lequel Michael s'embarquerait le 27 août, après le départ de Monica pour Montréal. C'était un sale navire puant le mazout et couvert de plaques de rouille et de dégoulinades de goudron. Monica était désemparée. Elle avait toujours imaginé son mari sur de grands paquebots tout blancs, tout propres, vêtu d'un uniforme immaculé, jamais sur un semblable tas de ferraille qui même à quai semblait gémir de toute sa membrure et dont les écoutilles exhalaient un air fétide. Ce fut l'objet de leur première dispute.

Non seulement Monica ne cacha pas le dégoût que lui inspirait le *Harveston III*, mais elle eut le tort de prendre Michael en pitié et de déplorer le fait qu'il soit réduit, pour gagner sa vie, à travailler, lui toujours si propre et si ordonné, sur ce sale et laid et inconfortable rafiot. Elle aurait pourtant dû savoir que rien au monde n'enrageait plus Michael Burns que d'être pris en pitié par qui que ce soit. Il réalisait déjà assez bien que l'admiration sans faille qu'avait autrefois sa jeune épouse pour lui était depuis quelque temps sérieusement ébranlée.

Trop longtemps, trop souvent parti, trois fois déserteur, expulsé des États-Unis, puis du Canada, il ne pouvait plus espérer faire carrière dans la marine autrement que comme simple matelot sur des navires de second ordre qui faisaient l'English Channel, la mer du Nord et la Baltique. Fini le beau temps de la Méditerranée et des mers du Sud, des grandes traversées, des escales à Rio, à Casablanca, à Valparaíso. Sa vie était en train de passer, et il perdait tout, même l'admiration de sa femme, même l'image qu'il s'était forgée, qu'il lui avait imposée. La réaction de Monica le renvoyait à son triste sort.

Il ne dit rien, que «*shit*» et «*fuckin', fuckin', fuckin' shit*», en frappant du poing et du pied sur le bastingage qui rendait un son mat. Puis ils ont marché en silence sur le Royal Dock où se trouve le navire-musée de l'amiral Nelson, qui a démoli la flotte de Napoléon à Trafalgar. Michael avait pensé plus tôt raconter à sa femme cette si belle histoire de guerre, l'héroïque manœuvre qui avait permis à Nelson et à Collingwood d'encercler les navires français et de les couler, mais il n'en était plus capable.

Monica comprenait parfaitement ce qui avait fâché son mari. Il n'acceptait jamais d'être pris en défaut. Il ne voulait pas que les autres le voient tel qu'il était, mais plutôt tel qu'il aurait voulu être ou tel qu'il croyait qu'il était, un homme toujours au-dessus de ses affaires, en pleine maîtrise de sa vie. Michael était de ces êtres qui veulent plus être admirés qu'aimés. Mais comment pouvait-il espérer qu'elle continue de croire qu'il était un grand marin après lui avoir fait visiter ce pauvre cargo chargé de rouille? Et ce petit appartement de Worthing dont l'unique fenêtre donnait sur un sombre fond de cour?

Sur les plages de Brighton, le lendemain, Michael avait entrepris d'enseigner à Monica comment entrer dans la mer. Il n'y avait qu'à s'avancer le plus loin possible en profitant du ressac, plonger dans la vague montante juste avant qu'elle ne casse et passer dessous pour se retrouver dans la grande bleue aux molles et calmes ondulations où on pouvait nager sans peine. Des jeunes garçons, des fillettes de dix ans, des petits vieux y allaient. Monica avait essayé à quelques reprises, mais n'osait pas. Les vagues lui semblaient trop raides, l'eau était glacée. Il y avait dans l'air cette odeur de renfermé qu'elle n'aimait pas, qui lui tombait sur le cœur, et dans l'eau des algues visqueuses et des choses molles qui la dégoûtaient. Mais surtout, elle sentait que Michael cherchait là une petite et mesquine vengeance, une façon de l'humilier. Elle reste donc étendue sur la plage sous les regards lubriques des petits vieux qui jouent au cricket ou se promènent sur la jetée… et elle s'endort presque.

Lorsque Michael revient s'allonger près d'elle, elle sent dans son demi-sommeil le froid de son corps mouillé qui pénètre brusquement jusqu'au fond de son âme et y réveille toutes ses peurs, l'angoisse qu'elle sent monter depuis quelque temps, depuis que, pour la cinquième fois en quatre ans, il a été arrêté, emprisonné, extradé. Que va-t-il advenir de leur amour, de leurs projets, de leurs enfants ? Elle a tout à coup une terrible envie d'être chez elle, avec Debbie et Steve, de revoir Memére et Hélène, d'aller rire avec Mario et Margot, avec les amis du *St. John's Café*… Et elle s'écarte du corps mouillé de Michael : « *You get me cold, darling.* »

Il lui a proposé ce matin encore de venir vivre ici avec les enfants. Mais elle ne se voit pas seule avec les petits parmi ces gens qu'elle ne comprend pas, seule dans un petit appartement à attendre un mari parti plus de la moitié du temps.

Par ailleurs, Michael ne pourra pas entrer légalement au Canada avant très longtemps, ni aux États-Unis. Le pourrait-il qu'il n'en aurait pas souvent les moyens. Il dit, bien sûr, qu'il va s'arranger, qu'il ne faut pas s'inquiéter. À partir de septembre, il va envoyer de l'argent chaque mois, cent livres si possible, ce qui ferait environ deux cents dollars. Et il trouvera bien un moyen de revenir au Canada, car il a un projet qui pourrait lui rapporter gros…

Mais Monica déjà ne l'écoute plus. Un mélange amer de lassitude, de colère, de tristesse couvre son âme. Elle ne peut plus entendre son mari parler de ses faramineux projets. Et elle n'ose pas lui dire (à peine se l'avoue-t-elle à elle-même) que depuis quelque temps déjà elle n'y croit plus. Trop souvent il a parlé du grand coup qu'il ferait un jour et auquel il croyait avec autant de ferveur que d'autres croient au grand amour. Il fallait bien admettre maintenant que tous les rêves qu'ils avaient si longtemps caressés ensemble s'étaient écroulés l'un après l'autre : les voyages qu'ils devaient faire dans les mers du Sud, le restaurant qu'ils se proposaient d'ouvrir rue Saint-Dominique, ce grand coup qui les ferait millionnaires, leur amour qui devait durer toujours. Il n'y avait plus d'issue, plus d'espoir. Il n'y aurait bientôt plus d'amour. Il fallait trouver autre chose.

Monica avait toujours aimé les histoires à l'eau de rose et elle avait longtemps cru et espéré, surtout après sa rencontre avec Michael Burns, que sa vie en serait une, d'une certaine manière. Elle porterait des robes du soir, ils iraient dans des bals, ils marcheraient au clair de lune sur des plages de sable blanc, et dans les grandes villes du monde ils iraient dans les dancings et les casinos, ils auraient des amis riches, élégants et beaux… Elle aurait aimé s'abandonner encore à ce rêve, si seulement Michael avait renoncé au sien. Mais tant qu'il continuerait de parler de son grand coup, la vie serait un cauchemar, une suite d'arrestations, d'incarcérations, d'extraditions, l'échec absolu.

Pendant qu'elle préparait son voyage à Worthing, Monica se disait qu'il devait avoir enfin compris. Elle s'était même persuadée que Michael avait fini par accepter de mener, du moins pendant quelques années, une petite vie sans histoire, de nourrir sa famille, de s'amender, d'obtenir son pardon du solliciteur général, de se trouver un métier; et le voilà sur cette plage ensoleillée qui se remet à parler de ses grands projets. Radotage, pensait-elle.

Il devrait pourtant savoir que s'il rentre à Montréal, illégalement de surcroît, il n'aura plus aucun revenu, il devra mener une vie clandestine, personne ne voudra s'associer à lui, il se fera prendre de nouveau, retournera en prison. C'est ce que Monica lui dit. Rien de tout cela n'a de sens. Selon elle, il n'y a pas deux solutions, il doit rester ici. Michael se tait, ne dit plus entre ces dents que «*fuck, fuckin' life, fuckin' bitch*». Et il reste étendu auprès d'elle, froid, tendu, brisé.

* * *

Monica avait quelquefois rencontré Leslie Sopper, à Montréal. Chaque fois qu'il y faisait escale, il passait saluer Michael, même quand celui-ci se trouvait en prison. Nés tous les deux, à peu près en même temps, dans le nord de l'Écosse, ils s'étaient connus à l'école de marine d'Aberdeen et ne s'étaient depuis ce temps, plus de vingt-cinq ans, pratiquement jamais perdus de vue, sauf pendant de courtes périodes. Ils avaient fait la guerre tous les deux dans la Royal Navy. Leslie était devenu officier supérieur, Michael était resté simple mécanicien, sans grade, sans beaucoup d'avenir. Entre eux cependant, la complicité, le respect, l'amitié demeuraient intacts. Quand, après avoir été expulsé du Canada, Michael est rentré en Grande-Bretagne, triste et défait, Leslie est venu l'accueillir à l'aéroport de Londres, il l'a logé chez lui pendant plus d'un mois, lui a avancé quelques centaines de livres, lui a trouvé cet emploi sur le *Harveston III.*

Leslie est beau ; sa femme Henriette, une Française, est belle, et leurs enfants sont beaux. Ils habitent à Littlehampton, tout près de Worthing, dans un joli cottage, *L'Abri,* entouré de grands arbres et de pelouses bien entretenues, face à la mer. Leslie n'ignore rien du passé criminel de son ami Michael. Il n'y comprend rien non plus. Bien sûr, il a connu, du temps qu'il étudiait à Aberdeen, le monde dur et sans pitié dans lequel son ami avait passé son enfance. Mais Michael semblait aimer ce monde-là, son père si violent, sa mère soumise et triste. Ses six frères étaient marins et semblaient contents de leur sort. Pas Michael. À quinze ans, il était irrémédiablement brouillé avec la vie, avec le monde. Il considérait confusément qu'il avait été lésé, qu'il avait droit à une revanche.

Sans pouvoir comprendre d'où elle venait, Leslie avait vu la haine s'emparer de son ami, la vraie haine qui n'est pas passagère, qui est une sédentaire patiente et tenace, qui pénètre très loin au-dedans des êtres, où elle mûrit et longuement fermente jusqu'à ce qu'on ne puisse plus la contenir. Elle finit par posséder tout l'être et par prendre toute la place, et bientôt elle paraît à l'extérieur, sur le visage que plus rien n'éclaire, au fond des yeux, partout. Dans les gestes, on sent son ordre ; dans la voix, sa force, son pouvoir. Michael portait en lui cette haine du monde, cette hargne, cette colère froide qu'il maniait avec art, qu'il avait cachée ou dissimulée, comme une épée dans son fourreau, quand il avait vécu ses années de bonheur avec Monica, mais qu'il avait ressortie et qu'il brandissait bien haut depuis son retour en Angleterre.

Les parents de Leslie possédaient autrefois, dans la région des monts Grampians, un troupeau de quelques centaines de moutons qui, aux yeux de Michael, en faisaient des gens riches. Or, ils étaient à peine moins pauvres que les Burns. Et ils travaillaient certainement aussi dur. Mais ils le faisaient avec joie, satisfaits de leur sort, des petits bonheurs que leur donnait la vie. C'étaient des gens rieurs. Ce qui a séduit Leslie chez Michael est peut-être cette absence de joie, la gravité, l'amertume.

Au cours de son séjour en Angleterre, Monica a plusieurs fois rencontré Leslie, sa femme et ses enfants. Elle a découvert auprès d'eux qu'il était possible de vivre bien et heureux sans devoir réaliser le grand coup et rêver sans cesse à autre chose. Leslie et Henriette semblaient ne rien désirer d'autre que la vie qu'ils menaient. Bien sûr, Leslie aurait souhaité être moins souvent parti. Mais il aimait encore naviguer et, dans quelques années, il pourrait toujours occuper un poste dans l'administration, à Portsmouth ou à Southampton. Tout cela apparaissait aux yeux de Monica comme une belle vie, sans histoire, sans inquiétude, confortable et sage, la vraie vie. Depuis qu'elle connaissait Michael, sa vie à elle était absente, ailleurs, toujours à venir, toujours hypothétique, conditionnelle.

Son mari avait changé son regard sur le monde. Il lui avait donné toutes les illusions et les lui avait toutes fait perdre. Elle avait cependant gardé le goût, le besoin de changer de vie, de sortir du Red Light. Avant de le connaître, Monica n'avait jamais cru que ses rêves puissent se réaliser. Jamais l'idée ne lui serait venue d'envier de quelque manière que ce soit les héroïnes des petits romans illustrés ou des romans-photos à l'eau de rose qu'elle lisait, ou des grands films mélos qu'elle allait voir avec sa tante Hélène ou Margot au *Rivoli* et au *Passe-Temps*. Michael lui avait montré à envier, à vouloir entrer elle aussi dans la grande vie. Ce n'était pas reposant, mais à jamais inoubliable.

Or, depuis cinq ans qu'elle était mariée à lui, malgré les grands projets auxquels il ne cessait de penser, leur vie n'avait pas changé. Sauf en ce soir terrible de février, en 1958, quand la mort était venue chercher Marie-Ange et quatre de ses enfants. Ce soir-là, leur vie à tous avait basculé dans l'horreur.

On avait démoli le Red Light, mais ils étaient restés tout près, dans le Faubourg-à-Mélasse, passant de taudis en taudis, attendant que Michael sorte de prison et réalise enfin son grand coup… Et les enfants grandiraient et ne connaîtraient que cette misère et ce désordre!

Il lui aura fallu venir chez Michael, dans son pays, pour réaliser qu'elle ne pourrait jamais être heureuse ainsi. Et elle se demande s'il n'est pas trop tard, si elle n'est pas irrémédiablement contaminée, à jamais insatisfaite et impuissante, marquée par cette colère qui est maintenant en elle comme un virus et qui ne la quittera peut-être pas avant longtemps, jamais peut-être.

Elle est rentrée de Londres avec des petits cadeaux qu'elle a achetés pour ses enfants, pour ses sœurs, pour Memére et pour son amie Margot. Et une lettre cachetée que son mari lui a demandé de remettre de la main à la main au gros Herbie Daniels du *Boléro*.

* * *

Quand Monica est rentrée d'Angleterre, le 26 août, Debbie lui a servi mille caresses et n'a pas cessé de la dévisager presque nuit et jour, pendant des jours et des jours. Dans la voiture de Ti-Moineau qui les ramenait de l'aéroport, plus tard à la maison quand Monica faisait essayer aux enfants les vêtements qu'elle leur avait achetés à Londres, puis durant le souper chez Paula au cours duquel elle a failli tomber endormie, et encore le lendemain et le surlendemain, du matin au soir, ses yeux rieurs et heureux fixés sur sa mère, Debbie semblait en extase, radieuse. Steve cependant pleurait et boudait sans arrêt. Chaque fois que Monica lui tendait les bras, il s'accrochait à Paula qui l'avait gardé pendant trois semaines, enfouissait son visage dans son cou et, du coin de l'œil, épiait sa mère que ce petit manège agaçait et ravissait à la fois. Quand Paula n'était pas là, il se roulait par terre, se glissait sous les lits ou derrière les meubles, refusait toute caresse, toute nourriture.

Mais dès que sa mère, persuadée qu'il s'amusait à ce petit jeu, prit la décision de le laisser en paix et fit mine de se détourner de lui, il cessa rapidement de pleurer et de bouder et vint vers elle. C'était pour Monica une sorte de victoire, la confirmation que cette nouvelle vie qu'elle avait vaguement pressentie, mécanique parfaite, puissante, était réellement en marche.

Pendant quelques jours, elle fut en proie à une joie intense et sans raison qui l'intriguait, l'inquiétait presque. Tout cela avait commencé à bord de l'avion qui la ramenait à Montréal. Elle s'était sentie tout à coup submergée par une étrange et poignante sensation, une grande force très paisible qui venait de nulle part, l'enveloppait doucement, fermement, et semblait vouloir la porter très loin, très longtemps. Pourtant, toutes les pensées qui lui passaient par la tête étaient sans exception plutôt désespérantes. Tout ce qu'elle pouvait considérer de sa vie, passé, présent, avenir, n'était que désordre et échec, malheur et misère. La plus grande histoire d'amour de sa vie venait probablement de se terminer, elle avait deux enfants de quatre et deux ans sur les bras, n'avait pas de travail, aucun revenu, à part les cent livres que son mari lui ferait parvenir chaque mois s'il avait le très improbable courage de rester sur le *Harveston III*. Téo, son père, avait refait sa vie avec la petite Françoise, qui lui avait donné déjà deux enfants. Et son frère Mario, qui mieux que tous les autres aurait su la défendre et l'aider, avait encore plusieurs mois à tirer à Bordeaux. Ti-Moineau venait d'en sortir et vivait sa vie avec Paula. Gaston avait fait de l'air, bien décidé à se tenir coi pendant quelque temps.

Au fur et à mesure que le bilan qu'elle faisait de sa vie s'alourdissait et que s'affermissait la certitude qu'elle ne pouvait plus désormais compter sur personne et qu'elle n'avait pratiquement aucun moyen de se sortir de l'insondable abîme dans lequel elle sombrait, Monica sentait cette drôle de joie entrer en elle. Quand l'avion se posa à Dorval, l'avenir, pourtant sans espoir, lui apparaissait tout à fait radieux, tout neuf et frais.

D'où pouvait bien venir ce bonheur qui s'était si soudainement emparé d'elle? Et pourquoi était-il apparu à ce moment si difficile de sa vie, où elle perdait tout, où elle était plus seule et plus démunie que jamais? Elle avait l'impression d'avoir attrapé le bonheur comme on attrape le rhume ou la grippe, presque par hasard, sans l'avoir cherché, sans même l'avoir désiré, ou, plus extraordinaire, sans même avoir su qu'il existait. Si elle avait voulu et cherché un bonheur, ce n'était surtout pas celui-là. Jamais dans cent ans celui qu'elle aurait imaginé ou désiré et recherché, si elle avait eu le choix, ne l'aurait menée ou suivie dans ce taudis de la rue

De La Gauchetière où elle habitait avec ses enfants. C'eût été un bonheur riche, opulent, rieur; il l'eût emmenée sous des cieux cléments et doux, sur une plage bordée de palmiers, dans le suave et le tendre.

Or, voilà que sans musique, sans palmiers, sans coucher de soleil, sans même à l'horizon un homme qui marche vers elle et vienne la prendre dans ses bras et lui dise à l'oreille des mots d'amour, le bonheur arrivait, pauvre petit bonheur de rien, et la comblait. Elle avait déjà connu pareille sensation, mais alors elle pouvait en identifier les causes. Quand, par exemple, Michael était entré dans sa vie, ou quand Debbie et Steve étaient nés. Mais il s'agissait cette fois-ci d'un bonheur sans raison et sans cause, gratis. Elle se sentait forte et puissante. Elle avait la conviction qu'elle ne sortirait jamais de cet état de misère dans lequel elle était née, mais qu'elle pourrait y vivre heureuse.

Elle finit par attribuer cet état d'esprit au fait qu'elle était enfin débarrassée de tous les rêves impossibles qu'elle faisait autrefois, et que pour la première fois de sa vie elle avait été forcée d'envisager l'avenir clairement, sans leurre. Et que c'était ainsi qu'il fallait vivre, sans rêver; et que c'était ainsi qu'était le bonheur, sans raison. Elle n'attendrait plus rien de personne, rien de rien. Pendant des jours, elle prit plaisir à considérer le peu qu'elle avait: peu de ressources, peu d'amis capables de l'aider, peu de chances de s'en sortir. Et cette résignation, cette décision qui, presque à son insu, s'était imposée à elle de renoncer aux contes de fées lui donnait force et sérénité. Elle considéra donc pendant un temps qu'il était possible de vivre pauvre et heureux.

Elle n'allait pas tarder à découvrir que ce bonheur allait passer aussi mystérieusement qu'il était venu.

43

MARGOT TURNER ne pouvait jamais dormir tant et aussi longtemps qu'elle avait des clients. Heureusement pour elle,
ceux-ci commençaient à se faire rares à partir de quatre ou cinq
heures du matin. Plus souvent qu'autrement, le dernier à se montrer
était fin soûl et s'endormait auprès d'elle, qu'il ait réussi ou non à
satisfaire ses bas instincts. Elle n'arrivait pas toujours à le réveiller.
Si son *pimp* n'intervenait pas, elle devait dormir à côté de l'ivro-
gne. Celui-ci était parfois malade au lit, il ronflait souvent, et il
n'était jamais beau à voir quand il se réveillait.

Quand elle émergeait de sa nuit, Margot téléphonait à Monica
et elles se rencontraient en fin d'après-midi ou en début de soirée
dans un restaurant ou un bar du quartier. Le lendemain de son arrivée, Monica n'eut pas de nouvelles de son amie. Elle attendit jusqu'à
quinze heures avant d'appeler chez elle, où elle n'obtint pas de réponse. Elle n'était cependant pas trop inquiète. Margot était forcément une errante. Elle finissait plus souvent sa nuit dans l'un ou
l'autre des hôtels de passe de la *Main* que chez elle.

Monica l'aperçut enfin vers dix-neuf heures, attablée seule au
fond du *El Corso*. Elle entra, contourna la table et eut un puissant
choc. Margot avait la lèvre supérieure fendue, une dent cassée, une
vilaine ecchymose dans le cou. Elle buvait un lait fouetté avec une
paille. Monica s'est assise devant elle et n'a pu retenir ses larmes.
Pour la première fois, elle a entendu Margot déblatérer contre les
frères Poirier. Mais elle le fit avec son humour habituel. «Me semble
que ce n'est pas en m'arrangeant la face de cette façon-là qu'ils vont
améliorer la business.»

Elle savait qu'elle était en danger. Et qu'elle venait d'entrer dans un cercle infernal dont elle ne pourrait probablement pas sortir avant longtemps, peut-être bien jamais. Plus une fille est battue, moins elle vaut cher; et moins elle vaut cher, plus elle est battue.

Margot était encore belle, mais elle avait sur le corps, les bras, les cuisses, le ventre, plusieurs cicatrices, des brûlures de cigarette, une balafre au menton, cette dent cassée, cette ecchymose dans le cou... Elle était pâle et fatiguée, avait le regard terne et triste. Elle autrefois si pulpeuse était maintenant presque maigre et sèche.

Les frères Poirier étaient de plus en plus méchants, violents, fous, imprévisibles. À jeun, ils parvenaient encore à se contenir. Mais ils l'étaient rarement passé vingt-deux heures. Et alors tout pouvait arriver.

Chaque fois, dans le passé, que Monica lui avait conseillé de fuir ces deux malades, Margot disait : «Pas maintenant», ou «Ça va s'arranger, tu vas voir». Mais, ce jour-là, sa réponse a fait frémir Monica : «Il est trop tard, Molly. Regarde-moi. Où veux-tu que j'aille, arrangée comme ça? Je n'ai plus de force. Ils savent toujours où je suis. D'ailleurs, s'ils me voient avec toi, je risque de passer un mauvais quart d'heure.

– Tu voudrais que je m'en aille?

– Tu n'as pas le choix, Molly. Si tu restes ici, on va se faire faire mal toutes les deux.»

Et en disant cela, elle a fondu en larmes. Depuis cinq ou six ans que Monica connaissait Margot Turner, c'était la première fois qu'elle la voyait pleurer.

Les frères Poirier ne portaient pas Monica Sparvieri dans leur cœur. Mais ils n'avaient jamais osé lui toucher. Parce qu'ils savaient qu'elle était capable de se défendre. Mais aussi à cause de Burns et de Mario. Or, ceux-ci n'étaient plus là pour la protéger. Et Ti-Moineau, qui sortait de prison, n'aspirait plus qu'à vivre sagement, loin des malfrats et des voyous.

«Je vais voir Herbie Daniels, dit Monica. Il va nous aider.»

Elle était encore habitée par cette grande joie venue de nulle part qui l'avait saisie à son retour de Londres.

«Tu vas voir, tout va s'arranger.»

Quelques jours plus tard, Monica passait au *Boléro* où, chaque jour, en fin de matinée, le gros Herbie faisait le bilan de la veille.

Par affection pour son ami Michael Burns, Herbie avait toujours été très paternel avec Monica. Elle lui a remis la lettre que son mari lui avait confiée. Et elle lui a parlé de son amie Margot qui, selon elle, était en grand danger. Herbie savait déjà, comme tout le monde sur la *Main*, que celle-ci avait reçu une solide raclée des frères Poirier. Il a conseillé à Monica de se tenir loin d'eux et de son amie Margot. Monica lui a demandé un revolver, «au cas où». Elle disait qu'elle n'avait pas envie de se laisser marcher sur les pieds. Et qu'elle n'abandonnerait pas son amie.

«Un revolver, je peux t'en trouver un, si tu en veux un à tout prix, lui dit Herbie. Mais j'aimerais mieux que tu t'arranges pour ne pas en avoir de besoin.»

Il lui a servi tous les arguments contre, lui a rappelé que, si elle se faisait arrêter sans permis de port d'armes, elle aurait une lourde amende à payer, peut-être même de la prison à faire, et qu'elle devait penser aux enfants. Il lui a récité en anglais puis en français ce passage de la Bible où il est dit : «Tu périras par là où tu as péché.» Rien n'y fit. Monica est sortie du *Boléro* avec un 38 dans son sac à main. Elle ne s'en départissait que lorsqu'elle allait à Bordeaux pour visiter son frère Mario.

Puis, un jour, elle s'est souvenue de cette joie qui l'avait assaillie et envahie à son retour de Londres et qui l'avait quittée depuis quelque temps déjà, mystérieusement, sans raison, comme elle était venue. Le bonheur n'avait duré que quelques semaines. Ce n'avait été qu'une illusion, qu'un autre conte de fées, une véritable arnaque qu'elle s'était faite à elle-même. Comme s'il avait été possible que cette petite vie qui serait désormais la sienne puisse être heureuse !

Pour la première fois depuis des années, elle n'avait pas d'auto. Après le départ de son mari et l'incarcération de son frère, elle s'était occupée de vendre la Buick de l'un, la Mustang et la Harley-Davidson de l'autre. Pour aller voir Mario à la prison de Bordeaux, elle devait prendre l'autobus, ligne 55 nord jusqu'à l'angle des boulevards Henri-Bourassa et Saint-Laurent, puis la 69 ouest. C'était un agréable trajet, surtout sur le boulevard Gouin, quand on longeait la rivière des Prairies qui coulait ses eaux sombres devant les belles grosses maisons de riches, les îles, les grands arbres qui balançaient leurs lourds feuillages dans la touffeur de l'été. Ça sentait l'herbe, l'eau, le propre. En marchant dans l'allée très large qui menait à la porte monumentale de la prison, il y avait tout ce ciel, et l'immense jardin où travaillaient les prisonniers.

Mario purgeait, à vingt et un ans, sa première peine de prison. Il n'était pas pour autant dépaysé dans ce milieu. Il y avait, en effet, retrouvé beaucoup de visages connus : des gars de la *Main*, des voyous et des hommes de main de la petite pègre du bas de la ville, des demi-sels, des souteneurs, des braqueurs et des receleurs, des jeunes gens surtout qu'il avait côtoyés au *Pal's*, au *Montreal Pool Room*, au *Mocambo*. Et du gros gibier aussi : des caïds, des tueurs, qu'il connaissait de réputation. C'était son monde, qui lui semblait, en prison infiniment plus qu'au dehors, mesquin, brutal, désespéré.

Il était si heureux de voir sa sœur qu'il riait et pleurait à la fois. Comme son père, il avait toujours eu la larme de joie facile. Depuis la mort de sa mère, de ses petits frères et de sa petite sœur, ce n'était plus jamais le malheur qui le faisait pleurer, mais les petits bonheurs de la vie, la musique parfois, la tendresse de ses sœurs immanquablement. Ils ont pris l'habitude, Monica et lui, de parler de leur enfance. Chaque fois qu'elle s'assoyait près de lui dans le petit parloir de Bordeaux et après qu'il eut versé quelques pleurs, ils se racontaient des histoires qu'ils avaient vécues ensemble autrefois, «Tu te souviens d'Odile Dupuis ?» ou «Te souviens-tu, la fois que…», reprenant inlassablement certains récits, ajoutant çà et là quelques détails, remontant chaque fois de plus en plus haut dans leurs souvenirs, jusqu'à ce qu'ils ne voient plus dans leur vie que de la tendresse, de la chaleur, du bonheur, très loin, longtemps avant la mort de leur mère et tous ces malheurs qui avaient frappé la famille.

Mario avait été, pendant près de deux ans, membre d'une bande plus ou moins exclusive et stable spécialisée dans le vol de marchandises, soit à la manufacture, soit en cargaison, camion ou train. Gravel et Forçure, arrêtés une dizaine d'années plus tôt avec la *mamma* Sparvieri, avaient purgé leur peine, s'étaient fait oublier de la police et faisaient maintenant partie de cette bande. Ils étaient rabatteurs tous les deux ; ils repéraient les cargaisons ou les stocks, identifiaient les véhicules, retraçaient les itinéraires. Il y avait aussi deux voleurs-chauffeurs, Dufort et Mario, qui détournaient des camions à la pointe du revolver ou les volaient dans les cours des manufactures, dans les ruelles et dans les parcs où ils étaient garés. Et deux manutentionnaires-receleurs, Gaston et Ti-Moineau, qui entreposaient les marchandises et trouvaient des acquéreurs. Ils parvenaient presque toujours à écouler leur stock en moins de vingt-quatre heures, souvent même avant qu'il ne soit volé, que ce soient des cigarettes, des meubles ou des vêtements, du pain ou de la bière, même des matériaux de construction. Mario disait qu'on peut tout vendre, «même des cure-dents et des clous usagés».

Les gars se voyaient peu, à part Mario et Ti-Moineau forcément, ce dernier ayant fait un enfant à Paula dont il était réellement épris et qu'il se proposait d'épouser. Ils vivaient bien et s'amusaient beaucoup. Mario avait alors une Mustang rouge et une grosse Harley-Davidson, toujours deux ou trois maîtresses. Et il parlait de s'acheter un cruiser pour l'été. Il était même allé plusieurs fois à Federal Marine, près du parc Belmont, sur la rivière des Prairies. Il avait confusément l'impression qu'il ne pouvait se faire prendre, parce qu'il avait ces projets d'été, qu'il se voyait trop clairement aux commandes de son yacht avec à ses côtés une grande blonde bien bronzée en bikini. C'était trop clair dans son esprit pour ne pas se réaliser…

Et pourtant, en mai, peu de temps après l'expulsion de Burns, il s'est fait prendre et a écopé de quinze mois de prison. «Par ma faute, par ma faute, par ma très grande faute», répétait-il dans les jours qui ont suivi son arrestation. Il y avait eu des signes évidents. Depuis quelque temps déjà, la police commençait à se faire une bonne idée du fonctionnement de la bande des six, de ses habitudes, de ses repaires.

Gaston, inquiet et méfiant, surtout après l'arrestation de Burns, voyait des policiers ou des indicateurs partout. Ces deux gars, par exemple, qui, du jour au lendemain, s'étaient mis à fréquenter assidûment les bars et les salles de billard du quartier, ou celui-ci qui tournait autour des jumelles, ou celui-là qui venait d'emménager rue Frontenac, tous lui apparaissaient comme des indicateurs de police. Les journaux et la radio avaient, selon lui, beaucoup trop parlé de cette vague de vols de camions. La police savait très certainement qu'il s'agissait d'une seule et même bande qui opérait dans l'est de la ville, sur l'île Jésus et dans Lanaudière. Elle devait commencer à connaître son style, sa façon d'opérer, son territoire, ses membres peut-être. Tôt ou tard, elle allait frapper. Les autres aussi sont devenus nerveux. Déjà, un jour, se croyant filés, Gaston et Dufort avaient été forcés d'abandonner sur le boulevard Saint-Michel un plein camion de matelas et de sommiers pour lesquels Gravel avait déjà trouvé preneur.

Les plus vieux avaient été les premiers à décrocher. Ils s'étaient effacés, Dufort chez ses parents à la campagne, Gravel dans un chalet des Laurentides, et Forçure, qui parlait parfaitement l'anglais parce que sa mère était irlandaise, dans l'ouest du pays. Ti-Moineau avait remisé sa moto et il était retourné travailler à l'atelier de débosselage de son oncle. Mais Mario avait toujours son cruiser en tête, son train de vie, sa moto, ses amies. Et il se sentait toujours invulnérable, imprenable, comme ces plongeurs soumis aux effets de l'ivresse des profondeurs. Les voleurs connaissent ce danger, ce vertige qui les pousse à prendre des risques inutiles, terribles, de plus en plus graves, finalement fatals. Mario était intoxiqué : il avait le goût de voler, non pas pour s'enrichir davantage, mais pour que dure cette sensation excitante qu'il connaissait dans l'action. Il était resté en contact avec quelques-uns des acheteurs de Gaston et, dès l'éclatement de la bande des six, il s'était mis à travailler, seul d'abord, puis avec Ti-Moineau, qui lui disait chaque fois qu'il ne participerait pas aux vols qu'il l'aidait à planifier, mais qui, le moment venu, ne pouvait résister à la tentation, au plaisir de les mettre à exécution.

Heureusement pour lui, le 15 mai, il était terrassé par la grippe et n'avait pu participer à l'opération qu'il avait planifiée avec Mario. Avec l'aide de deux hommes de main qu'il avait engagés, celui-ci était en train de charger des appareils électroménagers usagés dans un camion volé quand trois voitures de police ont bloqué en moins de dix secondes toutes les issues : la rue, la cour arrière, les bureaux, l'atelier.

Mario a tout de suite compris qu'il était tombé dans un piège, un guet-apens. Monté par qui ? Il allait le découvrir une fois en prison, où quelqu'un qu'il n'aimait pas l'attendait en mâchouillant ses cure-dents et ses allumettes de bois, l'horrible Morissette pour qui travaillait l'un des deux hommes que Mario avait engagés, un jeune voyou qui avait prévenu la police, s'était fait prendre avec Mario, ferait quelques mois de prison pour quelques milliers de dollars ou pour se faire pardonner quelque faute. Mario s'était alors senti comme une mouche dans une toile d'araignée. Le lendemain de son incarcération, Morissette était venu le rencontrer dans la grande cour pour lui faire part de son intention d'acheter le projet de Michael Burns.

Morissette terrorisait tout le monde, détenus et gardiens. Parce qu'il était violent et puissant. Et, contrairement à beaucoup de ceux qui se prennent pour des durs et n'en sont pas, il n'avait jamais peur de faire mal. Et Mario a vite compris qu'il était prêt à tout pour s'approprier le projet de Burns. Il ne posait jamais de questions directes. C'étaient des moitiés de questions ou des moitiés d'affirmations, des sortes d'énoncés du genre : «Tu sais pourquoi j'ai voulu te voir ici, hein, Mario?», ou «Tu te doutes bien que je veux te parler du projet de ton beau-frère Michael», ou «Ta sœur est revenue de Londres depuis deux semaines. *Right?*», «Ta sœur va venir te voir cet après-midi, hein, Mario?»… De sorte qu'on pouvait toujours, à la limite, répondre à toutes ses questions-affirmations par des oui ou des non. Mario avait plutôt envie de le frapper.

Mais il craignait pour Monica et ses enfants. Car, en le faisant arrêter, Morissette ne faisait pas qu'éliminer tout intermédiaire entre eux deux, mais surtout il privait Monica de son ultime protection. Ce salaud avait très certainement des hommes au dehors qui pourraient la menacer, elle et ses enfants, la forcer à intervenir auprès de Burns. Et, s'ils n'obtenaient pas ce qu'ils voulaient, frapper.

Mario savait qu'en dernier recours il y aurait toujours moyen de faire appel à son père, Téo, ami d'enfance de Morissette. Mais ce dernier avait déjà beaucoup investi dans cette affaire. De plus, Mario avait pratiquement coupé tous les ponts avec son père, qu'il tenait plus ou moins responsable, sinon de la mort de sa mère, du moins du calvaire qu'elle avait connu au cours des dernières années de sa vie.

Depuis quatre mois qu'il était en prison, il avait refusé de voir qui que ce soit, à part ses sœurs. Quand, sans s'être annoncé, son père s'était présenté aux visites, Mario lui avait fait dire qu'il ne voulait pas le voir. «Il aurait fait le jars devant moi, expliqua-t-il à

Monica. Je l'aurais trouvé extraordinaire. Je l'aurais aimé. Je n'ai jamais été capable de lui en vouloir.» Il sentait confusément qu'il devait se protéger du charme destructeur de cet homme.

Mario Sparvieri ressemblait alors de façon frappante à son père. Au cours de l'année précédente, une mèche blanche était apparue dans ses cheveux, pareille exactement à celle qui traversait la chevelure de Téo, un éclair. Certains jours, Mario en était fier ; parfois, quand il haïssait vraiment son père, il songeait à la teindre. Mais alors il aurait fallu qu'il se change lui-même profondément : sa voix, ses gestes, ses rires, même ses pensées peut-être. Quand il parlait aux femmes, il se faisait soudainement penser à son père. Il lui semblait qu'il avait pris son sourire cauteleux et mielleux, ses gestes enveloppants, sa voix doucereuse, et alors il se haïssait, même si les femmes lui tombaient dans les bras. Il ne voulait plus ressembler à son père. Mais il était trop tard.

44

EN SEPTEMBRE 1963, Frank Shoofey est rentré de Las Vegas après avoir travaillé tout l'été, comme chaque année depuis la mort de son père, à l'hôtel MGM Grand où son oncle Al était gérant. Serveur, chasseur, barman, chauffeur privé, Frank avait frayé là-bas dans la grande vie. Il s'était lié d'amitié avec un jeune chanteur britannique, Tom Jones, qui commençait alors à faire parler de lui. À vingt-trois ans, transformé par ses études et ses contacts, ainsi que par les expériences qu'il avait vécues à Las Vegas, à Los Angeles et à New York, il n'était plus le garçon timide et solitaire qu'avaient connu Monica et Mario à l'époque où ils fréquentaient avec lui le boisé Saint-Louis. Frank était maintenant très sûr de lui. Et il avait développé un besoin inné, irrépressible, de faire parler de lui, de se mêler de tout, comme s'il pouvait toujours tout arranger.

Dès qu'il eut appris que Mario était en prison, il avait pris contact avec Monica. Il était triste, mais surtout fâché et déçu par les Sparvieri, qu'il trouvait passifs et défaitistes.

«Ton frère aurait au moins pu m'appeler, disait-il à Monica. J'aurais peut-être pu faire quelque chose pour le sortir de là. J'aurais pu lui trouver un bon avocat.»

Il ne comprenait pas qu'on puisse ainsi se laisser faire et qu'on ne sache pas mieux se débrouiller dans la vie. Il aurait pourtant dû savoir que Mario ne croyait pas à la justice, et qu'il n'aurait jamais accepté, pris en flagrant délit, de nier sa culpabilité et de faire appel à un avocat.

«Quand tu te fais prendre la main dans le sac, disait Mario, tu passes en cour, tu te fais condamner, tu fais ton temps. Point final.»

Agir autrement eût été, selon lui, cautionner la plus révoltante arnaque de l'histoire du monde. Il n'avait pas envie de payer un salaud déjà plein aux as pour qu'il se fasse de l'argent sur son dos. Il était persuadé que le crime n'enrichit jamais ceux qui l'exécutent, mais qu'il profite d'abord et avant tout aux avocats. «Ils aiment le crime, disait-il. C'est leur gagne-pain, leur raison d'être.»

Il croyait que tous les grands crimes sans exception étaient conçus par des avocats. Il disait que ceux-ci, avec la complicité des politiciens, maintenaient toute une couche de la société dans la misère noire. Ils avaient ainsi à leur disposition une armée de voleurs, de tueurs, des criminels qui exécutaient leurs ordres, prenaient tous les risques, finissaient par se faire prendre; et alors les avocats leur demandaient une fortune pour assurer leur défense. Et la société, les curés, les professeurs, les journalistes, tous les riches et les instruits savaient cela et laissaient faire, parce qu'ils en profitaient eux aussi ou parce qu'ils avaient peur.

Sur le fond, Frank était plus ou moins d'accord. Il avait compris lui aussi qu'il y avait dans le monde, plus encore que dans la nature, une injustice immanente. Mais il croyait, contrairement à Mario, qu'on pouvait et qu'on devait changer les choses, changer la justice et la loi, et les gens, peut-être même le cœur des gens.

Au cours de l'automne, il est allé à quelques reprises voir Mario à la prison de Bordeaux. Par pure amitié. Mais aussi beaucoup parce qu'il y avait au fond de lui cette furieuse envie de mieux connaître le petit monde du crime et ses habitants. Il faisait ses classes. Mario et lui parlaient longtemps, de rien, des femmes, de l'argent, de l'injustice. Et Frank disait à Mario : «J'aurais souhaité ne jamais t'avoir comme client.

– Rassure-toi, tu ne m'auras pas», lui répondait Mario.

Frank entreprenait sa quatrième et dernière année de droit à l'université McGill. Il ferait du droit criminel, le seul qui lui semblait intéressant et satisfaisant, parce qu'il s'exerçait justement à la frontière de deux mondes apparemment inconciliables, mais au fond intimement liés. Il agirait comme une sorte d'intermédiaire ou d'ambassadeur. Il défendrait les criminels, qui sont des victimes. Il serait célèbre, puissant, riche et adulé.

Issu d'une famille bourgeoise et honnête, il avait abondamment fréquenté, dans son enfance et son adolescence, les milieux où, dans les bras de la misère et de la pauvreté, naissait et s'épanouissait le crime. Il comprenait que pour le pauvre le vol n'est pas vraiment un délit mais une vengeance, presque un devoir, un acte de survie. Dans le Red Light, il avait côtoyé des dizaines de jeunes qui avaient mal tourné, parce que la société ne leur avait pas laissé le choix. Les petits délinquants qui avaient toujours vécu dans ce milieu ne pouvaient s'en sortir autrement que par le crime ; ils étaient stigmatisés, marqués, obnubilés, fascinés par le monde du crime, qui était aussi celui du pouvoir, de l'argent, de la gloire. Ils ne pouvaient se réaliser, se valoriser hors de ce milieu.

Frank avait plusieurs fois tenté de convaincre Mario et quelques autres de ses amis et connaissances de s'éloigner de ce monde, de se trouver du travail et de persévérer, de tout changer. Leurs projets, leur vision du monde, leur âme même. «Tu ne gagneras jamais», leur disait-il. Il avait trouvé des jobs à Richard Blass. Mais après quelques jours, quelques semaines, incapable de vivre sans respirer l'air du crime, celui-ci disparaissait, redevenait une bête sauvage, hargneuse et dangereuse, terriblement menacée.

Frank aimait les criminels comme un médecin aime les malades. Il aimait les gens de ce milieu, où il avait entrepris de se faire connaître un peu à la manière d'un politicien. Il était très actif dans les clubs sociaux. En septembre, au moment où il avait retrouvé Monica, il travaillait déjà à l'organisation d'une cueillette de vêtements et de jouets pour les familles pauvres du quartier. Ça se terminerait par un dépouillement d'arbre de Noël avec la collaboration d'un Club optimiste du Centre-Sud. Il invitera le député, le curé, le maire…

Un soir de novembre, il a emmené Monica dans un grand restaurant de l'ouest de la ville, chez Desjardins, où, pour la première fois de sa vie, elle a mangé du caviar et des huîtres. Ils ont parlé de leur adolescence. Et ils ont été tristes tous les deux sans se le dire en réalisant qu'ils n'étaient plus désormais du même monde, plus vraiment ensemble, et qu'au fond d'eux-mêmes ils l'avaient toujours su. Et ils n'avaient pas été assez forts, ni l'un ni l'autre, pour changer cet ordre. Monica était mal à l'aise dans ce monde trop grand, trop beau, trop cher. Elle était intimidée par ce jeune homme autrefois si amoureux d'elle et qu'elle avait mené par le bout du nez, à l'époque où elle croyait vraiment que le monde entier lui appartenait. Elle savait maintenant qu'il n'en était rien. Elle savait que le monde était une machine infernale, effroyable, qui broyait les petites gens, inexorablement. Elle faillit lui demander conseil au sujet du projet de Burns et des problèmes qu'il suscitait. Mais elle se retint, sachant qu'elle le mettrait dans une situation difficile.

«Tu m'appelleras si tu as besoin de moi», lui avait-il dit en la raccompagnant chez elle. Elle a compris qu'il mettait ainsi, d'une certaine manière, fin à leur relation. Il serait toujours là pour la défendre. Mais plus jamais pour le plaisir, plus jamais par amour ou par amitié.

Il l'avait cependant convaincue de demander de l'aide. Pour lutter contre la pauvreté, les grands commis du nouveau gouvernement de Jean Lesage avaient créé des institutions très généreuses et bienveillantes, soi-disant animées de grands idéaux démocratiques. Jamais par elle-même Monica ne se serait résolue à s'adresser à ces instances. Elle croyait que les fonctionnaires étaient des délateurs et des indicateurs. Frank lui expliqua longuement que le gouvernement n'essayait pas d'accabler les petits, et qu'elle avait non seulement le droit mais aussi le devoir de réclamer ce qu'on lui devait. «Fais-le au moins pour tes enfants.»

Monica a donc placé une demande d'aide au bureau du Bienêtre social, que le gouvernement venait d'ouvrir. Elle a rempli péniblement des formulaires et des questionnaires : nom, prénom, âge et qualités, religion, statut civil, activités et revenus du conjoint, raisons de la demande. Détestable paperasse! Puis elle s'est rendue au bureau du Bien-être. Intimidée, mal à l'aise, terriblement seule, elle a pris un numéro et elle a attendu pendant des heures entre de grands murs sombres. Le fonctionnaire qui s'est occupé de son cas l'a regardée de haut, avec un mépris appuyé. Il l'a fait revenir trois fois. Il a même pris le temps de mener sur elle une véritable enquête. À leur deuxième rencontre, il semblait connaître toute l'histoire de la famille Sparvieri. Il avait sur son bureau un gros dossier dont il tirait des documents. Pour Monica, ces papiers parlaient tout haut. Ils racontaient sa vie, celle de sa famille, les crimes, le pire… Ils ne disaient pas ce qu'avaient souffert sa grand-mère et sa mère. Ils disaient plutôt : «Ton mari est un repris de justice, ton frère est en prison, ton beau-frère en sort et va y retourner avant longtemps. Et toi, tu as fait de la prostitution dans le Red Light… Et tu viens nous dire que tu as besoin d'argent pour élever tes enfants! On devrait plutôt te les enlever, tes enfants.» Voilà, en gros, ce que Monica entend clamer par la paperasse que compulse de ses longs doigts cireux le fonctionnaire du ministère des Affaires sociales.

Il est tout jeune, probablement pas plus vieux qu'elle. Il a des boutons, des pellicules. Il a des yeux énormes, exorbités, très mobiles, que Monica trouve dégoûtants, comme s'ils la salissaient quand ils se posent sur elle. Et il devient brusque et agressif, parce qu'il se sent menacé, parce qu'il a peur d'elle, du désir qu'elle fait naître en lui. Elle est en mini-jupe et son chemisier bée. Chaque fois qu'elle bouge, qu'elle se penche, le gars louche, rougit. Il a chaud. Il veut l'humilier, lui montrer qu'il est le plus fort. Mais elle ne veut pas jouer à la mère éplorée, défaite, brisée. Elle ne veut pas s'enlaidir pour attirer sur elle la pitié. Elle ne veut pas renoncer à ce qu'il lui reste de beauté, de jeunesse, de fierté.

Même s'il y avait maintenant plus de dix ans que s'étaient produits ces événements, personne dans le bas de la ville, surtout pas dans ces milieux, n'avait oublié la saga de la *mamma* Sparvieri, la grand-mère de Monica, comment elle avait été condamnée à douze ans de prison pour avoir dirigé ce que la police avait appelé «une véritable école du crime», tout un réseau de jeunes receleurs qui, disait-on, volaient dans des maisons, des commerces. Le fonctionnaire savait tout cela. Il se faisait presque paternel. Il parlait de faire placer les enfants de Monica.

«Pour leur bien, tu comprends!»

Il lui dit que des enfants ne devraient pas vivre dans un tel milieu, que c'est malsain pour eux. Comme si elle avait la lèpre! Elle comprend qu'elle aura de l'aide à condition de laisser ce regard hideux et brutal pénétrer en elle, jusqu'au fond de sa vie, de son âme, la fouiller, la violer.

Elle touche, quelques semaines plus tard, un premier chèque de cent vingt dollars. Ce sera le dernier. Elle s'est juré que plus jamais elle ne ferait affaire avec ces gens du ministère des Affaires sociales. Elle déménage dans un petit appartement à trente-trois dollars par mois, ruelle Saint-Christophe, entre les rues Saint-Hubert et Saint-André, un cul-de-sac qui, depuis la rue Ontario, se heurte à la falaise de la rue Sherbrooke. Très peu de voitures y entrent; très peu de soleil et d'air aussi. On y jouit même d'une certaine tranquillité. Mais toutes les maisons sont en piteux état. Ce sont des nids à feu infestés de blattes et de rats.

Monica était rentrée de Londres avec des sentiments plutôt froids à l'égard de son mari. Après ce qu'elle vient de subir, elle se sent comme lui contaminée à jamais par la colère et la haine.

Et elle en veut à Frank de l'avoir poussée vers ces gens dont il est aujourd'hui le complice, le semblable. Elle en veut à son mari d'avoir si lamentablement échoué dans toutes ses entreprises. Et à Mario de l'avoir abandonnée...

* * *

Monica connaissait fort peu de choses du fameux projet que Michael Burns avait conçu et que Morissette voulait maintenant s'approprier. Depuis cinq ans, son mari en avait parlé devant elle au moins cent fois, pour ce qu'il pouvait lui rapporter, pour ce qu'il changerait de leur vie, mais jamais autrement.

Elle en ignorait donc tout à fait la nature et les détails. Elle avait cru un temps qu'il s'agissait d'imprimer de la fausse monnaie. Quand il vendait des peintures, Burns avait en effet frayé avec des graphistes et des imprimeurs et Monica avait saisi çà et là des bribes de conversation. Elle savait qu'il avait été question d'imprimer des faux billets de vingt dollars américains. Pour des raisons qu'elle ignorait, Michael avait peu à peu cessé de voir ces gens. Mais il avait continué à parler de son projet, si souvent et si longtemps que Monica avait fini par ne plus y croire. Et voilà que des gens sérieux, qui avaient déjà réalisé des gros coups, s'étaient mis à y croire. Ainsi, en plus de lui avoir presque gâché la vie, ce maudit projet la mettait maintenant en danger.

Mario en connaissait à peine plus long qu'elle. Il savait seulement qu'il s'agissait d'une opération très compliquée, une mécanique hyper-sophistiquée que Burns avait mise au point. Et il avait fait en sorte qu'aucun des exécutants, à part lui, ne connaisse l'ensemble. Chacun des individus y participant n'y jouerait que son petit rôle. Morissette était persuadé que Burns avait un cahier ou un répertoire de noms, de numéros de téléphone et d'adresses, ce qu'on appelait dans le milieu le bottin d'un projet.

«Il y a une demi-douzaine de pièces dans le puzzle. J'en ai deux. Trois avec toi, disait-il à Mario. Je veux que Burns nous donne les trois ou quatre morceaux qui manquent. Demande-lui combien il veut.»

Mario et Monica savaient que Michael avait la tête dure, que ce maudit projet était son obsession, son idée fixe, et qu'il s'entêterait à en garder le contrôle ou à vouloir le réaliser lui-même malgré l'impossibilité absolue dans laquelle il se trouvait de le faire. Le bottin ou le plan de son projet était vraisemblablement dans cette enveloppe que Monica avait remise au gros Herbie Daniels à son retour de Londres. Lui seul possédait maintenant les clés, les noms; lui seul pouvait satisfaire aux exigences de Morissette. Et il n'en ferait rien. Quand Monica est retournée le voir au *Boléro* pour lui demander conseil, il lui a laissé entendre qu'il attendait les ordres de Burns.

Pendant quelque temps, Monica a vécu dans la peur. Jour et nuit. Elle dormait avec ses enfants dans son lit, le revolver que lui avait prêté Herbie sous l'oreiller. Terriblement seule. Elle revoyait de temps en temps Margot. Elle aurait eu besoin de sa tendresse, de son humour, de sa chaleur. Mais Margot semblait de plus en plus nerveuse et lunatique. Son rire nerveux glaçait Monica.

Incapable de payer son loyer, elle dut encore une fois déménager, rue Beaudry. Pendant cette période de misère et de solitude, son seul réconfort lui vint d'une voisine presque aussi mal prise qu'elle, Réjeanne Bureau, mère de deux enfants, une fille de la campagne échouée en ville où elle ne connaissait à peu près personne. Réjeanne a plusieurs fois aidé, réconforté Monica. Elle a gardé ses enfants quand celle-ci voulait sortir. Elle-même passait des jours sans jamais mettre les pieds dehors. Les deux femmes cousaient et tricotaient des foulards, des chandails pour les enfants, ou roulaient des cigarettes qu'elles vendaient aux voisins.

Un peu après les fêtes, le gros Herbie du *Boléro* a fait dire à Monica qu'il voulait la voir. Elle s'est rendue chez lui pour apprendre que Burns avait demandé à Gaston Lussier de veiller sur elle et ses enfants, qu'il savait menacés par Morissette et sa bande. Monica ne comprenait pas vraiment pourquoi Gaston, qu'elle connaissait fort peu, se sentait obligé d'obtempérer aux demandes de son mari. Elle ne voyait pas non plus comment cet homme mou et lent pourrait la protéger si jamais elle était réellement en danger. Mais le choix n'était pas bien grand. Herbie, dangereusement obèse et cardiaque au dernier degré, presque incapable de se déplacer, n'aurait pu lui être d'un grand secours. Mario était toujours en prison. Ti-Moineau persistait dans sa décision de se tenir éloigné du milieu, d'autant plus que Paula était de nouveau enceinte. Et il parlait de se marier au printemps.

Monica allait rapidement découvrir que Gaston avait le sens du devoir et de l'organisation. Il est d'abord venu voir où elle habitait. Il est resté sur le pas de la porte et a dit : «Michael veut que tu déménages d'ici. Tu n'es pas en sécurité. Et ce n'est pas un coin pour élever des enfants.»

Trois jours plus tard, il avait trouvé un bel appartement, rue Garnier, à quelques pas du parc LaFontaine, où il a aidé Monica à s'installer. Il a lui-même posé un double loquet aux deux portes d'entrée et un grillage aux fenêtres qui donnaient sur la galerie et sur le balcon arrière.

Pour le remercier, elle lui a tricoté un chandail et un foulard.

«Peux-tu tricoter des cagoules? lui a-t-il demandé.

– Combien t'en veux?

– Six. Noires. Mais ce n'est pas pressé. Pour dans trois semaines, par exemple.»

Deux jours plus tard, les cagoules étaient prêtes.

«Regarde. J'ai fait un ourlet blanc autour des yeux et de la bouche. Ça fait plus effrayant, tu ne trouves pas?»

Elle a senti qu'il avait failli l'embrasser. Et s'est demandé comment elle aurait réagi.

* * *

Le hasard a fait que Mario est sorti de prison la veille du mariage de Paula et de Ti-Moineau. Ce dernier avait eu l'idée de garder secrète la libération de son futur beau-frère, de sorte que Paula eut cette énorme surprise le jour de ses noces. En remontant l'allée centrale de l'église Saint-Pierre-Claver au bras de son nouvel époux, elle aperçut son frère Mario debout, les larmes aux yeux. Elle lui a sauté dans les bras et a fait avec lui tout un numéro de rires et de cris qui ont fait résonner l'église…

Elle s'est soûlée copieusement. Même en ce jour, «le plus beau de ma vie», disait-elle, elle gardait une tristesse de fond, une inquiétude, une fragilité, toutes choses qui sans doute la rendaient attachante aux yeux de Ti-Moineau. Mario aussi aimait profondément Paula, sa folie, sa douleur, ses colères. Il ne comprenait pas cependant, lui qui n'aimait que les nymphettes bien lisses et bien roses, comment faisait Ti-Moineau pour ne pas être dégoûté par la peau toute fripée et marquée de plaques roses, ocre, brunes, que Paula avait sur le dos. Lorsqu'il la serrait dans ses bras, il devait sentir sous sa main ce cuir rugueux qui n'était même pas sa peau à elle, mais celle de Téo, de Mario, de l'oncle Alfonso et de ce mystérieux Mohawk qu'on n'avait jamais revu. Et s'il la prenait par-derrière, il pouvait lire entre ses omoplates et ses reins la pire histoire d'horreur qu'ait jamais connue la famille…

Il était cependant évident que Ti-Moineau était amoureux de Paula. Ils riaient beaucoup ensemble, ils se chuchotaient des secrets. Il ne supportait pas qu'on dise la moindre chose contre elle, qu'on lui fasse le moindre mal.

«Et tu es mieux de l'aimer longtemps, lui a dit Mario. Et de ne jamais lui faire de peine. Sinon, tu vas avoir affaire à moi.»

45

GASTON LUSSIER n'était jamais aussi sage et ne travaillait jamais aussi fort que lorsqu'il venait de faire un bon coup d'argent. Or, au printemps et à l'été 1964, il se tapait six bonnes journées par semaine au volant d'une voiture-taxi louée à un concessionnaire Diamond, une Pontiac Parisienne noire de modèle récent, mais prématurément vieillie. Il roulait de huit à douze heures par jour, dans l'Est surtout. Il ne sortait à peu près jamais, sauf le samedi soir. Et pas bien tard. Il allait boire deux ou trois bières tièdes en regardant les danseuses nues du *Pal's Café*. Il laissait un maigre pourboire à la serveuse. Puis il allait manger deux hot-dogs et des frites avec un Coke au *Montreal Pool Room*, où il se mêlait nonchalamment aux conversations. Et il rentrait bien sagement chez lui, à Tétreault-ville. Le dimanche, beau temps, mauvais temps, il allait à la pêche. Il sortait alors sa petite Chevrolet deux tons vieille de trois ou quatre ans, qu'il conduisait avec prudence. Quand la saison de la pêche était terminée, il passait des heures dans son hangar ou dans son garage, à sculpter des pieds de lampe ou des appuie-livres. Et, de temps en temps, toujours avec de piètres résultats, il essayait d'empailler une marmotte, une truite ou un écureuil gris.

Mais les gens du milieu ont l'œil. Et pour eux, l'argent a une puissante odeur. On voyait bien, on sentait bien que Gaston en avait fait quelque part. Assez, peut-être même beaucoup d'argent. Ti-Moineau aussi, qui depuis avril peinait cinq jours par semaine à l'atelier de débosselage de son oncle, à Rosemont. Et Mario, bien sûr. Depuis quelque temps d'ailleurs, on ne les voyait plus jamais ensemble, Gaston, Mario et Ti-Moineau, eux qui pendant des années avaient été inséparables, sauf, bien sûr, quand ils étaient en prison.

Autant Gaston était terne et effacé, autant Mario était coloré, bruyant, flamboyant. Il portait des chemises hawaïennes, des jeans noirs, de larges ceintures cloutées, des bottes de moto bien ferrées, un bracelet de cuir. Il aimait rire haut et fort, faire du bruit, de l'esbroufe. Il écoutait beaucoup de musique. Il habitait toujours rue Ontario avec ses sœurs, les jumelles Arlette et Lola, et avait recommencé à fréquenter régulièrement les clubs de la *Main*.

Il s'était racheté une moto dès le retour des beaux jours. «Tu vas nous faire remarquer, lui disait Gaston. Comment veux-tu qu'un gars fraîchement sorti de prison ait les moyens de s'acheter une Harley de ce prix-là?» S'il n'avait pu le convaincre de s'en débarrasser, il lui avait trouvé un emploi dans une entreprise de ravalement et d'entretien. Pendant un mois et demi, Mario avait œuvré au sein d'une équipe d'ouvriers sur le même pilier du pont Jacques-Cartier, celui qui se trouve à la hauteur de la rue Sainte-Catherine du côté de De Delorimier. Ils avaient d'abord travaillé à refaire les joints de l'obélisque de béton. Parvenus à son sommet où se trouvait posée la structure métallique du pont, ils avaient entrepris de gratter la vieille peinture de haut en bas. Puis ils ont tout arrosé au jet de sable et tout repeint de bas en haut. Un gros vert épais et visqueux. Mario avait fini par aimer son pilier. Et son équipe.

Mais au milieu de l'été, quand sont venues les grosses chaleurs, il s'est mis à s'absenter de plus en plus régulièrement.

* * *

Le 31 mars 1964, tout le jour, une petite pluie qui semblait ne jamais devoir finir s'est ingéniée à fondre les restes de l'hiver. En soirée, à dix-neuf heures vingt-deux, le lourd camion noir conduit par Lionel Doutre s'écarte du vieil embarcadère de l'Hôtel de la Poste et remonte lentement la ruelle Windsor jusqu'à la rue Saint-Jacques. Parvenu à la rue University, il tournera vers le nord. Dans cinq minutes, il devrait être au quai de la Gare centrale où les sacs de courrier seront mis à bord du train de nuit pour Halifax.

Ce court voyage entre l'Hôtel de la Poste et la Gare centrale, le chauffeur Lionel Doutre, trente et un ans, et le commis Fernand

Lemieux, quarante-neuf ans, l'ont fait plusieurs fois chaque semaine depuis des années. Même camion, même trajet, même destination, pratiquement même conversation. Doutre est une asperge d'un mètre quatre-vingt-dix. Lemieux est tout petit et rond, un radis.

Presque toujours, quatre-vingt-dix-neuf fois sur cent, ils transportaient du courrier sans valeur. Des lettres d'amour, des colis commandés par catalogue aux grands magasins de Montréal. Les gens s'écrivaient encore beaucoup, à cette époque. Quelquefois, cependant, certains sacs contenaient de l'argent, des bijoux. Doutre et Lemieux avaient camionné déjà jusqu'à près de dix millions de dollars en liquide. Les sacs contenant de l'argent portaient le plus souvent un timbre spécial. Mais quand il s'agissait d'aussi fortes sommes, les gars n'étaient informés qu'après le fait ou pas du tout.

Ce soir-là, ils transportaient dix gros sacs de courrier recommandé, dont deux contenaient des valeurs, de l'argent, quelques bijoux. Ces deux sacs devaient transiter à Matane, prendre le traversier pour Godbout sur la Côte-Nord, d'où ils seraient acheminés à Baie-Comeau par camion, puis par hélicoptère jusqu'aux chantiers hydroélectriques de la Manicouagan. Ils contenaient la paye bimensuelle des travailleurs.

L'automne précédent, à la Chambre des communes, on s'était demandé si on ne devrait pas blinder les camions postaux et armer les commis ambulants lorsqu'ils transportaient d'importantes valeurs. On avait conclu que c'eût été une indication dangereuse et une provocation inutile. Doutre et Lemieux, comme la plupart de leurs confrères, avaient été soulagés. Ils ne se voyaient pas avec un revolver à la ceinture. Il y avait eu au cours de l'hiver, au Québec et en Ontario, quelques agressions sans violence… et sans grand profit. Les voleurs, chaque fois mal informés, s'étant emparés de sacs de lettres d'amour et de colis sans valeur…

Ce soir du 31 mars 1964, en tournant dans la rue University, Doutre aperçut droit devant lui un camion qui roulait très lentement, comme s'il était lourdement chargé et venait de démarrer. Il sentit tout de suite quelque chose d'anormal. Il lui semblait que ce camion avait volontairement raté le feu vert. Dès qu'il se fut immobilisé derrière lui, il aperçut dans son rétroviseur un troisième camion tout aussi noir qui vint se garer juste derrière lui. Et déjà des hommes armés entouraient le camion postal. Ils portaient des cagoules de lainage noir dont les ouvertures étaient ourlées de blanc.

«Restez calmes, cria l'un d'eux. Faites ce qu'on vous dit. Tout ira bien.»

À dix-neuf heures et demie, le quartier des affaires est désert. Doutre et Lemieux ont choisi d'obéir. Ils sont descendus, chacun de son côté, les mains en l'air, et se sont laissé conduire dans la boîte du camion arrêté devant le leur, qui est reparti dès qu'ils y furent montés. On leur a lié les pieds et les poignets, on les a bâillonnés, on les a attachés l'un à l'autre dos à dos et tous deux à un anneau ancré au plancher. On a roulé une bonne quinzaine de minutes, avec beaucoup d'arrêts et de virages. Puis le camion s'est immobilisé. Le chauffeur est descendu. Le bruit de ses pas s'est éloigné. Doutre et Lemieux se sont retrouvés plongés dans le noir et dans le silence.

* * *

Herbie Daniels avait franchi presque en même temps le cap de la quarantaine et celui des cent cinquante kilos. Sa femme lui avait alors annoncé qu'elle ne ferait plus l'amour avec lui d'aucune manière, à moins qu'il ne perde cinquante kilos. Depuis plus de quatre ans, elle avait tenu parole. Herbie avait pris l'habitude de dormir à demi assis entre de gros coussins, ses énormes bras posés de chaque côté de lui. Pas de couvertures. Il s'enveloppait dans un ample kimono de soie qu'un ami lui avait rapporté de Hong-Kong. Beaucoup de marins anglais qui passaient à Montréal venaient visiter Herbie. Depuis plusieurs années, il entretenait un petit trafic d'opium. En fait, il n'avait qu'un seul client, qui écoulait sa marchandise sur la *Main*. Il n'avait jamais cherché à agrandir sa clientèle, ni haussé ses prix depuis presque une dizaine d'années.

Dormir est un bien grand mot. Herbie sommeillait, il rêvassait, il avait peur. Toutes les nuits, il pensait qu'il allait mourir subitement dans son sommeil, son demi-sommeil. Son cœur flancherait, Mimi le retrouverait au matin, la tête renversée sur l'oreiller, les yeux fixes, froid déjà, ou tiède au moins. C'est ce qui l'ennuyait le plus : il n'aurait pas connu cette joie de tiédir et de se rafraîchir un peu. Herbie souffrait constamment de la chaleur. Et il trouvait quelque sympathie à la mort parce que, quand elle viendrait, elle lui refroidirait le corps. «*Fuck, I won't even notice…*»

Quand il avait parlé de ça à Mimi, lui disant : «Ce que la mort a de mieux, je n'y goûterai même pas», celle-ci avait répondu : «Ça, c'est tout toi, mon chou. Tu n'auras pas goûté à ce que la vie a de mieux non plus.»

Hiver comme été, Herbie avait à l'aube un grand moment de lucidité. Pendant que la lumière se coulait doucement derrière le rideau et inondait la chambre, il songeait, se disant qu'il ferait bien de quitter ce pays et de rentrer en Angleterre pour retrouver les *boys* avant qu'il ne soit trop tard. Toutes les nuits, son cœur flanchait dans son sommeil. Et il se réveillait, il se disait qu'il devrait vendre le *Boléro*, le *Chambord*, le *El Paso*, toutes ses maisons de chambres, et rentrer peinard en Angleterre, où il perdrait du poids. Il laisserait tout ce qu'il a ici, ses meubles et cette femme qui dormait encore à sa gauche, sa femme qui n'était plus sa femme mais celle d'un autre, ou de plusieurs autres. Elle était restée belle et bien faite. Elle n'était pas fidèle, mais elle était présente et correcte, sans jamais être servile. Depuis douze ans qu'elle était avec lui, elle n'avait jamais rien fait d'autre que dépenser le plus d'argent possible pour s'habiller, se faire masser, manucurer, coiffer, et, depuis quelques années et de plus en plus, pour boire et de temps en temps snifer de la cocaïne ou de la morphine avec ses nombreux amis, des beatniks sans le sou qui se cuitaient et se camaient copieusement aux frais de Herbie qu'ils tenaient dans un souverain mépris. Et Herbie s'en fichait éperdument…

Un jour, bientôt, il rentrerait au pays. En bateau, évidemment. L'avion, jamais ; il étoufferait, il mourrait… Il prendrait un cargo. Il liquiderait tout. Il partirait avec des vêtements de rechange et son fric. Rien d'autre. Le grand air frais du large lui ferait tant de bien et calmerait cette horrible fournaise qui chauffe en lui.

D'habitude, il se mettait au lit vers trois heures. À moins qu'il n'y ait le feu ou une bagarre avec blessés graves dans l'un ou l'autre de ses établissements, personne ne devait l'appeler avant midi. Dans la nuit du 2 au 3 avril 1964, quand le téléphone sonna pour la première fois, il était près de cinq heures et demie. Herbie décrocha, à la fois inquiet et curieux. Quelque chose se produisait en dehors de la routine habituelle. À cette heure-là, sauf certains vendredis ou samedis d'été, les grosses bagarres sont terminées. Les filles dorment. Leurs clients aussi, chez eux. Et il est rare que des descentes policières soient effectuées après minuit.

À peine Herbie eut-il décroché qu'il entendit un déclic. La communication avait été coupée et la tonalité du téléphone était revenue. Cinq minutes plus tard, même manège. Vers six heures, nouvelle sonnerie. Cette fois, la communication semblait solidement établie. En approchant le récepteur de son oreille, Herbie réalisa qu'il s'agissait d'un appel d'outre-mer, «*a collect call from Worthing, England, for Mr. Herbie Daniels*».

Pendant que la téléphoniste lui demandait s'il acceptait les frais, Herbie entendait derrière elle des «*fuckin' fuckin' shit*», des «*fuckin' bastards*» et autres vociférations. Il reconnut la voix et les mots de Burns, la rage en personne. «*Who the fuck dit it? Tell me, Herbie. I'm gonna fuckin' kill him. Fuckin' shit, you know I'm gonna kill those…*»

La ligne eut un hoquet et se tut. Herbie n'avait pas eu le temps de placer un mot. Mais il avait compris. Il était atterré, tétanisé. Il raccrocha, posa sa tête sur l'oreiller et dit tout haut :

«*Shit, Michael, I thought you knew all this. I thought it was O.K. with you, man.*»

À sa gauche, sa femme bougea et bougonna. Herbie ajouta, pour lui-même :

«*Fuck*, Mimi, cette fois, je ne suis pas mieux que mort.

– Je l'ai toujours dit, mon chou, c'est quand on est mort qu'on est le mieux, tu vas voir.»

Le lendemain après-midi, Herbie Daniels faisait une crise cardiaque. Le docteur lui a dit que la prochaine fois serait la dernière.

* * *

Doutre et Lemieux, dans le noir du camion, parviennent à se détacher de l'anneau fixé au plancher. Mais ils sont toujours menottés et attachés dos à dos. Ils n'ont aucune idée de l'endroit où ils se trouvent. Ils se glissent jusqu'à l'arrière du camion, soulèvent la bâche. Le camion est garé dans une petite rue qu'ils ne connaissent pas. Un postier fait toujours le même trajet. Doutre connaissait par cœur une demi-douzaine d'itinéraires à travers le centre-ville, mais dès qu'il s'en écartait, il était perdu…

Timidement, péniblement, ils descendent du camion. Le grand Doutre d'abord. Et alors commencent les difficultés. Solidement liés dos à dos, l'un très grand, l'autre plutôt petit, les pieds entravés, ils progressent par petits bonds latéraux vers la rue perpendiculaire, qui semble plus animée. Doutre doit fléchir les genoux ; Lemieux doit relever les bras le plus haut possible. Ils tombent à plusieurs reprises, leurs bonds étant mal coordonnés. Finalement, le grand Doutre descend dans la rue et Lemieux reste sur le trottoir. Ils parviennent ainsi à l'angle des rues où ils peuvent lire «Concorde» et «De Bleury». Vingt-deux heures environ, un mardi soir pluvieux et venteux. Pas un chat.

Finalement, un chauffeur de taxi forcé d'arrêter au feu rouge leur vient en aide. Mais Doutre et Lemieux sont mouillés de la tête aux pieds, et ils se sont roulés dans le ruisseau, littéralement. Ils se sont tous les deux déchiré les poignets et saignent. Incapable de les faire monter dans sa voiture, le chauffeur aide les deux hommes à se réfugier dans une encoignure et appelle la police qui, heureusement, rapplique très rapidement. Les policiers détachent facilement les pieds des postiers, mais les menottes résistent. Au prix d'efforts considérables, on parvient à faire monter les deux hommes épuisés dans la voiture de police.

Au poste, on a dû travailler une grosse heure avant d'ouvrir les menottes de marque allemande, dont le mécanisme était inconnu des policiers. Il fallut tailler une clé, l'essayer maintes fois. Un médecin avait administré un sédatif aux deux hommes qui, dans une certaine euphorie, ont raconté leur aventure aux policiers.

* * *

Après avoir raccroché, Herbie était resté étendu, la bouche grande ouverte, cherchant son souffle, la main droite encore posée sur le téléphone. Il avait compris que Burns, à Worthing, venait de lire dans les journaux du matin qu'un vol important avait été perpétré deux jours plus tôt au Canada. Sans même qu'il ait été tenu au courant.

Croyant bien faire, Herbie avait assemblé les pièces du puzzle. Il avait servi de lien et déclenché l'opération. Il était entré en contact avec un fonctionnaire du ministère des Postes, dont Burns lui avait donné les coordonnées dans la lettre confiée à Monica. C'était un petit homme chétif et froid, d'une cinquantaine d'années, qui vint rencontrer Herbie à plusieurs reprises. Herbie fit l'erreur de l'aboucher avec l'un des membres du gang des Anglais de l'ouest de la ville qui, croyait-il, avaient toute la confiance de Burns. Dès lors, l'affaire lui avait échappé. De même qu'à Michael Burns. Les Anglais et l'indicateur du ministère des Postes pouvaient pratiquement agir seuls. Ils feront cependant appel, toujours par le truchement du gros Herbie, aux services de Gaston, de Ti-Moineau et de Mario, qui participeront bien innocemment à l'organisation et à l'exécution d'une formidable arnaque dont ils seront, presque autant que Burns, les victimes.

Le 1er avril, on lisait à la une de tous les journaux qu'un vol, peut-être le plus important jamais commis au Canada, avait été perpétré la veille au soir dans le quartier des affaires de Montréal. Sept hommes armés et masqués avaient attaqué, à deux pas de l'Hôtel de la Poste et de la Gare centrale, un camion postal contenant dix sacs de courrier, dont deux étaient remplis d'argent liquide. Combien? Le *Montreal Star* ne mentionnait pas de chiffre, mais laissait entendre qu'il s'agissait d'un très gros montant. *La Presse* et *The Gazette* parlaient de plus de deux millions de dollars en cash. Et il y avait des colis de toutes sortes, des bijoux.

Ce même jour, on retrouvait le camion postal dans la ruelle de la rue Shuter, tout près du lieu de l'attaque. Il était vide évidemment, à part sept cagoules de lainage noir dont les ouvertures étaient ourlées de blanc.

Quant aux sacs, ils traînaient, vides, dans un terrain vague, à l'angle des rues Mentana et Saint-Grégoire.

* * *

Les Anglais compliquent tout ce qui est chiffres : les distances, les poids et mesures, la monnaie. Dans le cas du partage de ce que devait rapporter ce vol du camion postal, Burns et ses amis avaient élevé cette manie au niveau du délire. Le magot devait être divisé en cent vingt parts. Chacun des participants devait recevoir plus ou moins de parts selon l'importance du rôle qu'il avait tenu dans l'opération, le temps, l'énergie, l'argent qu'il avait investis. Les Anglais qui avaient pris contact avec Gaston grâce à Herbie avaient proposé qu'on s'inspire du système de Burns, qui leur semblait d'une infaillible logique. Il fut également convenu qu'en attendant le partage chaque groupe garderait en sa possession l'un des deux sacs, dûment scellé. On devait se rencontrer le vendredi matin, 3 avril, en présence du comptable, qui procéderait alors à l'inventaire des sacs, puis au partage.

Dans la nuit du mercredi au jeudi, Gaston s'est réveillé en sursaut. Il n'a pu reconstituer la trame du rêve qu'il venait de faire, mais il en sortait persuadé qu'ils avaient été floués par Burns et ses compatriotes. Tout lui semblait soudainement d'une implacable limpidité : le gros sac de toile qui attendait, toujours dûment scellé, dans son sous-sol ne contenait rien d'intéressant. Le comptable ne viendrait jamais. Les Anglais étaient partis sans donner d'adresse. On ne connaissait probablement pas leurs vrais noms ni leurs adresses. C'étaient eux qui, chaque fois, avaient pris contact avec Gaston, Ti-Moineau et Mario.

Gaston ne put se rendormir. La rage montait en lui, contre Burns, Herbie, les Anglais, contre lui-même... Comment n'avait-il pas pensé à ça ? À l'aube, il était chez Ti-Moineau, à qui il fit part de ses angoisses. Ils n'avaient aucun moyen de joindre leurs complices. L'indicateur du ministère des Postes, avec qui ils avaient été en contact, avait dû les informer que l'un des deux sacs contenait beaucoup plus que l'autre. Ils ont pu l'identifier. Ils s'en sont emparés. Ils ont laissé l'autre sous la garde de Gaston. «C'est trop simple pour ne pas être vrai, disait ce dernier. Je gage que notre sac est vide.»

Ils ont quand même attendu le comptable jusqu'à la fin de l'après-midi avant de se résoudre à ouvrir leur sac. Il contenait un peu moins de cent soixante-dix mille dollars, plus quelques bijoux, des montres et des bibelots, dont on ne pourrait tirer plus de dix mille dollars sur le marché du recel.

Le lendemain matin, les journaux et la radio révélaient que le vol avait rapporté à ses auteurs un million sept cent deux mille trois cent trente-huit dollars en argent, en plus d'un butin en bijoux évalué à quelque deux cent cinquante mille dollars. Gaston était humilié, frustré.

Les trois hommes étaient passés à côté de l'affaire de leur vie. Mario et Ti-Moineau, qui avaient volé et maquillé les camions, les avaient conduits le soir du vol et s'en étaient débarrassés, récoltèrent cinquante mille dollars chacun. Gaston, qui avait coordonné les opérations, fourni les cagoules et les revolvers, se retrouvait avec un peu moins de soixante-dix mille dollars. C'étaient des miettes, en comparaison de ce que les Anglais récoltaient, mais ça représentait tout de même une fortune impressionnante, plus d'argent qu'ils n'en avaient fait ensemble tous les trois au cours des quatre années précédentes. «Un puissant prix de consolation», disait Mario, qui avait choisi de rire de leur mésaventure.

Gaston et Ti-Moineau parlaient de se venger. De Herbie, de Burns surtout qui les avait utilisés comme des hommes de main. Et payés comme tels. Comme des juniors qu'ils étaient. Mario rappelait que son beau-frère n'avait jamais rien promis, que de toute façon, à moins de vingt-cinq ans, ils avaient déjà chacun de quoi se payer du bon temps, une pleine année de vacances, une maison…

Gaston se reprochait de ne pas avoir compris ce qui se passait. Mais il n'avait aucune expérience de ce genre d'opération. Les Anglais étaient des professionnels. Ils avaient tous plus de trente ans. Ils avaient sans doute l'habitude de travailler ensemble. Ils avaient tout prévu. Ils étaient probablement déjà partis, rendus chez eux, bien au chaud. Dans le cœur de Gaston, il y avait de l'envie, une lancinante jalousie… contre Burns, une rage grandissante. Gaston n'était pas très attaché à sa famille. Il ne voyait pas souvent ses parents, et pratiquement jamais ses frères et sœurs. Il n'aurait cependant jamais trahi un proche, comme Burns venait de le faire en leurrant et arnaquant ses amis, ses deux beaux-frères, et en mettant sa femme et ses enfants en danger. Seul Mario continuait à dire : «Vous voyez bien que ça ne se peut pas. J'ai vu ma sœur, elle ne sait rien. Il y a quelque chose qu'on n'a pas compris dans cette histoire-là.»

Mario avait raison.

Quelques jours plus tard, un garçon d'une quinzaine d'années se pointait chez Gaston à six heures et demie du matin, l'informait que M. Herbie Daniels désirait le rencontrer et, sans attendre de réponse, enfourchait sa bicyclette et disparaissait.

Une heure plus tard, Gaston et Ti-Moineau entraient au *Boléro*. Ils trouvèrent Herbie allongé dans un énorme fauteuil, l'air visiblement pas bien, soufflant, suant.

« Vous ne manquez pas de front, vous autres. Je ne pensais pas que vous auriez le courage de vous montrer la face devant moi. Qu'est-ce qui s'est passé ?

– Ça serait plutôt toi qui pourrais nous le dire.

– Ce que je peux vous dire, c'est que Burns n'était pas au courant et qu'il veut sa part. »

Aussi énorme que fût pour eux cette assertion, Gaston et Ti-Moineau ont compris tous les deux que Herbie disait la pure vérité. La trahison de Burns était la seule chose qui clochait dans le scénario qu'ils avaient reconstitué. Il était en effet impensable qu'il ait trahi ses alliés montréalais, qui seuls pouvaient assurer la sécurité de sa femme et de ses enfants. Le plus drôle, c'est qu'il croyait, lui, avoir été trahi par eux.

« Grosse erreur », dit Gaston, qui raconta à Herbie ce qui s'était passé et qui lui fit comprendre qu'ils pouvaient difficilement remettre à Burns la part qui lui revenait, étant donné qu'ils n'avaient eu eux-mêmes que quelques dizaines de milliers de dollars chacun.

Ainsi, tout était parfait, clair et net. L'arnaque était complète. Michael Burns, qui avait investi des années de recherches, de réflexion, de préparation dans cette affaire, avait été écarté. On lui avait volé son idée. Sans le savoir, sans le vouloir, Gaston, Ti-Moineau et Mario avaient été complices de ce vol. Comme Herbie, qui avait fait une grossière erreur de jugement en mettant en rapport les Anglais et le fonctionnaire du ministère des Postes, qui connaissait les numéros des sacs contenant des valeurs importantes. Les Anglais n'avaient même pas engagé le comptable de Burns, ni son blanchisseur. D'après Herbie, ils se seraient occupés eux-mêmes de la comptabilité. Ils se partageaient donc, si les renseignements donnés par les journaux étaient exacts, plus d'un million et demi de dollars… à quatre, à cinq si l'on compte l'indicateur du ministère des Postes. Dans la haine que Gaston et ses amis éprouvaient à leur égard, il y avait de l'admiration, beaucoup d'envie.

Ainsi, le fameux grand coup dont avait si longtemps rêvé Michael avait enfin été réalisé, chef-d'œuvre d'organisation et d'exécution. Mais le maître d'œuvre n'y avait pas participé. Michael Burns s'était fait voler son idée de vol.

* * *

Cependant, Monica Sparvieri était enfin sortie du Red Light. Gaston lui avait gentiment fait comprendre qu'il n'y aurait pas de misère en vue avant un an, peut-être deux. À condition, bien sûr, d'être sage et prudent. Mais Monica dépensait sans compter l'argent qu'on lui donnait. Pour la première fois depuis longtemps, ses enfants ne manquaient de rien. Quand autrefois son mari faisait un coup, ils flambaient tout très rapidement, parfois en quelques jours. Pas de petites économies pour un gars qui s'attendait à faire un jour ou l'autre le grand coup qui le rendrait riche. Monica avait gardé ces habitudes. Elle trouvait un réel plaisir à flamber de l'argent.

Cependant, elle découvrait en Gaston un vrai professionnel, un stratège, un gars intelligent, minutieux et consciencieux. Il n'avait pas en lui cette agressivité et cette rage qui parfois enlevaient à Michael tous ses moyens. Celui-ci était resté, malgré sa colère et la rage qui le nourrissait, un amateur maladroit, du moins dans l'exécution des opérations. Bien plus que l'argent, c'était sa colère qu'il lui fallait cacher. Or, Gaston n'avait aucun effort à faire de ce côté-là. Il n'y avait aucune colère en lui ; que de l'inquiétude… et peut-être la certitude que tôt ou tard le pire se produirait, qu'il se ferait arrêter et condamner, qu'il passerait cinq, dix, vingt ans en prison.

Dès qu'elle fut installée rue Garnier, il crut bon d'informer Monica de ce qui s'était passé lors du vol du camion postal. Elle comprit que, comme Mario et Ti-Moineau, Gaston était perturbé et humilié par ce qu'ils avaient vécu. Ils avaient de l'argent comme jamais, mais ils venaient d'en perdre plus qu'ils n'en feraient de toute leur vie. Et ils se sentaient tous les trois plus ou moins en dette envers Burns, même s'ils ne lui avaient rien pris, rien volé. Bien au contraire, c'étaient ses comparses à lui qui les avaient arnaqués. Lui seul, qui avait été en étroit contact avec eux, avait quelque chance de les retrouver un jour. Sans se l'avouer vraiment, ils considéraient tous trois que Burns appartenait aux ligues majeures et qu'ils n'étaient, eux, que des juniors qui s'étaient fait avoir par des professionnels.

Le plus beau coup qui s'était jamais fait sur leur territoire avait été exécuté à leurs dépens par de purs étrangers qui, magnanimes, leur avaient laissé un prix de consolation. Voilà qui bouleversait les théories de Mario voulant que l'homme, comme n'importe quel animal, ne puisse être efficace lorsqu'il se trouvait en dehors de son territoire naturel. Pendant des heures et des heures, ils ont parlé, échafaudé toutes les théories possibles et impossibles, refait mille fois mille scénarios pour tenter de comprendre comment ils avaient été eus, comment les Anglais avaient planifié leur coup, comment les choses se seraient passées si Burns avait été à Montréal.

Au cours de l'été, l'appartement de la rue Garnier est devenu le quartier général de Gaston, Mario et Ti-Moineau, qui ne voulaient pas trop être vus ensemble en public, ne fréquentaient pas les mêmes bars, se tenaient cois et peinards. Car, en plus des regrets, il y avait cette peur de Morissette, le fou, qui était sorti de Bordeaux au printemps, deux semaines à peine après le vol du camion postal, très fâché, enragé d'avoir perdu cette affaire, d'autant plus qu'on en parlait dans les journaux comme du vol du siècle. Il ignorait certainement que Gaston, Ti-Moineau et Mario s'étaient fait rouler. Il croyait, comme presque tout le monde dans le milieu, qu'ils avaient fait fortune.

Gaston et Mario se promenaient toujours armés. La peur parfois leur remuait le cœur. Morissette ne gagnerait rien à les descendre. Ce qui était fait était fait. Mais il était assez fou pour chercher à se venger. Aucun des trois n'avait l'habitude de jouer vraiment dur. Ils n'avaient jamais vraiment battu personne, jamais tiré sur qui que ce soit. Il y avait quelque chose de loufoque dans cette situation. On les tenait responsables d'une opération dont l'exécution leur avait échappé et dont ils avaient tiré des profits très inférieurs à ce qu'on croyait. Mais ils ne pouvaient quand même pas clamer la vérité et risquer, en plus d'être la risée du milieu, d'attirer sur eux l'attention de la police.

Peu à peu cependant, la peur, la colère, la honte et les remords se dissipèrent et, l'été aidant, les gars commencèrent enfin à profiter de la vie et de leur argent. Mario s'est acheté une Harley-Davidson. En août, après que Paula eut fait une fausse couche, Ti-Moineau commença à parler d'aller passer une partie de l'hiver au Mexique. Quant à Gaston, il entreprit sérieusement de se chercher une maison en banlieue ou dans la proche campagne. Il la décrivait déjà avec force détails : le sous-sol serait fini en bois de grange, il y aurait un atelier avec établi, étau, tour, des arbres autour de la maison, un hangar, des lucarnes… Et de l'eau pas loin. Pour la pêche.

46

En AOÛT 1964, le maire Jean Drapeau, qui s'était violemment opposé à leur réalisation, présidait à l'inauguration des Habitations Jeanne-Mance. Les utopistes qui prétendaient qu'on pouvait changer les gens en transformant leur milieu de vie avaient remporté cette bataille d'idées. Défait par Sarto Fournier aux élections de 1957, Drapeau avait repris le pouvoir trois ans plus tard. Mais le mal était fait. On avait démoli le Red Light, on avait édifié à la place des buildings tout neufs à l'architecture rectiligne, symétrique, étrange jeu de blocs couchés et dressés qui, comme le mobilier urbain, lampadaires, clôtures, fontaines, tranchaient furieusement par leur modernisme avec le vieux bâti environnant.

Les urbanistes avaient prédit que les Habitations Jeanne-Mance auraient sur le milieu un effet d'entraînement bénéfique. On avait conservé les vieux immeubles de trois et quatre étages dont les façades donnaient sur la rue Sainte-Catherine et le boulevard Saint-Laurent, formant une sorte de rempart qui, disait-on, protégerait les Habitations Jeanne-Mance, en ferait un havre de paix au cœur de la ville. Parallèlement à la rue Sainte-Catherine courait la ruelle De Boisbriand, sur laquelle donnaient les portes arrière du *Pal's*, du *Béret bleu*, du *Café 123*…

C'est dans cette ruelle De Boisbriand qu'on a trouvé, un matin de fin août 1964, peu de temps après l'inauguration officielle des Habitations Jeanne-Mance, le corps de Margot Turner. Elle avait été tuée à coups de poing et de pied. Un ami qui l'accompagnait, Louis Fishman, avait été lui aussi sauvagement roué de coups et laissé pour mort. Journaliste au quotidien *The Gazette*, Fishman traînait depuis quelques années dans les milieux interlopes, d'où il tirait des reportages. Margot lui faisait parfois du «bien», pour rien, parce qu'il était gentil avec elle, qu'il la faisait rire, qu'il l'aimait à la folie. Fishman s'était mis dans la tête de la sortir de la rue. Les frères Poirier avaient fini par comprendre la nature de son projet et avaient interdit à Margot de le rencontrer. Elle l'aura revu une fois de trop.

Fishman a eu de multiples blessures : la mâchoire, le nez, trois dents, quatre côtes cassées, une fracture du crâne, l'œil droit crevé. Mais il a survécu et a témoigné contre les frères Poirier, qui ont été arrêtés, accusés, condamnés, mis en prison, où jamais personne ne va les voir et où ils se font régulièrement casser la gueule, parce que en prison on n'aime pas les batteurs et les tueurs de femmes et que les frères Poirier ont de sales gueules…

À son grand étonnement, Monica a été moins brisée, moins défaite qu'elle n'aurait cru par la mort de son amie. Elle était même soulagée. Sa pauvre Margot avait enfin fini de se donner du mal à «faire du bien».

* * *

Le samedi précédent la fête du Travail, Gaston, Monica, Mario et une de ses amies sont allés faire un tour sur la *Main*. En touristes. Après le spectacle d'une heure à la *Casa Loma*, Gaston est allé chercher sa voiture qu'il avait garée dans le terrain vague créé par la démolition d'un petit garage à l'angle des rues Clark et Sainte-Catherine. Mario et Monica l'attendaient sous la marquise de la *Casa Loma*, car il pleuvait un peu. Comme il n'était pas revenu au bout de vingt minutes, ils sont allés à sa rencontre et l'ont trouvé étendu à côté de sa voiture, la tête en sang, à demi inconscient. Ils le transportèrent en face, au *Boléro*, où se trouvait Herbie, qui a fait venir son infirmier. Gaston n'avait rien de cassé. Mais la peur était entrée en lui, en eux…

C'est Frank Shoofey qui eut l'idée du système de défense que Monica mit à exécution. Elle prit contact avec Richard Blass et Roger Provençal, des durs qui n'avaient peur de rien ni de personne. Ils lui avaient toujours manifesté tous les deux beaucoup de sympathie et d'amitié. Mario prétendait même qu'ils étaient l'un et l'autre follement amoureux de sa sœur. En fait, Monica avait eu, quelques années plus tôt, une aventure courte et intense avec Richard Blass. Elle le trouvait beau, ténébreux ; elle le savait capable d'une haine épouvantable et l'avait vu poser des gestes d'une violence inouïe. Mais il savait aussi être très tendre, fidèle, généreux… Un loup.

Blass et Provençal se sont ostensiblement affichés sur la *Main* et dans l'Ouest, rues Stanley, Bishop, jusque dans Saint-Henri et Côte-Saint-Paul, avec Mario, Ti-Moineau, Gaston, Monica. Sans même exiger de compensation. Ils agissaient par pure amitié pour Monica et, dans une moindre mesure, par haine de Morissette. En faisant appel à eux, Monica avait constitué une sorte de bouclier autour des siens. Ses enfants étaient protégés. Jamais dans cent ans, la sachant liée à Provençal et à Blass, Morissette ni personne d'autre du milieu n'oserait entreprendre quoi que ce soit contre elle, contre ses enfants ou contre ses amis.

Monica trouvait Blass toujours beau et attirant. Il n'était pas très grand, mais solide et musclé. Il était très familier, très chaleureux avec elle. Il lui parlait très librement de cette idylle qu'ils avaient vécue, et il la faisait rire. Quand ils étaient plusieurs, c'était toujours à elle qu'il s'adressait, toujours auprès d'elle qu'il s'assoyait. Gaston, qui voyait tout cela, s'est mis à regarder Richard Blass d'un œil méfiant et jaloux. Et Monica saisit ce regard. Elle réalisa bien vite que, même si elle trouvait Blass toujours beau et sexy, elle avait développé des liens très profonds avec Gaston, chose qu'elle n'eût jamais crue possible quelques mois auparavant. Cette attirance lui semblait d'ailleurs si incongrue qu'elle ne l'avait pas sentie agir sur son cœur. Et quand elle avait réalisé qu'elle se sentait bien auprès de Gaston, qu'elle recherchait de plus en plus souvent sa compagnie, il était trop tard. Elle était amoureuse. Et c'est l'étrangeté même de cet amour qui la ravissait le plus. Tout lui semblait nouveau, non seulement ce quartier du plateau Mont-Royal, ce logement de la rue Garnier que lui avait trouvé Gaston et qu'il avait retapé et décoré avec Mario, mais sa propre manière d'aimer, de penser, d'agir.

Gaston n'avait rien de ce qui l'attirait chez un homme. Il était terne et mou, presque chauve, légèrement bedonnant. Mais il avait en lui quelque chose de reposant, de sécurisant. Et Monica adorait se moquer de lui, de sa calvitie, de son parler traînard. Et Gaston souriait béatement. Jamais dans ses rêves les plus fous il n'avait imaginé pouvoir un jour susciter quelque intérêt chez une femme si belle, si sûre d'elle. Mais c'était lui qui, en fait, la rendait si sûre d'elle. C'était sa mollesse qui donnait à Monica cette force, cette détermination. Jamais elle n'avait été ainsi avec Michael, qui la tenait fermement sous son autorité, la traitait comme une enfant, lui cachait plein de choses.

Ils ont fait l'amour pour la première fois la fin de semaine de l'Action de grâce. La tante Hélène était venue chercher les enfants, que Monica lui avait demandé de garder pendant trois jours. Gaston s'était pointé le samedi midi chez Monica, où Ti-Moineau devait le rejoindre pour aller visiter des maisons à vendre dans L'Assomption et Lanaudière. Monica l'avait reçu en *baby-doll*, comme si de rien n'était, les seins nus sous la chemise, sûre de sa force, de son pouvoir, de la beauté de ses épaules et de ses cuisses encore bronzées. Assis sur le canapé, dos à la fenêtre, Gaston sirotait son café pendant que Monica s'agitait dans la cuisine, passant et repassant devant lui. Quand elle se tournait dans sa direction, il regardait le plafond ou ses pieds. Et il tentait le plus naturellement du monde d'établir une conversation sur la température et de parler des maisons qu'il voulait visiter, de celle de ses rêves que Monica connaissait déjà par cœur de fond en comble. Mais il était évident qu'il était remué jusqu'au tréfonds de son être. Il finit par se taire et par la regarder ostensiblement, l'œil lubrique. Lorsqu'elle constata dans son pantalon l'effet qu'elle lui faisait, elle vint s'asseoir à califourchon sur lui, le regarda un moment de très près avec un sourire vainqueur, lui enleva son café des mains, ouvrit sa braguette, écarta le *baby-doll* et s'enfila doucement sur lui. Il ne put se contenir bien longtemps. Les mains sur la croupe de Monica, il interrompit un moment le va-et-vient qu'elle avait amorcé et il jouit, le visage bien enfoui entre les seins de la femme de son associé.

Toujours assise sur lui, elle lui rendit son café qu'elle avait posé sur la petite table, en lui disant :

«Il est encore chaud.

– Tu parles de quoi, là?», rétorqua Gaston.

Ils ont ri longtemps. Puis elle l'a pris par la main et l'a entraîné dans son lit. Ils avaient tout leur temps. Elle avait prévenu Ti-Moineau la veille au soir que Gaston n'irait pas, comme convenu, se chercher une maison. Elle avait tout prémédité, tout organisé. Elle sentait que Gaston était violemment troublé, choqué même. Il venait de faire l'amour avec la femme d'un autre. Et pas n'importe quel autre. La femme d'un homme qui lui avait fait confiance. Il était désormais dominé par la belle Monica.

Le lendemain, elle partit avec lui du côté de L'Assomption. Gaston avait noté dans un petit calepin les adresses, les itinéraires, les numéros des routes. Il avait cinq maisons à voir. La dernière, visitée en rentrant de Lanaudière, rue Mireault, à Repentigny, était celle qu'il cherchait, celle qu'il avait tant de fois décrite à Monica, avec au sous-sol l'espace pour son établi, une grande cuisine et un salon au rez-de-chaussée, trois chambres à l'étage, des lucarnes, un balcon, une galerie qui faisait trois côtés, un très grand terrain bordé d'arbres avec une vieille grange au fond, une allée de gravier, pas de voisins. Dix-huit mille cinq cents dollars. À deux pas de la rivière L'Assomption, tout près de la confluence du fleuve Saint-Laurent et des rivières des Prairies et des Mille Îles, qui formaient un immense plan d'eau. Gaston aurait un canot à moteur, il irait à la pêche... Un rêve. Disponible le 1er février. Au grand étonnement de Monica, il restait impassible et froid.

Il négocia âprement pendant plus d'un mois. Les propriétaires étaient de vieilles gens sympathiques et touchants qui, leurs enfants partis, retournaient vivre dans leur village natal du comté de Champlain. Monica allait se rendre compte que si elle dominait Gaston dans beaucoup de domaines, celui de l'argent échappait complètement à son contrôle. Gaston paya finalement la maison seize mille huit cents dollars, soit quatre mille huit cents dollars comptant suivis de six versements annuels de deux mille dollars. Pas un sou d'intérêt. Et seulement la moitié des frais de notaire. Les petits vieux étaient tristes. Parce qu'elle les trouvait désemparés et sans défense, Monica leur aurait donné deux fois plus qu'ils ne demandaient. Elle ne comprenait pas ces jeux d'argent, tout ce qui était tractations, négociations.

Gaston n'avait peut-être pas le flamboyant de Burns, mais il avait une tête sur les épaules et le sens de l'organisation. Monica savait que l'amour avec lui n'aurait jamais cette magie parfaite qu'elle avait connue avec Michael, le perceur de coffre-fort. Il ne lui ferait pas non plus connaître les fortes émotions dont Richard Blass était si friand. Mais la vie (tout ce qu'il y a autour de l'amour, avant l'amour, après l'amour) serait douce, tranquille, facile enfin. La sécurité.

Herbie Daniels, qui avait des informateurs un peu partout, commençait alors à comprendre que quelque chose de sérieux se passait entre elle et Gaston. Il a fait dire à la femme de son ami qu'il voulait la voir. Il lui a rappelé qu'elle devait tout à son mari Michael.

«Gaston aussi, ton frère Mario aussi.

– Je n'ai pas vu mon mari depuis plus d'un an, disait Monica. Je viens d'avoir vingt-cinq ans, mon temps passe, je ne suis pas faite en bois. J'ai besoin d'un homme. Pensez-vous qu'il se prive de femmes, lui?

– Si tu es en chaleur, tu peux toujours t'envoyer en l'air, disait Herbie. Mais tu n'es pas obligée de vivre avec Gaston Lussier comme s'il était ton mari. Pour que tout le monde le sache. Michael ne sera pas content d'apprendre que ses enfants sont élevés par un autre homme.

– Il n'est pas obligé de le savoir.

– Il le sait déjà, figure-toi.»

47

GASTON avait maintes fois raconté à Monica le vol du camion postal : comment il avait été imaginé dans ses moindres détails par Burns, comment les Anglais s'en étaient mêlés, et comment on avait opéré au jour J, tout baignant apparemment dans l'huile, même si on ne se connaissait pas, qu'on savait qu'on ne se reverrait jamais ; et ce qui s'était passé ensuite : le cauchemar prémonitoire qu'il avait fait dans la nuit suivant le vol, le partage avec Mario et Ti-Moineau, la décision qu'ils avaient prise de dédommager Burns.

Monica n'était pas très intéressée par ses états d'âme et ses regrets. Elle voulait, par contre, tout connaître de l'opération. Si Gaston, dans son récit, avait oublié quelque détail, elle finissait par s'en rendre compte et lui revenait quelques jours plus tard, demandant des précisions.

Michael Burns avait toujours traité Monica comme une petite fille. Elle s'était complu dans ce rôle. Gaston, par contre, lui parlait comme à une grande personne responsable et respectable. Il n'avait pas de secrets pour elle. Elle savait combien il avait touché lors de l'opération du camion postal ; de quoi se payer une auto neuve et la maison de ses rêves, et vivre bien pendant au moins une année.

Ti-Moineau et Mario, moins raisonnables que Gaston, moins bien rémunérés pour leur participation au vol du camion postal et surtout infiniment plus dépensiers, allaient bientôt réaliser qu'ils devraient se remettre au travail. Au printemps 1965, un an à peine après le vol, tous deux inauguraient leur nouvelle saison par trois beaux vols de camions de marchandises : un camion de pains, un camion de feuilles de contreplaqué et, le plus payant, un camion d'appareils électroménagers. Ils ont perdu la moitié des pains, mais le reste des marchandises, stocké dans une grange de Rawdon, fut écoulé pendant l'été avec profit.

* * *

Gaston notait ses pêches dans un calepin. Date, température, lieu, courant, nombre, poids et longueur des prises, types d'agrès utilisés, etc. Il avait une quinzaine de calepins qu'il conservait soigneusement dans un coffre contenant des photos de famille, quelques lettres de son père, son baptistaire... Et, parmi ces documents, quelque chose qui consterna et fascina Monica. Un grand album dans lequel il avait noté tous les détails des opérations auxquelles il avait participé ou qu'il avait lui-même organisées dans des banques au cours des sept dernières années : le plan du quartier, des photos de la banque, des alentours, l'heure H et la durée de l'opération, les sommes recueillies, les incidents qui s'étaient produits, parfois même les coupures de journaux qui relataient le vol. Il ne désignait évidemment jamais ses comparses par leurs vrais noms. Il leur donnait des surnoms, souvent des noms d'animaux. Ou il écrivait : «On était trois hommes», ou «Un des hommes» a fait telle ou telle chose. Ou, entre les opérations : «Le Bison est trop nerveux. Le Renard ne veut plus travailler avec lui. Moi non plus.»

Monica sera l'unique lectrice de ce livre étrange qui avait été fait pour être caché. Parce que Gaston ajoutait de vive voix d'innombrables détails à chaque page, il leur fallut plusieurs jours pour passer à travers. Le soir, quand les enfants étaient couchés, Monica allait le chercher dans sa cachette. Ils s'installaient au lit, faisaient l'amour, puis ouvraient le livre de Gaston... Ils se retrouvaient en juillet 1959, rue Bélanger, ou en décembre 1961 à Lachute, ou à Crabtree, ou à Belœil. Gaston commentait. Plein de détails lui revenaient en mémoire : la température qu'il faisait ce jour-là, ou comment il avait préparé le coup.

Monica était fascinée. Mario et elle avait toujours improvisé tout ce qu'ils avaient fait : vols d'autos, quelques braquages de banque... Elle raconta à Gaston le vol de Longueuil, leur premier vol; comment ils avaient vu, depuis le balcon de Memére, les policiers barrer le pont Jacques-Cartier qu'ils venaient de franchir. Ce récit que Monica trouvait hilarant mettait Gaston presque de mauvaise humeur. Il disait simplement qu'ils avaient eu de la chance, la chance des débutants. Et qu'il n'y avait pas de quoi être fier.

Quelques jours après qu'ils eurent terminé la lecture de l'album, il lui montra un calepin : «Mon programme de l'année, si je n'avais pas eu ce que tu sais.» C'étaient des plans de vols, vingt-six petites monographies sur des banques de la région de Montréal, un plan des lieux, avec les rues à sens unique, les feux de circulation, les arrêts… Contrairement à Burns qui gardait tout en tête, Gaston notait tout dans un calepin. Ces vols pouvaient rapporter en moyenne dix mille dollars chacun.

Il expliquait à Monica comment il se préparait. Observer d'abord, pendant des jours, les abords, les allées et venues du personnel, de la clientèle. S'ingénier à minimiser les risques au maximum. Tout faire très méthodiquement, prudemment. Il avait des fiches sur une foule de banques de la région métropolitaine, mais aussi des Cantons-de-l'Est, des Laurentides, de la région de Québec et d'Ottawa. Pour chaque établissement, une estimation du chiffre d'affaires, du nombre de clients, une description des rues ou des routes, parfois le nom du directeur, des caissières, des commis. Il avait aussi noté les habitudes de la clientèle, les journées de grande affluence, les heures de passage du camion de la Brinks, le nombre de tiroirs-caisses, etc.

À Montréal, il choisissait ses banques à proximité des ponts ou des autoroutes, ce qui lui permettait de sortir de l'île le plus rapidement possible. À moins d'avoir prévu une planque en ville, ce qui impliquait de se débarrasser rapidement de la voiture de fuite, d'en avoir une ou deux ou même trois autres disponibles, garées dans des endroits convenus, clés dans le démarreur…

Monica lui souligna l'imprudence de garder ces documents chez lui : «Quand ils auront trouvé ça, c'est qu'ils m'auront pris et que je serai en dedans.» Elle s'étonna qu'il n'ait pas refilé ces informations à Ti-Moineau et à Mario. Il répondit qu'il en aurait lui-même besoin un jour et que, de toute façon, son calepin était à vendre. Il y avait là-dedans des semaines de travail, de réflexion…

Monica cependant prenait plaisir à tenir maison, à préparer les repas, à sortir aussi. Elle avait enfin les moyens de payer une gardienne, une femme de ménage. Elle aimait sa nouvelle vie, la campagne où ils résidaient. Gaston avait installé dans la cour des balançoires pour les enfants. Steve avait un petit tracteur. Il y avait des arbres, de grands peupliers le long du chemin, un vieux potager abandonné, des plates-bandes négligées où poussaient un fouillis de fleurs. Et derrière, c'était le bois. Enfin. De l'air pur, un petit jardin avec des tomates, de la ciboulette, du basilic. Et deux chiens : Elvis, un caniche métissé, et Wabo, un berger allemand.

Monica avait de l'argent. Elle en dépensait et en donnait sans compter. Ses enfants étaient habillés comme des cartes de mode. Ils avaient tous les jouets qui leur faisaient envie. Quand ils en étaient lassés, Monica les apportait à sa tante Hélène, la jeune sœur de sa mère, qui habitait Sainte-Rose. Hélène avait un bon mari, de beaux enfants. Mais elle buvait terriblement. Elle a commencé à aller chez les AA, où Monica prit l'habitude de l'accompagner. Mais, tous les deux mois environ, Hélène rechutait ; et alors elle appelait sa nièce au secours. Et elles allaient toutes les deux à des meetings qui n'en finissaient plus ; elles écoutaient des paumés qui avouaient publiquement leurs faiblesses, confessaient leurs fautes les plus abjectes, racontaient leur descente aux enfers. Monica adorait entendre ces confessions. Elle ne se lassait pas d'écouter ces gens transparents qui ne cachaient rien, qui n'avaient rien à perdre. De cette vérité qu'ils pratiquaient sans pudeur leur venait la guérison.

Elle était, elle, de plus en plus remplie de secrets. Elle cachait des choses à tout le monde, même à sa tante Hélène qui, depuis la mort de Margot, était redevenue sa plus proche amie. Et ça lui pesait parfois énormément. Elle mentait, elle devait mentir. Elle ne pouvait quand même pas dire à Hélène ou à Memére ni même à ses sœurs d'où venait tout cet argent qu'elle dépensait. Elle mentait aussi à Arlette et Lola, qui avaient maintenant des hommes capables de les protéger et que le crime et le désordre terrorisaient.

Pour son frère Mario, heureusement, elle n'avait pas de secrets. Il était presque toujours dans les parages, presque toujours avec elle, à Repentigny. Il ramenait souvent des filles à la maison. Le matin, quand elle se levait, Monica leur racontait des fables incroyables sur son frère. Et elle jouait l'étonnement : «Es-tu sérieuse? Il ne t'avait pas dit qu'il avait fait deux ans à l'hôpital psychiatrique Saint-Jean-de-Dieu?», ou «J'espère que tu sais quoi faire quand il fait ses crises d'épilepsie».

Un soir, au *Pal's Café*, Mario avait entrepris de séduire la chanteuse populaire Jenny Rock. Il aimait bien coucher avec ses protégées. Mais également séduire une fille qui n'était pas prostituée. Sa sœur Monica est arrivée. Elle a poussé Jenny.

«Qu'est-ce que tu fais avec mon mari?»

Jenny est surprise. Monica continue.

«Tu ne sais pas que ce gars-là a deux enfants avec moi?» Elle lui explique que Mario est un sans-cœur, qu'il n'a pas un rond, que c'est elle qui le fait vivre. Puis elle lui dit : «Tu devrais me remercier, fille; si je n'étais pas venue le chercher, il t'aurait emprunté la moitié de ta paye avant la fin de la soirée. Et en plus, il ne bande pas.»

Mario regardait sa sœur, lui-même presque en train de la croire. Il a souvent revu Jenny par la suite. Elle ne le regardait pas, elle ne lui a plus jamais adressé la parole…

Et Mario disait à sa sœur : «Monica, si tu voulais, tu pourrais devenir une grande actrice.»

Quand ils allaient en ville, sur la *Main*, ils marchaient souvent la main dans la main. Et Gaston était à côté d'eux, comme un chaperon, heureux.

48

FAUX NOM, faux papiers, cheveux teints, moustache, méconnaissable, toujours tiré à quatre épingles cependant et propre à faire peur, lissé, léché, fâché, Michael Burns est revenu, rompant brusquement la belle harmonie qui depuis quelque temps régnait à Repentigny. Il est descendu au *Boléro*. Il n'a prévenu personne, il attend. Plusieurs l'ont reconnu à ses yeux mats, à l'amer sourire, à la démarche.

Prévenue par Herbie, Monica s'en va, à l'insu de Gaston, rencontrer son mari. Dans cette chambre où ils ont fait l'amour pour la première fois. Au dernier étage, avec ces fenêtres qui donnent sur la *Main* qui s'éveille en fin de journée. Monica n'est pas innocente au point d'imaginer que son mari ignore qu'elle et Gaston vivent maintenant comme mari et femme.

Il est debout, dos à la fenêtre, de sorte qu'elle ne peut distinguer les traits de son visage. Et il ne parle pas. C'est tout lui. S'imposer par le silence, par le vide. Par ces yeux mats, par l'ombre. Monica se sent piégée. Il y a dans cette pièce l'ordre de Michael Burns. Sur la petite table, une bouteille de son scotch préféré. Le verre bien propre à l'envers sur une serviette. Les journaux lus, le *Montreal Star* et *The Gazette*, repliés dans la poubelle. Elle sait que ses vêtements sont bien rangés dans les tiroirs de la commode. Il a mis son ordre, son pouvoir partout dans cette pièce. Par la fenêtre ouverte, l'air frais du printemps entre. Monica frissonne. Elle a souvent frissonné en compagnie de Burns. Il n'aime pas la chaleur. Même en plein hiver, il voulait toujours dormir la fenêtre ouverte.

Elle lui parle des enfants, de Debbie qui va entrer à l'école en septembre, de Steve. Elle est troublée. Sa voix lui semble enrouée, feutrée par l'émotion, la peur, la nervosité. Elle se souvient de sa façon magistrale de faire l'amour. S'il s'approchait, s'il la prenait dans ses bras et l'enveloppait de caresses, elle ne pourrait résister, elle le sait. Il a encore les clés de son corps, le patron des plaisirs que jamais personne d'autre ne lui a donnés.

Pire, elle sait que Michael a compris qu'elle ne lui résisterait pas, qu'il pourrait s'approcher, la prendre. Mais il ne fait rien. Il reste debout, dos à la lumière. Il ne prendra rien, ne lui donnera rien. Elle sait aussi qu'il est fâché d'une colère profonde et durable, le genre de colère qu'elle ne connaît pas, qu'elle n'a jamais connue. Les siennes ont toujours été des flambées, des colères de surface qui l'emportent, l'aveuglent, lui enlèvent tous ses moyens. Celles de Michael venaient du plus profond de lui; c'étaient des colères de fond, lentes, irrésistibles, glacées.

« *I'll see the children first.* »

Le « *first* » laissait entendre qu'il y aurait un « *after* ». Il verra les enfants d'abord. Ensuite?

« Je sais où vous êtes. Je passerai chez vous demain soir. »

* * *

Debbie s'était réveillée pendant la nuit. Elle avait mouillé son lit. Elle avait mal au cœur. Elle a vomi plusieurs fois jusqu'au matin; presque rien, de la bile. Monica est restée près d'elle à lui éponger le front, à lui parler doucement. Après avoir vomi, l'enfant se calmait un moment, parlait, se détendait, se rendormait. Une nouvelle nausée la réveillait. Elle était angoissée à l'idée de voir son père. Elle se souvenait à peine de lui. Mais, depuis deux ans qu'il était parti, elle l'avait imaginé, l'avait cent fois, mille fois dessiné dans sa tête et sur papier. Elle le représentait debout à la proue de grands navires blancs qui remplissaient ses dessins, prenaient toute la place, toute la mer. Son père avait les deux bras levés (salut ou appel au secours). Il y avait un gros soleil rouge sur la mer. Et parfois on voyait des poissons dedans. Et souvent Debbie demandait quand il reviendrait, s'il était en danger.

Quand Monica lui avait finalement annoncé qu'il était revenu, elle a vu tout de suite l'angoisse paraître sur le visage de Debbie qui, ce soir-là, a demandé à se coucher très tôt, ce qui était inhabituel chez elle. Steve était encore trop petit pour comprendre.

Gaston s'était assis, pensif et inquiet, dans la chaise berçante près de la fenêtre qui donnait sur la cour. Monica savait à quoi devait penser un homme dans sa situation. Une idée effrayante lui revenait sans cesse en tête. Gaston pourrait descendre Burns, l'enterrer quelque part, sans laisser de traces. Burns était entré illégalement au Canada. Avait-il informé quelqu'un en Angleterre qu'il serait ici? Y avait-il une nouvelle femme dans sa vie? Le gros Herbie ne parlerait probablement pas; il ne tenterait pas de venger la mort de son ami. Il était plutôt isolé, trop gros, trop malade du cœur pour faire lui-même ce travail. Ou Gaston pourrait tirer Burns et invoquer la légitime défense. Même pas besoin de disposer du corps. Mais comment pourrait-il ensuite élever les enfants de l'homme qu'il aurait tué? Il serait plus simple de le faire arrêter. Burns était ici illégalement. Il serait certainement écroué. Mais alors il aurait beau jeu de se venger, de vendre tout le monde…

Burns pourrait bien détruire ce bonheur tout neuf que connaissait maintenant Gaston, le premier, le seul bonheur de sa vie. Il ne sait pas comment Burns va agir; il ne le connaît plus, ils ne se sont pas vus depuis deux ans. Et des malheurs comme ceux qu'a connus Michael changent un homme, le rendent méconnaissable même aux yeux des siens.

Quand il est arrivé, à la tombée du jour, il pleuvait si fort qu'il a dû rester de longues minutes assis dans sa voiture à attendre une accalmie. Et Monica s'est souvenue aussitôt de leur première rencontre, un 14 juillet, il y avait de cela mille ans au moins, avec cette lourde pluie si chaude qui était tombée sur leur vie… Et elle fut très triste tout à coup en réalisant que Michael allait salir ses souliers dans les flaques de l'allée, que sa chemise et son pantalon mouillés se froisseraient. C'étaient des choses auxquelles Gaston ne pensait même pas, ni Ti-Moineau, ni même Mario qui aimait pourtant les beaux vêtements. Mais Michael était si soigneux. Il serait mouillé, humilié…

Il s'est alors produit une chose qu'elle n'aurait jamais crue possible. Gaston est allé chercher le long ciré qu'il avait toujours dans ses bagages quand il partait à la pêche et qu'il y avait apparence de pluie. Il est sorti sur la galerie, s'est approché de l'auto et a parlé avec Michael à travers la vitre. Puis il a étendu le ciré au-dessus de la portière. Et Michael est descendu de voiture sous l'abri que lui faisait Gaston, les bras tendus. Ils ont marché ainsi côte à côte jusqu'à la galerie. C'est alors que Monica a remarqué que Michael était nu-pieds et qu'il avait relevé son pantalon jusqu'aux genoux. Elle lui a apporté une serviette sur la galerie, où il s'était assis. Il s'est séché les pieds, a remis ses chaussettes et ses bas, déplié son pantalon. Il n'avait pas reçu une seule goutte d'eau sur lui. Et, à cause de cela, les premiers mots qu'il a prononcés ont été forcément : «*Thank you, Gaston.*» Celui-ci, trempé jusqu'aux os, est allé se changer, fort heureux de la tournure qu'il venait de donner à cette rencontre. Et comme toujours, quand cesse une grosse pluie, on se sent peu à peu détendu, reposé, paisible.

Monica voyait enfin le visage de son mari en pleine lumière. Il avait changé, non seulement à cause de cette fine moustache et des cheveux teints, mais les pattes-d'oie au coin des yeux et ces plis de chaque côté de la bouche étaient plus marqués. Michael avait eu quarante-deux ans le 1er janvier. Ils sont entrés dans la maison en silence. Monica se demandait s'il avait remarqué comment elle-même avait changé. Mais il évitait son regard...

Debbie était restée assise sur le sofa. Si elle avait tant regardé sa mère autrefois quand celle-ci était revenue de Londres, elle n'osait pas, ce soir-là, poser les yeux sur son père. Il s'était accroupi devant elle et avait pris dans sa main ses petits doigts qu'il caressait doucement, ému. Et il a dit, dans son pénible français, une phrase apprise par cœur, sans doute préparée avec le gros Herbie, dont Monica a reconnu le lourd accent. Debbie avait eu six ans quelques jours plus tôt, le 17 mai 1965. Son père lui avait apporté une poupée de chiffon, un Petit Chaperon rouge. Quand on rabattait son capuchon et qu'on le tournait, on voyait la grand-mère; quand on relevait sa jupe et qu'on la renversait, elle se changeait en loup.

Debbie riait et regardait ailleurs. Même quand elle est allée se coucher et qu'elle est venue embrasser son père, elle ne l'a pas regardé. Elle a tendu la joue, toujours en riant. Monica a retrouvé cependant sur son visage le même air radieux qu'elle lui avait connu lorsqu'elle était rentrée de Londres. Steve, au contraire, a été très familier avec son père. Il l'a pris par la main et l'a emmené voir ses jouets. Et il aurait voulu sortir pour aller dans le hangar et dans la grange, où étaient enfermés Elvis et Wabo, ses chiens, qu'il voulait présenter à son père. Mais celui-ci n'aimait pas les chiens…

Une fois les enfants couchés, les deux hommes se sont installés seuls dans le petit salon du sous-sol, avec une bouteille de scotch ambré que Michael avait apportée d'Angleterre. Ils ont parlé une partie de la nuit. Pour Michael, il eût été inconcevable et inconvenant que Monica participe à cette conversation. C'était une affaire d'hommes. Les femmes étaient pour l'amour. Le travail, seuls les hommes devaient s'en occuper. D'ailleurs, Michael avait à peine adressé la parole à Monica. Pendant de longs moments, il avait fait comme si elle n'était pas là. Gaston, un peu désarçonné au début, sur ses gardes, a fini par se détendre. Michael a parlé affaires très longuement. Ce n'est que lorsqu'il sentit les premiers effets de la boisson, ce qui, chez lui, était assez long (Gaston était déjà passablement atteint), qu'il aborda le sujet de Monica et des enfants. Gaston s'était préparé. Mais, dans son ivresse, il oubliait ses arguments, il ne retrouvait plus la formulation exacte des phrases percutantes et convaincantes qu'il s'était forgées et mises en tête au cours des jours précédents. Il rappela maladroitement à Michael qu'il avait soutenu Monica, qu'il nourrissait et logeait ses enfants. Puis il s'est mis à parler du bonheur qu'il connaissait auprès de Monica, comme si cet argument eût pu rassurer ou rasséréner Michael Burns…

Celui-ci s'est emporté à plusieurs reprises. Il était profondément blessé. On lui avait volé sa femme et ses enfants, son idée, son trésor. Il n'avait plus rien. Des bouffées de haine montaient en lui. Et il disait à Gaston qu'il regrettait d'être venu dans sa maison, qu'il aurait préféré le rencontrer en terrain neutre et lui casser la gueule, qu'il le ferait d'ailleurs si les enfants et Monica n'étaient pas là-haut à dormir. Puis, bercé par l'alcool, il disait que tout cela était arrivé par sa faute, qu'il avait été maladroit ou téméraire. Et alors Gaston devenait son meilleur ami, son confident, son frère.

Monica ne dormait pas quand Gaston est monté s'étendre près d'elle, très tard, au bout de la nuit. Il est resté tout habillé et, malgré tout l'alcool bu, longtemps éveillé, sans dire un mot. Ils ne dormaient toujours pas quand Michael est parti. Peu de temps après, Mario et Ti-Moineau arrivaient. Ils ont fait déjeuner les enfants pour que Gaston et Monica puissent dormir un peu. La pluie avait laissé d'immenses flaques dans la cour et sur le chemin. Elvis avait été arrosé par une mouffette et courait en tous sens pour échapper à l'infecte odeur, pendant que Mario, son 38 à la main, le ciré de Gaston sur le dos, se tenait à l'affût auprès d'un trou qu'il croyait être le terrier de la bête puante.

Gaston s'est levé, malade de boisson. Il ne se souvenait plus très bien comment s'était terminée la conversation avec Michael, ni au juste quelles décisions ils avaient prises. Il avait en tête des images éparses de plusieurs puzzles qu'il ne savait trop comment assembler. Michael tantôt en colère, proférant d'une voix sourde, l'œil méchant, des menaces, son mépris, tantôt presque tendre, murmurant des confidences, révélant son désarroi. Puis, au paroxysme de la fureur, il disait que cette maison où ils se trouvaient lui appartenait avec tout ce qu'il y avait dedans, les meubles et le monde, *«with the fuckin' furniture and the sleeping beauties up there»*, et que sans lui Gaston ferait encore du taxi. «Sans moi, ta femme et tes enfants seraient morts de faim», avait répondu Gaston. Mais, quelque part au fond de lui, il donnait raison à Burns. Il admirait la subtile mécanique qu'il avait mise en place, qui avait rapporté presque deux millions, un pur chef-d'œuvre qui avait nécessité des mois, peut-être des années de préparation, et dont il avait profité, comme Mario et Ti-Moineau, plus que Burns.

Gaston était cependant certain que jamais Michael n'avait, de quelque façon que ce soit, menacé de s'en prendre à Monica et aux enfants. Sauf qu'il avait à plusieurs reprises répété qu'il pourrait les prendre avec lui et, se laissant emporter, il disait que rien ni personne au monde ne pourrait l'empêcher de reprendre ses enfants. Mais sur quoi s'étaient-ils finalement entendus? Michael était-il d'accord pour que Gaston garde les enfants? Essaierait-il de les reprendre avec lui?

Trois jours plus tard, pendant le congé de la fête de la Reine, afin d'en avoir le cœur net et poussé par Monica qui, ne comprenant pas ces hésitations et ces tergiversations entre les deux hommes, menaçait de s'en mêler, Gaston se rendit voir Burns. Il était près de midi quand il entra au *Boléro*. Il eut l'impression que Burns l'attendait. Il était assis dans le minuscule hall de la maison de chambres, en train de lire les journaux, qu'il replia délicatement dès qu'il aperçut Gaston. Celui-ci vint s'asseoir en face de lui, de sorte que leurs genoux se touchaient presque. Après un long silence, Michael se pencha vers Gaston et lui demanda très doucement :

« *Gaston, my friend, what would you do if you were me ?* »

Et comme Gaston ne répondait pas, il haussa le ton :

« *What the fuck would you do ?* »

Le pauvre Gaston ne savait toujours pas quoi répondre. Il traduisait dans sa tête ce que Michael disait :

« Et si j'étais toi ? Qu'est-ce que tu ferais, Gaston, mon ami, si j'étais toi, et toi, moi ? Tu me tuerais, hein ? *You would fuckin' kill me, wouldn't you ?* »

Michael plongea la main sous le coussin de son fauteuil et en sortit un revolver qu'il pointa sur Gaston, à moins de cinquante centimètres de sa poitrine. Il n'y avait personne derrière le comptoir de la réception. À cette heure de la journée, les hôtels de passe sont peu fréquentés. Gaston n'aimait pas les armes. Il savait (il en était sûr à quatre-vingt-dix-neuf pour cent) que Burns faisait de l'esbroufe, du théâtre, et qu'il n'avait jamais eu réellement l'intention de le tuer, qu'il voulait simplement lui faire peur. Mais il se disait que le coup pouvait partir inopinément ou la colère aveugler Burns un moment…

L'arme que tenait ce dernier était un 45, capable à cette distance de trouer un homme d'un bord à l'autre. Michael sembla tout à coup remarquer qu'une bosse gonflait le veston de Gaston, juste là où il visait. Gaston, qui avait suivi son regard, ouvrit lentement son veston, et Burns glissa sa main vers la bosse. Il en tira une enveloppe, qu'il ouvrit sur ses genoux. Elle contenait cent billets de cent dollars. « C'est pour toi, Michael. »

Ils ont cuité ensemble. Ils ont ri. « Si tu m'avais tiré, j'aurais saigné comme un cochon sur tes billets, lui disait Gaston. Ils auraient été troués et tachés de sang. »

Et ils trouvaient ça bien drôle, tous les deux.

* * *

Encore une fois, tout le monde a été soulagé quand Burns est reparti, début juin. On ne pouvait oublier qu'un mauvais sort lui était attaché. Même avec ses cheveux teints, sa moustache, il restait voyant, facilement repérable. Et il était imprévisible, surtout quand il avait bu. Tantôt Gaston était son frère, son *dear friend*, tantôt il était son pire ennemi, un traître. Deux fois encore, il avait pointé son revolver sur lui. Il disait qu'il fallait être un pur salaud pour s'imaginer qu'on pouvait acheter ainsi des enfants ; qu'il avait accepté les dix mille dollars parce qu'il considérait que Gaston les lui devait. Puis, la veille de son départ, il les lui rendit en disant qu'il n'en avait pas besoin. Un doute naquit alors dans l'esprit de Gaston et de ses amis. Un homme normal ne lève pas le nez sur une telle somme d'argent, à moins qu'il n'ait ailleurs une très généreuse source de revenus. Ils ont alors pensé que Burns avait réalisé quelque gros coup. Ou que les Anglais, auteurs enviés du vol du camion postal, lui avaient remis sa quote-part. Mais alors, Burns devenait lui-même, comme disait Mario, « le champion mondial des faux frères ».

Personne ne lui a fait part des soupçons qui pesaient sur lui. Et Monica ne lui a pas dit qu'elle était enceinte de Gaston. Il était cependant bien possible qu'il s'en soit aperçu. Elle avait pris un peu de rondeur, mais aussi elle avait retrouvé cet état d'esprit, ce calme serein qu'elle avait lorsqu'elle était enceinte de Debbie et de Steve. Elle aimait cet état, cette humeur que lui donnait la grossesse. Elle s'ennuyait d'un bébé.

* * *

C'est un torride jour de fin d'été, que Monica passe allongée sur une chaise longue près de la piscine hors terre que Gaston a installée contre la grange. Il est tendu, Gaston. Il reçoit des amis à la maison. Deux gars du Saguenay, Edmond Dupire et Gilles Jodoin, que tout le monde appelle Bill. Ils ont sous-loué l'appartement de la rue Garnier qu'occupait autrefois Monica. Quand Gaston se lève pour aller chercher à boire, ils louchent tous les deux vers Monica, ses cuisses nues, ses épaules bronzées. Même enceinte de six mois, elle est drôlement appétissante. Edmond et Bill sont tous deux bons mécaniciens et opérateurs de machines lourdes. Ils sont intelligents, discrets, tout jeunes, moins de vingt-cinq ans, et tout à fait inconnus des policiers, ce qui, aux yeux de Gaston, en fait des compagnons idéaux.

Dupire est très grand et maigre, légèrement voûté, a le visage mince et couvert de boutons, le cheveu déjà rare, et il louche. Bill est court et costaud, mais très agile et souple, et il a la face ronde comme une pleine lune. Tous deux maniaques de chasse, ils ont l'habitude des armes à feu. Et ils ne travaillent pas au même endroit; ils peuvent donc s'absenter tous les deux en même temps sans éveiller de soupçons. Ils n'ont pas de casier judiciaire, bien qu'ils aient à leur actif quelques bons coups réalisés parfois en compagnie de Ti-Moineau à la campagne ou dans de petites villes, surtout au Lac-Saint-Jean et au Saguenay. Ils connaissent mal Montréal.

Gaston les soupçonnait d'appartenir au Front de Libération du Québec et il croyait qu'ils faisaient des vols pour financer leur révolution… Ou alors ils étaient encore plus cachottiers que lui. Ils roulaient dans de vieilles bagnoles, fumaient des cigarettes roulées à la main, n'allaient jamais dans les bars, ne buvaient que de la bière brassée dans des établissements dûment syndiqués…

Trois jours plus tôt, Monica avait surpris Gaston penché sur son petit calepin, un crayon à la main. Il s'était remis au travail. Il reprenait lui aussi ses activités. Normalement, avec ce que lui avait rapporté le vol du camion postal, il aurait pu tenir plusieurs années; avec Monica, il aura tout juste tenu un an et demi.

Elle l'a aidé à mettre ses fiches à jour. Elle observait les banques choisies, notait les heures de pointe, le type de clientèle. Elle y entrait parfois pour pouvoir faire une description des lieux, voir combien il y avait de tiroirs-caisses, où se trouvaient les téléphones, les commutateurs, la chambre forte, le bureau du directeur. Au volant de la Pontiac de Gaston, elle circulait avec ses enfants dans le quartier afin de bien connaître les rues, les sens uniques, les culs-de-sac, les passages à niveau, les parcs, les postes de police, la durée des feux de circulation, etc.

Quand elle faisait ses topos aux gars réunis à la maison, elle impressionnait par la clarté de ses observations. Le grand Dupire, qui aurait donné son âme pour coucher avec elle, l'écoutait béatement en la dévorant de ses yeux bigles. Bill, volubile, l'interrompait sans cesse, demandant ou apportant mille et une précisions, comme s'il lui avait fait passer un examen.

C'est elle qui choisira la première banque que braqueront les hommes. Elle est restée à la maison pendant qu'ils opéraient, suivant de minute en minute les opérations dont elle connaissait par cœur le déroulement. Onze heures dix : ils roulent en ce moment sur le boulevard Viau, ils tournent à gauche dans la rue Cartier, Gaston au volant. Ils se sont arrêtés dix secondes au coin de telle rue pour enfiler leurs cagoules. Dupire entrera le premier, à onze heures et quart pile. Sa grosse voix : «C'est un hold-up, mesdames et messieurs. Tout le monde se couche par terre à plat ventre, tranquille.» Pendant que Gaston se rend dans le bureau du directeur, Bill saute par-dessus le comptoir, et… Chaque fois, elle sentait l'exaltation l'envahir. Mais son angoisse durait plus longtemps que celle des hommes. Jusqu'à ce que Gaston revienne, en fait. Il était toujours taciturne, grave et un long moment silencieux. Puis il lui racontait tout, chaque petit détail, comment les clients avaient réagi, etc. Le lendemain, Dupire et Jodoin passaient à la maison et ils faisaient les comptes. On partageait moitié-moitié, c'est-à-dire que Gaston, l'instigateur, le chef, avait cinquante pour cent de la recette, et que Dupire et Jodoin se partageaient le reste.

49

QUAND Burns est revenu, au printemps, Debbie avait presque terminé sa première année d'école. Elle savait lire et écrire. Et
Ti-Nou était né. Burns prenait sa fille sur ses genoux, lui faisait écrire
son nom et tous les mots qu'elle connaissait. Ils les prononçait avec
son lourd accent qui faisait rire Debbie.

Michael Burns était maintenant un homme transformé, gentil,
toujours de bonne humeur. Monica était persuadée qu'il y avait une
autre femme dans sa vie. Et Gaston avait compris au premier coup
d'œil qu'il avait aussi de l'argent. Il portait des vêtements coûteux,
il s'était loué (ou il avait emprunté de Herbie) une voiture de l'année
qu'il n'utilisait presque jamais, préférant payer des taxis pour voyager entre le *Boléro*, où il habitait, et Repentigny.

Cet été-là, Gaston et Michael ont été souvent pères au foyer.
À tour de rôle ou ensemble, ils gardaient ou sortaient les enfants.
Ils réalisaient l'un et l'autre, sans se l'avouer mutuellement, qu'ils
étaient tombés tous les deux sous la férule de Monica, qui ne voulait
pas confier Ti-Nou, encore trop petit, à une gardienne inexpé-
rimentée.

Entre Burns et elle, une sorte d'amitié très tendre s'était déve-
loppée. Mais Gaston était sur le point de reprendre ses activités, et
la présence de Burns le gênait. Il suffisait qu'il se fasse arrêter pour
une simple vérification d'identité, ou que quelqu'un du milieu, où
Burns n'avait pas que des amis, décide de le donner à la police en
échange de quelque considération, pour que tout soit compromis.

Or, Burns se comportait comme s'il était désormais un membre
de la famille. Il emmenait les enfants à la plage Drolet, en bas de la

rue Notre-Dame, du côté de Pointe-aux-Trembles. Il y avait des tables de piquenique, des chaises longues à louer, de grands ormes qui tamisaient sur les maigres pelouses la lumière du soleil. La grève, faite de gros galets et de cailloux, était coupée d'étroites passes de sable très doux, sortes de sentiers par où on pouvait entrer dans l'eau. Burns allait nager très loin et très longtemps. Et les enfants restaient au bord à le suivre du regard jusqu'à ce qu'ils le perdent de vue. Il y avait toujours des bateaux qui entraient ou sortaient du port de Montréal. Ils faisaient des vagues énormes qui, après un temps, venaient frapper la plage. Debbie croyait que son père, lorsqu'il allait nager au loin, montait sur ces navires et qu'il y rencontrait des gens importants avec qui il parlait d'affaires.

Un jour, un homme est venu l'attendre pendant qu'il était parti nager. Il était très grand et très blond. Il portait des lunettes noires. Et, malgré la grosse chaleur, un veston et une cravate. Il a parlé un moment avec Monica, qui lui a demandé de prendre une photo d'elle et de ses enfants. Elle lui a montré comment fonctionnait son petit appareil, puis ils se sont assis sur un banc, face au soleil, et il les a photographiés. Il est ensuite resté debout, appuyé contre le tronc d'un orme, silencieux. Il n'est sorti de l'ombre que lorsque Burns est revenu sur la plage. Ils ne se sont pas souri ni donné la main. Ils ont parlé ensemble un long moment, un peu à l'écart, ne haussant jamais la voix, de peur sans doute d'être entendus de Monica. Quand l'homme est parti, Burns est resté un long moment seul sur la plage, à regarder le fleuve et les bateaux, puis il est venu vers sa femme et ses enfants. En passant près de l'orme où s'était appuyé le grand homme blond, il l'a frappé d'un grand coup de poing. Sa main s'est mise à saigner, et Debbie à pleurer.

Ce même soir, Burns avouait à Gaston qu'il vivait depuis plus d'un an des profits du vol du camion postal. Deux des Anglais qui y avaient participé étaient restés dans la région de Montréal, l'un à Delson, sur le lac des Deux Montagnes, l'autre à Sainte-Adèle, dans les Laurentides. Ils avaient accepté de dédommager Burns. En lui allongeant à deux reprises quinze mille dollars, mais surtout en lui proposant de financer un autre gros coup qu'il avait imaginé sur un scénario assez semblable à celui qui leur avait réussi à Montréal : le vol d'un train postal en Angleterre. C'était pour planifier et coordonner cette opération que Michael était venu à Montréal.

« J'ai appris aujourd'hui qu'ils ont tout liquidé et levé le camp.

– Pour où ?

– *God knows*. En Amérique du Sud probablement. Les deux autres y sont déjà. »

Burns s'est alors laissé sombrer dans une sorte de léthargie. Il n'était cependant pas pressé de partir ; pas assez au goût de Gaston qui, leader d'une nouvelle petite bande de voleurs blancs comme neige, avait rompu toute attache avec ses anciens copains criminels, sauf, bien sûr, avec ses deux beaux-frères, Ti-Moineau en qui il avait entièrement confiance et Mario qu'il n'avait pu convaincre de renoncer à sa grosse Harley-Davidson chromée. Pire : Mario s'était acheté une Mustang rouge décapotable qu'il conduisait en fou, qu'il garait presque tous les soirs sur la *Main* ou dans la rue Sainte-Catherine.

Deux ou trois fois par semaine, il venait chercher Monica. Elle laissait les enfants à leurs pères et elle partait avec son frère à la plage Idéale ou au lac de l'Achigan. Mario roulait lentement en traversant les villages et en entrant dans les parcs de stationnement. Ils sentaient les regards des gens se poser sur eux. Ils portaient tous les deux des verres fumés. Monica enlevait son foulard de tête. Ils marchaient la main dans la main vers la plage, ne regardant personne. Ils étaient beaux, jeunes, bronzés, riches. Ils s'étendaient sur leurs serviettes et parlaient, en fumant et en prenant du soleil. Et Mario allait chercher des Coke et des frites.

* * *

À l'automne, Monica participait à ses premiers vols de banque avec la petite bande que Gaston Lussier avait constituée. Elle s'occupera d'abord de la voiture de fuite, le *getaway car*, dont la responsabilité était habituellement confiée à des aspirants qui, pour cinquante ou cent dollars, volaient une voiture dans un parc de stationnement et allaient la garer clés dans le démarreur en un lieu convenu près de la banque, quelques minutes avant le vol. C'était l'emploi le moins dangereux, le moins bien rémunéré.

Monica révolutionna cette fonction. Plutôt que de garer la voiture à un endroit convenu, à quelques rues de la banque, elle restait au volant, roulait doucement le long du chemin qu'emprunteraient les gars après le braquage, se laissait rattraper et, dès qu'elle apercevait leur voiture dans son rétroviseur, elle se rangeait et les prenait à son bord. On gagnait ainsi de précieuses secondes. Mais il fallait que l'opération soit planifiée et exécutée avec une rigueur parfaite.

Les vols perpétrés sous la direction de Gaston étaient toujours bien préparés. Chacun avait en tête le plan des rues avoisinantes et connaissait par cœur le déroulement de l'opération minute par minute. On entrait généralement à trois dans la banque. On criait très fort, Dupire surtout, qui avait une voix de stentor, on frappait sur le comptoir à coups de pied ou de crosse de revolver, on renversait des chaises, des plantes. Pour impressionner, surprendre, effrayer. Le plus souvent, Dupire se plaçait à un endroit stratégique (repéré à l'avance) près de la porte, d'où il tenait tout le monde en respect. Gaston se rendait dans le bureau du directeur, l'en faisait sortir en lui tenant un revolver contre la tempe, l'appelant, si possible, par son nom. Pendant ce temps, Jodoin vidait les tiroirs-caisses. Monica attendait dans la voiture de fuite, toujours garée à une cinquantaine de mètres à gauche de l'entrée de la banque que ses compagnons étaient en train de braquer. Après cinq minutes exactement, elle commençait à rouler très lentement; arrivée devant la banque, elle ouvrait les deux portières du côté du trottoir, les hommes sortaient de la banque en courant, leurs visages couverts de cagoules ou de bas de nylon, ils montaient dans sa voiture et elle démarrait en trombe.

Le pire, elle l'imaginait parfois, plus ou moins malgré elle. Mais elle évitait d'y penser trop longtemps. Tout pouvait arriver. Un gars pouvait avoir une défaillance comme dans le film *Ocean Eleven* avec Sinatra, Dean Martin et Richard Comte. À onze, ils volaient tout l'argent des cinq plus grands casinos de Las Vegas. Un coup parfait. Mais l'un des gars, Richard Comte, avait une crise cardiaque pendant l'opération. Il mourait et les gars devaient changer leurs plans. Ils mettaient l'argent volé dans le cercueil de leur ami. Mais celui-ci ayant demandé à être incinéré, ils perdaient tout…

En préparant un coup, on ne pouvait pas tenir compte de la mort, pas plus qu'on n'en tient compte dans la vie. Et tout pouvait arriver, comme dans la vie : un client fou qui se prend pour James Bond, un directeur armé, une voiture de police qui passe par hasard, un des hommes qui fait une crise cardiaque ou qui se foule une cheville...

Monica n'aurait pu définir ce qu'elle ressentait pendant les vols, un mélange de peur et de grande excitation. Elle ne savait même pas si elle aimait réellement éprouver cette sensation. Mais elle y pensait de plus en plus souvent, et elle la recherchait.

Gaston planifiait ses vols par séquences de trois. Puis il imposait un repos à son équipe, quelques semaines, deux mois, jusqu'à ce que l'argent vienne à manquer. Mais ce qui manquait en premier à Monica, c'était la sensation inoubliable ressentie pendant les vols.

50

G ASTON LUSSIER était un homme d'habitudes. L'ordre que Michael imposait à l'espace autour de lui, à ses vêtements, aux choses et aux gens, Gaston le mettait dans le temps. Dans la mesure du possible, la semaine et le dimanche, il se couchait et se levait à heure fixe. Il chronométrait toujours tout. Le temps qu'il prenait, par exemple, pour se rendre de chez lui à tel ou tel endroit. Le 1er avril, il posait ses pneus d'été; le 1er novembre, ses pneus d'hiver. Le vendredi soir, il faisait manger les enfants, leur donnait leur bain, leur racontait une histoire et les couchait, pendant que Monica accompagnait Hélène au meeting des AA. Quand elles rentraient, elles le trouvaient en train de travailler dans son atelier sur ses agrès de pêche ou de s'amuser à sculpter quelque bibelot. Il allait chercher la gardienne. Puis il partait avec Monica sur la *Main*…

Le vendredi 24 février 1967, la veille de ses vingt-sept ans, Monica avait comme d'habitude accompagné Hélène chez les AA, au sous-sol d'une église du nord de la ville, pendant que Gaston s'occupait des enfants. Elles sont arrivées au meeting avec un peu de retard et se sont assises à l'arrière. Elles ont écouté un pauvre gars raconter sa vie, comment il avait tout gâché, battu et perdu sa femme, son emploi, ses amis, presque la vie. Après une demi-heure, Hélène a commencé à dire qu'elle ne se sentait pas bien, qu'elle était douloureusement menstruée, qu'elle aimerait mieux rentrer. Monica l'a ramenée rue Mireault, où une grosse surprise l'attendait. Ses sœurs, son frère, son père, Memére et même sa tante Sylvana, avec son étrange mari qui parlait si bien, étaient réunis pour la fêter.

Vers vingt et une heures, Monica remarqua que Gaston était inquiet. Il ne buvait pas, ne riait pas. Il parlait à voix basse avec Mario et Ti-Moineau.

«Qu'est-ce qu'il y a? demanda Monica

– Il y a que ton Burns devrait être ici depuis deux heures», répondit Mario.

Monica a tout de suite compris que quelque chose venait de se produire qui pouvait bien changer leur vie. Michael Burns n'était pas, comme Gaston, obsédé par la ponctualité, mais rien, sauf le pire, ne pouvait expliquer un retard de plus de deux heures.

Le pire s'était en effet produit. Michael Burns avait été arrêté l'après-midi même et était détenu par la Gendarmerie royale du Canada. Condamné pour infraction à la loi sur l'immigration et récidive, il sera emprisonné, puis très certainement expulsé de nouveau.

Dès lors, Gaston se sentit en danger. Non pas que Burns fût du genre à parler. Mais si la police l'avait arrêté, elle n'était probablement pas loin de Gaston et des autres, peut-être même de tous ceux qui avaient participé au vol du camion postal.

Montréal était alors en pleine effervescence. On craignait que l'Exposition universelle de 1967, préparée dans l'euphorie et la fébrilité, attire de partout escrocs, mafieux et malfrats, prostituées et pickpockets. La police avait été considérablement renforcée. Elle pouvait frapper impunément, sauvagement. Personne ne lui en tenait rigueur. Le maire Drapeau avait promis de nettoyer la ville des indésirables qui y pullulaient, pour que les millions de visiteurs qu'on attendait trouvent la métropole du Canada propre, sûre, moralement irréprochable. Les temps étaient durs pour les voleurs et les misérables.

En deux mois à peine, avant même l'ouverture de l'Expo, Gaston et Ti-Moineau étaient arrêtés l'un après l'autre. On est venu chercher Gaston chez lui, dans son lit, à cinq heures du matin. L'étau s'était dangereusement resserré. Depuis ce fameux vol du camion postal, les enquêteurs avaient beaucoup progressé. Ils avaient arrêté trois des Anglais qui avaient participé à ce vol, interrogé des dizaines de personnes. Ils en étaient naturellement venus à s'intéresser à Gaston.

Monica se retrouvait de nouveau sans le sou. Avec trois enfants à faire vivre. Seul Mario restait près d'elle. Mais il sentait qu'il était brûlé lui aussi. Il ne comprenait d'ailleurs pas pourquoi on ne l'arrêtait pas. Il attendait... dans la ville en liesse où le monde entier s'était donné rendez-vous.

Il a finalement renoncé à sa Mustang. Il a pensé à une Volkswagen, puis à une Cooper S. Il a opté pour une Chevrolet Nova, dans laquelle il a fait mettre un moteur de V8, 350 pouces cubes. Avec petits enjoliveurs de roues. Une auto qui ne payait pas de mine, mais qui avait un formidable pouvoir d'accélération.

* * *

Dès la fin des classes, Debbie et Steve partirent passer quelques semaines en Écosse, dans la famille de Michael. Monica est restée seule à Repentigny avec Ti-Nou, son bébé, qu'elle confiait souvent à une gardienne, Nicole. Sans la présence de Gaston, la bande était désorganisée, démoralisée. Personne ne semblait capable d'aucune initiative. Mario avait tout intérêt à être plus que prudent. De sa prison, Gaston lui a d'ailleurs fait dire de se tenir loin de sa sœur. Michael aussi. Monica et Mario continuaient cependant de se voir, chaque fois dans un lieu différent. Ils étaient inquiets, nerveux.

Monica, isolée, décidera bientôt de prendre en main les dossiers de Gaston. Elle retrouvera son fameux calepin contenant des notes sur une demi-douzaine de banques ayant quelque «potentiel». Elle le met rapidement à jour. Elle prend contact avec Edmond Dupire et Gilles Jodoin. Elle sent qu'ils n'ont pas trop confiance en elle. Elle fera donc un vol seule. Ce n'est jamais bien payant. On n'a que le temps de ramasser le contenu d'un tiroir ou deux. Et il faut partir en courant. Mais il arrive que ça réussisse.

Elle s'est déguisée. Pas de soutien-gorge, un chandail étroit qui lui écrase les seins. Un coupe-vent, une casquette sous laquelle elle a ramassé ses cheveux, un bas de nylon sur la tête. Elle entre à la succursale de la Banque Canadienne Impériale de Commerce du boulevard Rosemont.

Puis elle roule pendant près de deux heures, surexcitée, se parlant toute seule dans la voiture, riant. À l'heure du souper, elle s'arrête pour téléphoner à Edmond.

«La Banque Canadienne Impériale de Commerce sur le boulevard Rosemont, ça te dit quelque chose?

– Vaguement.

– Ils n'ont pas réussi à balancer leur caisse aujourd'hui. Il leur manque exactement mille trois cent quarante-neuf dollars et trente-deux cents.»

Le lendemain matin, après avoir lu les journaux, Dupire et Jodoin, beaux joueurs, un peu penauds, se pointaient chez Monica, à Repentigny. Deux semaines plus tard, le trio exécutait coup sur coup trois opérations en trois jours.

Monica avait pris toutes les décisions, vu à tout, fait répéter les gars, dirigé les opérations, touché la moitié des recettes.

51

Comme quatre de ses six frères et deux de ses sœurs, Gérald Simard avait commencé à voler très jeune. À treize ans, seul ou avec d'autres, il avait déjà défoncé plusieurs maisons, des chalets, quelques commerces, stations-service, épiceries, magasins, même des églises. Il était connu dans tout Kénogami comme un méchant et charmant garnement. Parce qu'il était beau et brillant, qu'il avait de l'esprit et beaucoup d'entregent, tout le monde, le curé Gagnon, le chef de police Turgeon, ses professeurs et ses parents, bien sûr, se désolaient de le voir ainsi glisser sur la mauvaise pente.

Que Bob, son aîné de six ans, s'y soit déjà engagé ne peinait pas grand monde. Bob n'était pas beau, il ne faisait rire personne, il n'allait jamais, comme Gérald, vers les gens, il ne parlait pas beaucoup, il avait la bouche tordue et un regard fuyant que personne n'aimait, qui inquiétait.

Contrairement à Gérald qui semblait partout à l'aise et sûr de lui, Bob se considérait comme un perdant, un être maladroit. La première fois de sa vie qu'il avait tenté de voler une auto, il s'était fait prendre. C'était en 1948, le 29 mars, il avait dix-huit ans. Par la suite, les arrestations et les incarcérations ne se comptent plus. Même dans l'armée, où il a passé onze mois au début des années 50, il ne s'attirera que des ennuis et ne se fera jamais d'amis. Les seuls moments de repos et de sérénité qu'il connaîtra seront ses années de prison. Il n'a pas le charme et l'éclat de son jeune frère. Il est plus petit, rondouillard, timide. Il est très fort cependant, un redoutable bagarreur. Quand il a bu, il frappe aveuglément, par plaisir, insensible aux coups qu'il reçoit.

Il fut incarcéré de nouveau en 1955, au grand soulagement de ses parents, persuadés qu'il saurait profiter de son temps de prison pour réfléchir et que Gérald, leur petit dernier, enfin soustrait à la mauvaise influence de son aîné, finirait par retrouver le droit chemin. Mais il était trop tard pour tout changement de cet ordre.

À vingt ans, Gérald était déjà un casseur compulsif, incapable de ne pas défoncer ce qui était fermé, barré, verrouillé. À coups de pied ou d'épaule, de hache ou d'arrache-clou, il avait brisé des centaines de portes, de fenêtres, de soupiraux et de vasistas, à travers tout le Saguenay, puis sur la Côte-Nord et en Gaspésie, où il avait travaillé pendant quelques mois comme bûcheron, et enfin dans l'Ouest canadien, où il avait erré tout un été, travaillant ici et là comme manœuvre, faisant de la clôture dans les badlands de l'Alberta, cueillant des pêches, des poires et des raisins dans la vallée de l'Okanagan, en Colombie-Britannique, vendant des journaux ou mendiant dans les rues de Vancouver.

Par une pluvieuse nuit de l'automne 1958, à Kamloops, il se faisait pincer en compagnie de deux repris de justice, un Amérindien de la région de Prince George et un arriéré mental du Wisconsin, dans un magasin d'alimentation dont ils étaient en train de forcer la caisse, laquelle, allait-on découvrir, ne contenait pas cent dollars.

Condamné à six ans de prison pour plusieurs vols par effraction et autres délits, Gérald s'était évadé, avait été repris trois semaines plus tard, transi et affamé, dans un chalet au bord de la rivière Ashuapmushuan. Ayant écopé de quelques années de peine supplémentaires, il fut renvoyé à la prison de Saint-Vincent-de-Paul, où il retrouvait son frère Bob, lequel avait encore cinq ans à purger et, bizarrement, ne semblait pas trop malheureux de son sort. Au contraire, on aurait dit que Bob s'était épanoui en prison. Gérald savait que ce que les gens prenaient pour de l'hypocrisie chez son frère était de la timidité, de la peur, de l'angoisse, toutes choses qui en prison semblaient s'être estompées. Bob était plus serein, parlait davantage, riait.

Bien qu'il fût déjà bardé de muscles de la tête aux pieds, il passait chaque jour plusieurs heures au gymnase de la prison. Bizarrement, il ne semblait pas très enthousiaste à l'idée que Gérald s'entraîne lui aussi. «Tu n'as pas besoin de ça, lui disait-il. Tu es déjà bâti comme je ne le serai jamais.» Gérald se mit quand même à fréquenter le gymnase. Il avait beaucoup de potentiel et de facilité. Sans beaucoup d'efforts, il parvint en quelques semaines à faire aussi bien que la plupart des habitués. Mais son charme naturel, sa beauté, sa jeunesse en troublaient plus d'un. On lui fit des avances sans équivoque qu'il repoussait avec colère et dégoût. Il connaissait déjà assez bien le milieu carcéral pour savoir qu'il ne pouvait continuer de se tenir au gymnase sans risquer de se faire assaillir et violer ou de provoquer de dangereux esclandres. Et il ne trouverait nulle part de protection. Il avait découvert avec stupéfaction que son frère baisait allègrement avec plusieurs des détenus qui fréquentaient le gymnase. Il avait compris également que sa présence dérangeait Bob, qui avait vainement tenté de lui cacher ses amitiés.

Bob avait effectivement été terrorisé à l'idée que son jeune frère découvre ses activités homosexuelles, persuadé qu'il le mépriserait et le renierait. Les détenus ne se jugent pas entre eux. Même ceux qui s'y refusent ne considèrent pas les liaisons homosexuelles comme dénaturées. Mais pour Bob, Gérald n'était pas un détenu comme les autres. C'était son frère, quelqu'un de la vie d'avant, du dehors. Et il retrouvait devant lui son regard fuyant, son mutisme. C'est Gérald qui finalement lui a parlé, l'a rassuré, lui a dit qu'il savait tout, que ça ne changeait rien pour lui, qu'il ne l'en aimait pas moins. Et dès lors, Bob s'ingénia à créer autour de son jeune frère, grâce à quelques alliés puissants qu'il avait, une zone de protection. Gérald fut intouchable, respecté. Et Bob retrouva sa sérénité, sa bonne humeur, ses petits amis… Jamais les deux frères n'avaient été si proches l'un de l'autre, liés intimement, sans secrets.

Quand Bob est sorti, à l'automne 1964, Gérald avait encore près de cinq ans à tirer. Il eut une remise de peine et fut libéré le 25 mars 1967. Il avait trente-deux ans, ne possédait aucun métier, était sans nouvelles de Bob depuis plus d'un an. Il a passé quelques jours, moins de deux semaines, au Saguenay, à essayer de travailler dans une station-service. Mais il s'ennuyait à mourir, on le montrait du doigt, on le surveillait. Il allait voir son père et sa mère à Kénogami. Le bonhomme Simard, honnête ouvrier, avait travaillé toute sa vie à l'usine Alcan d'Arvida; il n'avait jamais osé penser à voler une épingle à qui que ce soit. Il était en colère contre ses fils. Et, parce qu'il ne trouvait pas les mots pour les engueuler, la colère grandissait en lui, mal contenue. Il ne leur parlait pas, les regardait à peine, formidablement intimidé par eux, ces étrangers qu'il avait élevés de son mieux. La mère était une femme pieuse et douce, toujours prête à croire que ses garçons avaient été victimes d'une injustice ou d'une erreur judiciaire. Elle leur préparait à manger, leur offrait de l'argent, voulait toujours les garder à coucher. Gérald sentait douloureusement qu'il lui avait brisé le cœur. Et il repartait triste et en colère...

Il aurait aimé être chauffeur de camion, faire de longues courses d'un bout à l'autre du continent, de Montréal à San Diego ou de Vancouver à Houston... Il n'avait jamais tout à fait renoncé à ce rêve, même s'il n'avait aucune chance de le réaliser un jour. Jamais personne ne confierait un gros Mac à un gars de trente-deux ans qui avait déjà passé le tiers de sa vie derrière les barreaux, qui s'était fait arrêter vingt-deux fois pour vol de véhicule, vol avec effraction, mille et un méfaits, et qui, de plus, n'avait pratiquement jamais conduit que les autos et les camions qu'il avait volés. N'empêche que lorsqu'on lui demandait ce qu'il faisait dans la vie, Gérald Simard répondait toujours qu'il était chauffeur. Et c'était ainsi qu'il était fiché par toutes les polices canadiennes : Gérald Simard, 26 février 1935, Kénogami, un mètre quatre-vingts, quatre-vingt-dix kilos, chauffeur de camion. Signe particulier : un cœur rouge et bleu tatoué sur l'avant-bras gauche.

Le lendemain de la fête des Mères, Gérald a volé la Buick 6 du maire de Kénogami et est descendu à Montréal en passant par La Tuque, où il a abandonné sa Buick pour s'emparer d'une Oldsmobile 98 deux tons. À Grandes-Piles, où il s'apprêtait à faire le plein, le pompiste reconnut la voiture du dentiste Sauvageau, qui descendait chaque semaine à Trois-Rivières et s'arrêtait régulièrement chez lui.

Gérald n'eut d'autre solution que de s'enfuir avant même que le réservoir ne fût rempli. Le garagiste prévint la police, qui attendit le fuyard au pont de Grand-Mère. Lorsqu'il aperçut le barrage, Gérald fit immédiatement demi-tour. La route qui longe la rive gauche de la rivière Saint-Maurice, de La Tuque à Grand-Mère, serait certainement barrée aux deux extrémités. Il pouvait en sortir à Mékinac et prendre sur sa droite la route qui descendait vers

Saint-Tite et La Pérade, ou sauter à bord du traversier à la confluence de la rivière Matawin. Il ignorait ce qui se trouvait de l'autre côté, comme il ignorait où se trouvait La Pérade. Mais c'était certainement mieux que la prison. Et il trouvait du plaisir à cette fuite. Lorsque la route était bien droite sur plus d'un kilomètre, il apercevait dans son rétroviseur une voiture de police qui semblait le suivre à une bonne distance sans chercher à gagner sur lui. «Ils attendent que l'autre arrive», pensa-t-il. Il serait alors coincé. Il souhaitait seulement que la voiture de police descendue de La Tuque ne puisse atteindre la Matawin avant lui. Mais alors, avec l'autre à ses trousses, aurait-il le temps de s'embarquer? En passant devant la station-service où il s'était arrêté à Grandes-Piles, Gérald klaxonna longuement, salua le pompiste qui l'avait signalé à la police, lui fit un large sourire et lui indiqua du pouce qu'il était suivi…

À moins de deux kilomètres de la Matawin, le moteur de l'Oldsmobile eut quelques hoquets et s'immobilisa. Panne sèche. Sans réfléchir, Gérald est entré dans le bois. Il était quatorze heures. Il y avait, comme aux abords de tous les villages le long de la route, des chemins forestiers qu'il évita. Il a marché au plus épais du bois, parallèlement à la route, à une centaine de mètres de celle-ci. Il s'est ainsi trouvé à la hauteur du traversier qu'il apercevait, immobile sur la rive, du bon côté. Et il semblait n'y avoir personne sur l'autre rive, où on voyait une cabane et un mauvais chemin s'enfoncer dans la forêt au-dessus de la rivière Matawin. Gérald n'avait qu'à descendre, traverser la route, s'embarquer.

Mais bientôt la voiture de police qui le suivait depuis Grand-Mère est apparue, roulant très lentement. Cinq minutes plus tard, ceux de La Tuque sont arrivés. Debout au beau milieu de la route, les policiers ont parlé ensemble… Gérald, qui pouvait les observer de haut, entendait presque parfaitement ce qu'ils se disaient. Ceux de Grand-Mère racontaient qu'ils s'étaient arrêtés près de l'Olds-mobile, vraisemblablement en panne sèche, que le voleur avait abandonnée un kilomètre plus bas. Ils discutaient de ses intentions, se demandaient s'il était armé; l'un d'eux dit qu'il n'était probablement pas loin, qu'il devait même les entendre. Et il pointa le doigt presque directement vers lui et ajouta qu'il ne pourrait pas aller loin, qu'on devrait faire venir des chiens, mais qu'on n'aurait pas le temps de faire grand-chose avant la nuit. Gérald était excité, amusé. Tout cela lui apparaissait comme un jeu. Il réalisait cependant qu'il ne pourrait pas prendre le traversier, trop bien gardé et relié à un câble d'acier l'empêchant de dériver dans le courant.

Il aperçut, à moins d'un kilomètre en amont, un canot amérindien renversé sur la grève. Il s'enfonça plus haut dans la forêt afin de ne pas attirer l'attention et s'engagea dans cette direction. Il allait traverser la route, s'emparer du canot, lorsqu'il s'avisa qu'il ferait mieux d'attendre la nuit, qui viendrait avant que les policiers n'aient reçu du renfort.

L'attente fut presque agréable. Le temps était doux. Les arbres avaient fait leurs feuilles. Les mouches noires et les maringouins n'étaient pas encore apparu. Gérald s'allongea dans un coin ensoleillé, sur la mousse, et, mâchouillant du thé des bois, attendit la nuit. Au crépuscule, il descendit au bord de la route, retourna le canot et le mit à l'eau sans faire de bruit. N'ayant pas pagayé depuis plus de dix ans, il eut beaucoup de difficulté à tenir le canot dans le travers du courant et fut emporté presque jusqu'en face du traversier. Il toucha le rivage opposé un peu en amont de la cabane du traversier. Après avoir tiré le canot sous les arbres, il défonça la cabane, s'y étendit et dormit quelques heures. À l'aube, il empruntait le chemin de bois. Ce chemin ne menait pas bien loin ; juste en haut des rapides, là où la rivière était plus calme. Il faisait toujours beau et doux, mais Gérald s'amusait moins. La faim commençait à se faire douloureusement sentir. Et, avec elle, la peur, la peine, les regrets, toutes ces émotions désagréables et rapaces qui se jettent sur l'homme blessé, affamé…

Il y avait un autre canot en haut des rapides. Gérald y monta, mais il avait si faim qu'il allait renoncer à pagayer lorsqu'il entendit des voix. C'étaient des pêcheurs amérindiens, qui l'accueillirent plutôt froidement et se mirent à l'insulter et à le menacer lorsqu'ils se rendirent compte qu'il avait leur canot.

Malgré la faim qui le tenaillait, Gérald sut les calmer, les séduire et les faire rire, mais il ne parvint pas à leur faire croire qu'il s'était perdu. Un Blanc perdu dans les bois ne remonte jamais une rivière. Le haut des rivières appartient aux Amérindiens. Tout le monde sait ça. Il était donc évident que Gérald était un fuyard. Et, à cause de cela peut-être et parce qu'il était sympathique, ils l'ont aidé. L'un d'entre eux est même allé replacer en haut des rapides le canot qu'il avait emprunté. Il ne se trouvait pas là par hasard. Quelqu'un était descendu vers le pays blanc, et il remonterait dans deux ou trois jours. Il pourrait toujours franchir le Saint-Maurice en prenant le traversier des Blancs (ce que les Amérindiens détestaient faire), mais il aurait besoin de son canot pour remonter la Matawin jusqu'au lac du Taureau, puis, par les lacs Légaré et Villiers, jusqu'à Manouane, où la bande passait l'été.

Trois jours plus tard, ayant suivi avec eux ce chemin d'eau, Gérald était à Saint-Michel-des-Saints, à la tête du réservoir Taureau. Il s'est acheté une chemise et des bas, a loué une chambre pour deux heures, a pris une douche, s'est rasé et est descendu au bar de l'hôtel, où il a fait la connaissance de quatre gars de Montréal qui rentraient chez eux après une semaine de pêche au lac Boucher et qui ont accepté de le prendre avec eux. Ce qu'il venait de vivre le comblait de joie.

Le vendredi soir, avec un peu moins de vingt dollars en poche, sa chemise encore propre sur le dos, Gérald était sur la *Main*, où il cherchait son frère Bob. Il n'avait pas mis les pieds à Montréal depuis près de dix ans et se sentait dangereusement étranger. Mais ce qu'il venait de vivre lui donnait une force qui lui semblait irrésistible. De plus, il y avait un air de fête dans la ville, des gens venus de partout. Il arpentait donc la *Main* tranquillement, entrait dans les bars et les cafés qu'il connaissait de nom, s'arrêtait un moment au *Montreal Pool Room*… Vers minuit, il se trouvait devant le *Pal's*, où il hésitait à entrer, quand une main ferme se posa sur son épaule. C'était la chance en personne : Viateur Dupire, un gars de Jonquière qui avait toujours éprouvé une vive admiration pour Gérald Simard. Il y a toujours plein de gens comme lui dans le monde des voleurs : des fans qui n'oseraient pas volé un fromage chez l'épicier mais qui vouent une admiration sans bornes à ceux qui osent défoncer bagnoles et banques ; ils s'en font des héros, ils commentent leurs faits et gestes… Au Saguenay, où il avait commencé sa carrière, Gérald avait ainsi été entouré de nombreux admirateurs. Qu'il soit allé en prison n'avait fait que le grandir aux yeux de Viateur, qui lui paya à boire et lui trouva un lit pour la nuit avec une fille dedans.

Il ignorait cependant où se trouvait Bob, mais, au cours des jours suivants, il mit Gérald en contact avec plusieurs gars du Saguenay, dont son jeune frère Edmond et Gilles Jodoin, ce dernier originaire de Kénogami, comme Gérald. Bien qu'il fût plus jeune que lui de douze ans, il savait parfaitement qui il était.

Edmond Dupire et Gilles Jodoin ne buvaient pas beaucoup et ne fêtaient pas vraiment, comme le faisaient la plupart des jeunes de leur âge. Ils se tenaient avec des étudiants et des professeurs, des artistes de l'École des beaux-arts, à *La Hutte suisse* de la rue Sherbrooke ou dans des petits cafés sombres et enfumés, rues Clark et Saint-Dominique, où, le soir, ils écoutaient et applaudissaient des poètes s'accompagnant à la guitare et à l'harmonica et qui, dans leurs chansons, parlaient de changer le monde. Leur univers n'avait vraiment rien à voir avec celui de la *Main*. Mais il y avait entre Gérald et eux des liens très forts, incassables : le sang du Saguenay, l'accent, l'humour, une solidarité évidente, immanente, totale…

Gérald comprenait vaguement qu'ils avaient une cause et qu'ils préparaient quelque révolution. L'idée, bien que confuse dans son esprit, le séduisait. Briser l'ordre établi, pour quelque raison que ce soit, lui apparaissait comme une activité passionnante, même si les causes n'étaient pas son fort.

Il prit l'habitude de passer à la *Hutte* en début de soirée et, si Dupire ou Jodoin s'y trouvaient, de se laisser offrir une bière ou deux. Jamais plus, hélas! car Jodoin et Dupire ne tenaient pas en place. Ils devaient toujours partir, ils avaient toujours quelqu'un à rencontrer quelque part, dans un autre café. Et ils ne voulaient jamais dire où ils allaient, ne voulaient jamais qu'on les suive.

Puis, un soir, à la *Hutte*, on ne parlait que de Jodoin qui avait eu sa grosse face ronde bien en vue à la une du *Montréal-Matin*. Il s'était fait arrêter la veille lors d'un vol de banque à Rosemont, rue Masson. Ses deux comparses, un grand maigre et une femme jeune, avaient pu s'enfuir. Depuis plusieurs semaines, ce trio facilement identifiable, un gros court, un grand maigre et une jeune femme, opérait dans tout l'est de Montréal, dans Lanaudière et dans la vallée du Richelieu. À la *Hutte*, il ne faisait aucun doute pour personne que l'autre membre de ce trio déjà fameux était Dupire, qui, ce soir-là, n'a pas donné signe de vie. Même son frère Viateur, que Gérald retrouva sur la *Main*, ignorait où il était passé. Mais on n'était pas trop en peine pour lui. Le vol de la rue Masson avait rapporté plus de six mille dollars, ce qui était beaucoup plus que le salaire annuel moyen. Mais Viateur disait que son frère avait de grands projets qui nécessitaient beaucoup d'argent et qu'il se remettrait sans doute à l'ouvrage avant longtemps.

En fait, Edmond Dupire était mort de peur. Il craignait que Jodoin, que la police ne manquerait pas de cuisiner, craque et les vende. Ou que quelqu'un de la *Hutte* le signale comme étant «le grand sec du trio». Il aurait aimé se raccourcir de quelques centimètres et marchait encore plus voûté, la tête rentrée dans les épaules.

L'arrestation de Jodoin avait contribué à créer un vif intérêt autour de ce trio de braqueurs de banque qui semblait dirigé par une femme. Celle-ci faisait désormais l'objet d'un véritable culte dans des endroits comme la *Hutte*, où artistes et poètes étaient en train d'en faire un personnage de légende, une géniale héroïne qu'ils enrobaient de leurs fantasmes, de leurs théories les plus fumeuses.

52

L E MÊME JOUR, ou plutôt la même nuit, début juin 1967, Gérald Simard retrouvait son frère Bob et faisait, très vaguement, la connaissance d'une femme qui allait changer sa vie. Comme lui allait changer la sienne.

Il entrait au *St. John's Café*, où il espérait rencontrer Viateur Dupire à qui il espérait soutirer quelques dollars, quand la porte à double battant s'ouvrit si brusquement qu'il faillit tomber à la renverse. Deux videurs, à bout de souffle, l'un d'eux la gueule en sang, essayaient d'expulser Bob manu militari. Ils avaient tous les deux une tête de plus que lui, mais ils semblaient avoir toutes les misères du monde à le maîtriser. Hilare et fin soûl, Bob s'arc-boutait, s'agrippait d'une main aux chambranles et aux poignées de la porte, frappant de l'autre les deux brutes au ventre et au visage.

Quand il aperçut Gérald, il lâcha prise et resta un moment interdit. L'un des videurs tenta alors de lui allonger un crochet que Gérald réussit à intercepter. «C'est mon frère», dit-il, comme si cette déclaration pouvait expliquer le grabuge que Bob avait dû commettre et rendre toutes représailles injustifiées. Voyant que Bob s'était calmé, les deux gorilles ont baissé les bras et se sont occupés à retrouver leur souffle, à s'éponger.

Bob avait maintenant jeté son dévolu et sa bonne humeur sur Gérald, qu'il frappait à tour de bras en disant : «Mon p'tit frère, mon p'tit frère que j'aime!» Gérald réussit à le contenir et à calmer les videurs qui, ayant repris leur souffle, voulaient faire un sort à Bob. Les deux frères entreprirent de monter vers le haut de la *Main*, Bob pendu au bras de son frère. Il voulut se battre avec trois petits Chinois qui traversaient le boulevard Dorchester pour entrer dans le quartier chinois; avec des étudiants à cheveux longs qui tiraient un joint devant le Monument-National; avec un clochard qui mendiait en face du *Montreal Pool Room*; avec le vieux Grec à tête blanche de *La Frite dorée* où Gérald avait réussi de peine et de misère à le faire entrer, puis à l'asseoir tout au fond, près des tables de billard heureusement inoccupées.

Bob avait dans ses poches plus de six cents dollars en coupures de dix et de vingt.

«C'est pour toi, mon p'tit frère; tout ce que tu veux.»

Gérald commanda deux hamburgers, des frites et un Coke pour Bob. Même chose pour lui. Pendant qu'ils mangeaient, Bob raconta à son frère ses dernières frasques. Il était rentré de l'Ouest quelques jours plus tôt; il avait réussi là-bas quelques bons coups.

Au fur et à mesure qu'il dessoûlait, la joie agressive qui l'avait porté le quittait; l'angoisse, la peur, l'inquiétude l'envahissaient. Et Gérald retrouvait son grand frère du dehors, le Bob fragile et secret, au regard fuyant, qui parlait difficilement, et jamais de lui, car il se trouvait trop moche, trop laid, trop insignifiant pour attirer sur lui l'attention de qui que ce soit. Et Bob s'est tu un moment, puis il s'est mis à parler de sa mère, de la peine qu'il lui faisait tous les jours de sa vie. Et il a pleuré tout doucement. Puis il s'est endormi, coincé entre le dossier de sa chaise et la petite table de stratifié. Gérald chercha conseil auprès du vieux cuisinier grec, qui lui prêta son plongeur pour transporter Bob au *Boléro* en passant par la porte arrière et la rue Clark. C'était à deux pas. Il leur fallut cependant une bonne demi-heure pour porter Bob jusqu'à la rue Sainte-Catherine, puis jusqu'en haut de l'étroit escalier qui menait au petit hall du *Boléro* et enfin à la chambre minuscule où ils ont pu le mettre au lit.

En repassant par le petit hall après avoir bordé son frère et lui avoir laissé un message, Gérald aperçut, face au bureau de la réception, un très gros homme assis en tête-à-tête avec une femme toute menue qu'il voyait de dos. Elle parlait vivement, en gesticulant beaucoup. Gérald fut attiré d'abord par ses bras nus, ses cheveux très noirs. Et, soit qu'elle eût saisi au regard du gros homme que quelqu'un se trouvait derrière elle, soit qu'elle s'en fût aperçue par cette faculté qu'ont parfois les femmes de détecter la présence ou même le regard d'un homme posé sur elle, elle se retourna, aperçut Gérald debout dans le petit hall, juste devant le comptoir. Elle lui a souri. Il s'est senti un moment prisonnier de ce regard, de ce sourire. Et c'était furieusement bon.... La jeune femme se détourna de lui, mais le charme ne fut pas rompu pour autant. Elle continuait de penser à lui, il en était persuadé. Elle sentait sa présence derrière elle, car elle ne parlait plus au gros homme avec la même vivacité. Elle a passé ses mains dans ses lourds cheveux qu'elle a soulevés et ramassés sur sa nuque. Il s'est demandé si elle le faisait exprès ou si elle avait vraiment chaud. Ce n'est que lorsqu'il a vu le regard du gros homme posé sur lui qu'il est sorti.

Il est allé prendre un verre au *Pal's*. Il a regardé deux ou trois strip-teases, rêveur, revoyant l'image de la jeune femme du *Boléro*, ses bras nus, sa nuque dégagée...

Elle n'était plus là quand il est rentré, à trois heures du matin. Ni le gros homme. Il a dormi tout habillé à côté de Bob, qui à son réveil était triste et perdu. Il se souvenait à peine de ce qu'il avait fait et dit la veille, mais il semblait content que son jeune frère soit là.

Les deux frères ne s'étaient pas vus depuis près de trois ans, soit depuis que Bob était sorti du pénitencier de Saint-Vincent-de-Paul. Gérald allait retrouver le Bob d'autrefois, timide, hésitant. La belle assurance heureuse qu'il avait connue en prison l'avait quitté.

Au cours des jours suivants, Bob s'installa confortablement dans le sillage de son frère. Ils ont loué une chambre à deux lits, rue Clark, un peu en haut de la rue Ontario. Du matin au soir, Bob suivait Gérald, qui avait déjà établi des contacts un peu partout sur la *Main*. Grâce au magot de Bob, ils pouvaient se considérer comme en vacances pendant quelques semaines, même s'ils étaient re-cherchés par la police. Le sens commun aurait voulu qu'ils restent planqués pendant quelque temps, et surtout qu'ils ne se fassent pas trop voir sur la *Main*, qui était, cet été-là plus que jamais, étroitement surveillée par la police qui traquait partout le malfrat, le voyou, l'in-désirable.

Mais les frères Simard n'était jamais sages, jamais prudents.

Ils sont allés visiter l'Expo un jour de semaine avec Viateur Dupire. Ils ont pris quelques verres au pavillon des Brasseries, sont rentrés en ville de bonne heure et se sont pointés très tôt au *St. John's*, après que Gérald et Viateur eurent insisté longuement auprès de Bob qui, se souvenant vaguement de l'esclandre qu'il avait créé, ne voulait plus jamais y mettre les pieds.

Gérald l'a repérée en entrant, avec ses bras nus, ses cheveux relevés en chignon, sa nuque fine, assise au bar devant une vodka jus d'orange. Seule. Dans une robe noire sans manches…

Il marchait vers elle quand elle a levé les yeux et l'a aperçu droit devant elle dans le grand miroir, entre les bouteilles, les verres et les photos de pin up. Elle a attendu qu'il soit tout près d'elle, puis elle a fait pivoter son banc et ils se sont retrouvés face à face. Il l'a touchée avant qu'ils ne se soient dit un mot. Il lui a pris le bras.

«Veux-tu danser?

– Non.»

Il était soulagé. Il n'aimait pas danser. Il s'est assis près d'elle, cherchant le barman des yeux, quand il vit Viateur s'approcher, s'asseoir de l'autre côté de la jeune femme et se mettre à lui parler dans le creux de l'oreille. Même s'il n'a pas tout saisi, Gérald a compris qu'il était question d'Edmond, lequel, paniqué, avait disparu et se proposait de passer l'été, si ce n'est sa vie entière, au large, quelque part au Lac-Saint-Jean ou en Gaspésie. Gérald a compris alors que cette jeune femme qu'il s'apprêtait à draguer était la fameuse braqueuse de banque qui travaillait avec le gros Jodoin et le frère de Viateur.

Elle s'était penchée légèrement du côté de Viateur, tout en surveillant leur image dans le miroir. Elle voyait Gérald qui, un coude sur le comptoir, la regardait avec convoitise, sans aucune retenue, laissant ses regards glisser sur ses épaules, son cou, descendre dans son décolleté, puis tomber vers ses jambes. En se redressant, elle se tourna vers lui et lui dit qu'elle s'appelait Monica. Deux heures plus tard, ils étaient amants. Monica crut bon d'expliquer qu'elle n'avait pas l'habitude d'être si vite en affaires, mais qu'elle avait été privée d'homme depuis plus de trois mois. Elle lui a raconté sa vie; et lui, la sienne. Il a su que ses deux hommes étaient en prison. Il lui rappelait un peu Richard Blass, son sourire surtout… Il était né un 26 février ; elle, un 25 février.

Ils ont été plus d'une semaine sans se revoir. Gérald n'avait ni son adresse ni son numéro de téléphone. Viateur non plus. Et Campbell, le propriétaire du *St. John's*, s'il savait où trouver Monica, refusa d'aider Gérald, qu'il ne connaissait pas bien. Celui-ci se résolut donc à se rendre au *Boléro*, dans l'espoir que le gros homme en compagnie duquel il avait vu Monica puisse le renseigner.

Comme il débouchait dans la rue Sainte-Catherine, vers dix-huit heures, il vit une ambulance de la police se ranger contre le trottoir juste devant le *Boléro*, où deux agents sont entrés en courant. Il a pensé qu'il y avait eu une bagarre, qu'une prostituée s'était fait battre par un client ou qu'un souteneur avait été descendu. Sans hésiter, il s'est engagé dans l'escalier. Un policier lui a barré le passage. Mais Gérald a eu le temps d'apercevoir, allongé par terre devant le bureau de la réception, le gros homme…

Herbie Daniels était mort, ce premier jour de grosse chaleur de ce glorieux été 1967. C'était le 16 juin. Le lundi suivant, le 19, Gérald est allé à ses funérailles, dans l'espoir d'y retrouver Monica. Il portait des bottes de cow-boy, un jeans noir, une chemise blanche et un veston marine trop étroit, emprunté à Viateur Dupire. Il vit Mario, le frère de Monica, et son beau-frère Ti-Moineau. Il chercha Monica des yeux, mais il ne la vit ni avec eux ni dans la petite foule qui se pressait autour du cercueil de Herbie.

Sachant que la police était toujours présente aux obsèques des truands, qu'elle profitait souvent des deuils et des drames qu'ils vivaient pour s'immiscer dans leur vie et mieux comprendre les alliances, les amitiés, les liens qui les unissaient, Mario et Ti-Moineau se sont esquivés, chacun de son côté, avant la fin du service religieux.

Gérald est sorti peu après eux ; il est resté un moment sur le parvis, puis il s'est éloigné lentement, son veston sur l'épaule, la tête basse, libre, désœuvré. Et soudain une jeune femme blonde marchait à sa hauteur. Il se tourna vers elle. Il ne voyait pas ses yeux, qu'elle dissimulait derrière des lunettes noires. Mais il reconnut ses lèvres, son sourire.

Ils sont partis ensemble, la main dans la main.

53

EN MOINS de trois mois, un vide terrible s'était fait autour de Monica Sparvieri. À vingt-sept ans, elle avait vu disparaître tragiquement beaucoup de gens très proches d'elle : sa mère, quatre de ses frères et sœurs, sa grand-mère, son amie Margot. Michael Burns et Gaston Lussier, les pères de ses enfants, se trouvaient en prison. Ti-Moineau lui avait clairement laissé entendre qu'il ne pouvait plus la voir, parce qu'il voulait refaire sa vie tranquillement et qu'il considérait qu'elle prenait trop de risques inutiles. Elle savait également qu'elle ferait mieux de s'éloigner de son frère Mario; il était marqué, lui aussi, presque certainement fiché et recherché, sinon déjà repéré, par la police. Leur père Téo, qui venait d'avoir cinquante ans, avait une nouvelle vie, bien sage. Herbie Daniels, qui savait la conseiller, qui aurait pu la protéger, venait de mourir.

Avec Gérald à ses côtés, il lui arrivait encore de se trouver invulnérable, étrangement rassurée et apaisée. Il était pourtant tout le contraire de Gaston Lussier : totalement irréfléchi, un vrai desperado, toujours prêt à tout, n'ayant rien à perdre. Tout le contraire de Michael Burns aussi : négligé, débraillé, d'une beauté naturelle, athlétique, pathétique. Il n'avait peur de rien; et, en même temps, il était sans défense et sans méfiance.

Il paraissait bien. Tout le monde le disait. Il avait une tête sur les épaules aussi, mais il ne s'en était pas beaucoup servi depuis presque dix ans, parce qu'il avait passé le plus clair de son temps en prison, où on perd vite l'habitude d'user de sa tête et de son jugement. On apprend moins que rien en prison. On désapprend, en fait. Les gars qui en sortent et qui sont trop pressés de faire un coup aussitôt qu'ils sont en liberté se font toujours prendre, parce qu'ils sont rouillés, décalés. Ils ont perdu contact avec la réalité, ils ne connaissent plus la vitesse des choses, ils ne savent plus prévoir les réactions des gens…

La prison n'est pas une école du crime, comme on le croit souvent. C'est un lieu où faire des rêves. Les uns pensent aux femmes, aux mers du Sud; d'autres s'imaginent pouvoir réussir le grand coup. Tous se font des scénarios dans leur tête. Et ça réussit chaque fois. Les femmes leur tombent dans les bras; ils braquent les banques les mieux gardées et échappent à toutes les polices du monde. Et, dès qu'ils ont fini, ils recommencent, fignolant leurs exploits. Mais quand ils tenteront d'en faire autant dans la vraie vie, les choses ne se passeront pas du tout comme dans leurs rêves. Ils se feront presque tout le temps pincer. La vraie bonne école du crime, c'est dans la rue qu'elle se trouve, dans la pratique, autant que possible avec des gens qui n'ont jamais eu affaire à la police, qui ne sont jamais allés en prison.

Très vite, début juillet, Monica et les frères Simard recommenceront à braquer des banques dans l'est de Montréal. Et tout de suite, dans les journaux, on signalera le retour de la bande dirigée par cette jeune femme qui, au printemps, avait abondamment fait parler d'elle. Les journaux lui consacrent de pleines pages. Elle est devenue une sorte de vedette anonyme qui fascine les médias et le grand public.

Un jour, en s'enfuyant de la Caisse populaire de Cartierville, elle a croisé une jeune femme terrorisée qui tenait un petit garçon de cinq ou six ans par la main. En voulant éviter de bousculer l'enfant, Monica a fait un faux mouvement et a échappé par mégarde deux rouleaux de pièces de vingt-cinq cents qui se sont répandues sur le béton. Un journaliste de *The Gazette*, emporté par son imagination, arrangera quelque peu la réalité et racontera que la mystérieuse chef de gang a souri au petit garçon et lui a délibérément donné de l'argent.

Monica fut charmée par l'interprétation qu'on avait faite de son geste. Une semaine plus tard, elle le répétera, cette fois volontairement. C'était dans une succursale de la Banque Canadienne

Impériale de Commerce, rue Jean-Talon. Tout s'était déroulé exactement comme prévu. Bob, resté près de la porte, avait fait le guet et tenu les clients en respect. Gérald avait frappé du pied et du poing sur le comptoir, puis il était allé chercher le directeur, lui avait mis son revolver sur la tempe et avait fait se placer tout le monde, personnel et clients, dans un coin. Pendant que Monica faisait la cueillette.

Au moment de la retraite, c'était toujours elle qui devait sortir la première, en portant le sac dans lequel elle avait versé l'argent de la banque. Toujours le même sac de grosse toile bleue qui lui venait de son grand-père et qu'avait utilisé Mario, puis Gaston. C'était, croyait-elle, son porte-bonheur. En changer l'eût inquiétée.

Cette fois, elle s'arrêta près de la porte, plongea la main dans le sac et lança de pleines poignées de pièces de monnaie vers les clients en leur criant : «Achetez-vous des bonbons avec ça.» Une semaine plus tard, elle mit des billets de banque directement dans les mains d'une petite fille. «Tu emmèneras ta mère à la Ronde avec ça.»

Elle se prenait au jeu de la popularité. Le lendemain d'un vol, elle feuilletait avec avidité tous les journaux, où elle espérait trouver la relation de ses exploits, comme une comédienne lisant les critiques après une première. Elle achetait tous les journaux : *Montréal-Matin*, *Journal de Montréal*, *La Presse*, *The Gazette*, *The Montreal Star*, *Allô Police*. Elle voyait que d'autres vols étaient perpétrés, souvent par des gars qu'elle connaissait. Mais les journalistes étaient d'abord et avant tout intéressés par les faits et gestes de cette mystérieuse et fascinante jeune femme qu'ils cherchaient à mieux connaître. Ils se sont mis à lui broder une légende plus grande que nature. Ils disaient qu'elle n'avait peur de rien ni de personne, qu'elle régnait sur le monde interlope montréalais et menait d'une main de fer une bande de truands remarquablement bien organisée. Ils croyaient et écrivaient qu'elle était riche, très puissante, incroyablement généreuse, qu'elle s'était donné comme mission de voler aux riches pour donner aux pauvres… On la surnomma Machine Gun Molly (une idée du journaliste Tim Burke, de *The Gazette*), puis MGM simplement. Et finalement Monica la Mitraille, dans la presse francophone.

Un jour, cependant, sans que personne dans son entourage puisse expliquer comment ces renseignements avaient été obtenus, les journaux révélèrent qu'elle avait des enfants et qu'elle les emmenait parfois avec elle quand elle braquait des banques. Cette information troubla profondément Gaston Lussier qui, depuis la prison où il se trouvait, sut convaincre Ti-Moineau d'aller parler à sa femme. Sachant qu'il ne pourrait dissuader Monica de renoncer à ses activités, Ti-Moineau se contenta de lui rappeler qu'un bon voleur ne devrait jamais faire parler de lui. Mais elle protestait. «Ce n'est pas moi, cette fille-là, tu vois bien. Ils ont inventé ça. Je ne suis jamais allée à la banque avec mes enfants. Je n'ai jamais vu une mitraillette de ma vie. Et je n'ai jamais tiré sur personne de ma sainte vie, même pas sur un lapin.»

Mais Ti-Moineau sentait qu'au fond elle désirait ardemment ressembler à cette femme téméraire que décrivaient les médias. Elle était fascinée par ce personnage qu'ils avaient créé, par cette image ennoblie et magnifiée qu'ils lui renvoyaient d'elle et à laquelle, il le sentait, elle allait irrémédiablement se conformer. Jusqu'à sa perte. Elle se laisserait piéger par son image et tout ce qu'on disait d'elle, griser aussi par le danger qu'elle courait, envoûter par Gérald Simard, qui trouvait tout cela follement amusant, qui allait au-devant du danger, qui le narguait… Il ne se cachait pas. Bien au contraire. Il se vantait avec plaisir de ses exploits et faisait sur la *Main* et dans Saint-Henri un spectaculaire étalage de sa richesse.

Monica, elle, devait sans cesse mentir. À sa grand-mère, à sa tante Hélène, à son amie Réjeanne, même à son père qu'elle allait voir de temps en temps à Mont-Tremblant. Elle faisait à tous de gros cadeaux, elle aidait financièrement Réjeanne et Hélène. Quand on lui demandait comment elle pouvait être si prodigue, elle répondait que son frère et ses deux maris lui avaient laissé de l'argent. À Hélène, elle racontait qu'elle se prostituait dans la haute. Mais elle détestait mentir. Elle aurait voulu crier au monde entier qu'elle était Machine Gun Molly, Monica la Mitraille, championne braqueuse de banque.

Elle se sentait comme une femme amoureuse qui souhaiterait que le monde entier sache qu'elle aime, mais qui doit se taire, cacher le nom de son amant. Et elle continuait de s'enfoncer, devant Hélène ou Memére qu'elle visitait parfois à l'improviste, dans le mensonge le plus opaque. C'était ce qui lui pesait le plus, parce qu'elle était profondément fière de ce qu'elle faisait. Braquer une banque requiert du sang-froid, de l'intelligence, de la méthode. Tous ses vols étaient réussis à la perfection, dans le temps prévu, à quelques secondes près. Sans bavure.

Elle était devenue une vedette, non seulement pour les médias, mais aussi dans le milieu, où elle allait peu à peu se comporter en star, se conformant fidèlement au personnage qu'avaient campé les journalistes, consciente de l'effet électrisant qu'elle provoquait quand elle entrait au *Mocambo*, à la *Casa Loma* ou au *Béret bleu*, où de plus en plus de gens savaient qui elle était. Et alors, pour le plaisir de flamber de l'argent, de montrer qu'elle en avait à ne savoir qu'en faire, elle payait à boire à des salles entières. Et elle disparaissait rapidement.

Le 20 juillet, les journaux dévoilaient son identité, en la présentant d'abord comme l'épouse de Gaston Lussier, Mme Monique Lussier. Puis on apprit quelques jours plus tard qu'elle avait eu un premier mari, un truand britannique du nom de Michael Burns. Et bientôt tous ses noms furent divulgués, toute l'histoire des siens fut étalée dans les journaux.

Elle dut dès lors entrer tout à fait dans la clandestinité, se déguiser, porter des perruques, des verres fumés, etc. Banane, une amie de sa sœur Paula, qui tenait salon rue Frontenac, lui a coupé les cheveux très courts. Mais enfin, sous cet éclairage artificiel des médias, son vrai visage pouvait être connu. Les journaux ayant publié de vieilles photos qu'elle n'aimait pas, elle leur en enverra une qu'elle a fait prendre par Gérald. Elle est en bikini, lunettes noires à monture blanche, cheveux remontés en chignon, tête renversée vers l'arrière, un grand sourire. Des journalistes vont enquêter dans son milieu, dans son quartier. Ils interrogent Memére, se rendent rue Mireault, à Repentigny, retrouvent Paula et les jumelles, des voisins. Tous les gens qui l'ont connue sont unanimes. On dit qu'elle est extrêmement généreuse, qu'elle vient au secours des pauvres du quartier où elle habite, qu'elle leur fait livrer de grosses commandes d'épicerie, des vêtements et des jouets pour leurs enfants. Dans l'imagerie populaire, Monica la Mitraille était devenue la version féminine de Robin des Bois. La bonne voleuse.

En juin, heureusement, Gérald a loué, au neuvième étage d'un édifice de la rue Sherbrooke, près du boulevard Pie-IX, un appartement qui est resté sûr et qu'ils utilisaient régulièrement. Il y avait du marbre dans le hall d'entrée, des miroirs, des plantes vertes, une piscine sur le toit, une vue imprenable sur le fleuve et l'île Sainte-Hélène, où l'Expo battait son plein. Le soir, on voyait scintiller les lumières de la Ronde, du pont Jacques-Cartier et des grands navires qui glissaient sur le fleuve.

Un beau jour, une drôle de surprise attendait Monica dans *Montréal-Matin*. On lui attribuait un vol très audacieux qu'elle n'avait pas commis. Cela s'était passé la veille, avenue du Parc. Une jeune femme blonde portant des verres fumés était entrée seule dans une succursale de la Banque Royale, avait fait coucher tout le monde par terre, caissières, commis et clients, et s'était emparée de plus de six mille dollars. D'abord amusée par cette méprise, Monica ressentit bientôt une sorte de pincement au cœur; une autre fille était venue jouer dans ses plates-bandes, prenait sa gloire, l'attention des médias, l'affection du public... Trois jours plus tard, même chose. Au cours des deux premières semaines d'août, le phénomène grandit.

Ni les médias ni les policiers ne semblaient avoir remarqué que plusieurs femmes étaient à l'œuvre. Ainsi, tous les hold-up commis dans la région de Montréal étaient attribués à Monica la Mitraille, dont le prestige grandissait considérablement. Mais, à la mi-août, deux braqueuses étaient arrêtées. Et Monica se retrouvait de nouveau seule en lice.

Elle était alors recherchée par la police de Montréal et par celles de Montréal-Nord, de Saint-Michel et de Longueuil. Elle avait beau porter des perruques et se déguiser, ne plus descendre régulièrement dans les bars de la *Main* où elle savait que la police la recherchait, elle avait peur d'être repérée, suivie, traquée jusque chez elle. C'est ainsi que l'idée lui est venue de préparer une cachette.

L'appartement voisin de celui qu'elle occupait avec Gérald était libre. Gérald a trouvé un couple irréprochable qui a accepté de l'occuper. C'étaient de pauvres vieilles gens, des Tremblay, originaires du Saguenay. Mario est venu vivre pendant trois jours avec Monica et Gérald. Avec l'aide de ce dernier, il a fait au fond de la garde-robe une porte qui donnait accès à une petite cache qu'il avait aménagée dans la garde-robe de l'appartement des Tremblay. Lorsque cette porte était fermée, rien ne paraissait, ni d'un côté ni de l'autre. Deux personnes pouvaient aisément tenir debout dans cette cache. Peut-être pas pendant de longues heures, mais le temps d'une fouille de police.

Moins de quarante-huit heures après avoir quitté l'appartement de la rue Sherbrooke, Mario se faisait arrêter, en train de livrer un plein camion de manteaux de fourrures qu'il avait volé la semaine précédente, rue Saint-Alexandre.

Le vide progressait. Et naissait en Monica la certitude qu'elle y serait un jour enfermée, enfouie, à jamais perdue.

54

L E SAMEDI SOIR du week-end de la fête du Travail, dans un club du lac de l'Achigan, les frères Simard étaient mêlés à une violente bagarre au cours de laquelle Bob a tué à coups de poing un homme qu'il ne connaissait pas. C'était un accident. Personne n'a compris ce qui s'était passé. On aurait dit qu'un vent de folie avait traversé la salle en jetant les gens les uns contre les autres. Et on s'était mis à se battre à plusieurs endroits simultanément : au bar, dans les toilettes, sur la piste de danse, dans le portique. Quand tout s'est arrêté, très brusquement, le videur était étendu sur le perron de ciment, inerte, la tête en sang, les yeux ouverts, étrangement fixes. Debout au-dessus de lui, Bob cherchait son frère du regard. Ils se sont enfuis sans que personne tente de les retenir. Mais de nombreux témoins ont donné leur signalement à la police. Désormais, les frères Simard seraient activement recherchés tous les deux.

Même s'ils n'étaient pas nommés dans les journaux du surlendemain qui relataient la bagarre et le meurtre du lac de l'Achigan, Monica avait compris qu'ils étaient mêlés à cette affaire. Ils lui ont tout raconté. Et, par nervosité sans doute, Bob riait quand il lui décrivait la tête ensanglantée de l'homme qu'il avait tué, son regard fixe, «comme s'il pensait à ses vieux péchés». Et Monica a dit : «Il n'y a rien de drôle là-dedans, Bob.»

Elle était inquiète. Le matin surtout, quand Gérald dormait encore et qu'elle errait seule dans l'appartement en regardant le soleil se lever sur le fleuve et l'immense plaine. Elle pensait alors à ses enfants et son cœur se serrait. Depuis qu'ils étaient rentrés d'Angleterre à la fin de juillet, elle ne les avait vus que deux fois, et au prix de grands dangers. Des amis de Gérald étaient allés les chercher et les avaient emmenés dans un motel de la Rive-Sud.

Puis, un jour, pour lui faire une surprise, Gérald est allé lui-même chercher les enfants à Repentigny, au péril de sa liberté. Ils ont passé l'après-midi dans les manèges. Ils se sont acheté de la barbe à papa et des chapeaux de cow-boy. Dans un stand de tir, Gérald a essayé de gagner une girafe en peluche. Mais il manquait la cible trop souvent. Il a finalement acheté la girafe et l'a donnée à Debbie. Monica a été plus chanceuse ou plus adroite : elle a gagné pour Steve un cheval de plastique en tirant de la carabine sur des Peaux-Rouges à cheval. Puis, dans un autre jeu, elle a réussi, avec une petite grue, à saisir dans un fatras d'objets une montre suisse en or, dix-sept carats, qu'elle a tout de suite donnée à Gérald. C'était la dernière fois qu'elle voyait les enfants.

Depuis une dizaine de jours, la maison de la rue Mireault était continuellement surveillée. Et les enfants de Monica Sparvieri étaient tenus en otage par la police. Elle ne pouvait s'en approcher sans risquer d'être arrêtée. Ou abattue. Elle ne pouvait plus jamais s'arrêter nulle part. Car alors ils la jetteraient en prison. Ils lui arracheraient ses enfants.

Ainsi est né son ultime projet. Ils allaient, elle, Gérald et Bob, cesser de dilapider l'argent de leurs vols. Ils se sont donné un but : amasser cent mille dollars qu'ils feraient blanchir à peu de frais par Dupire. Puis ils trouveraient une façon de déjouer la police et d'enlever les enfants. Et ils partiraient avec eux aux États-Unis. Ils franchiraient la frontière un dimanche matin, ils diraient aux douaniers qu'ils s'en vont à la mer avec les enfants. Puis ils fileraient en Floride, où Gérald et Bob trouveraient du travail. Monica tiendrait maison. Ils auraient un petit bungalow sous les palmiers, face à la mer…

Puis elle se mettait à penser qu'ils ne parlaient pas anglais, que Gérald et Bob n'avaient jamais gardé de vrais emplois plus de deux ou trois semaines, qu'ils se soûleraient et se battraient dans les bars, qu'ils se feraient remarquer, arrêter… Même à jeun, Gérald s'amusait à prendre des risques inutiles. Par exemple, il demandait du feu au policier en poste à l'angle de la rue Sainte-Catherine et de la *Main*, ou il entrait au *Pal's*, où tout le personnel et la moitié de la clientèle savaient qu'il était recherché, qu'il était l'amant de Monica la Mitraille, et il payait une traite générale. Il parlait et riait fort, il faisait danser les filles…

Monica avait compris que, pour lui, toute cette cavale n'était qu'un jeu. Comme ce projet de partir vivre en Floride avec les enfants. Elle savait bien, au fond, que rien de tout cela n'était possible. Mais elle n'avait qu'à retourner s'allonger près de lui, la tête au creux de son épaule, pour que la peur se dissipe. Et elle se remettait à rêver. Encore un peu.

* * *

Le vendredi 15 septembre 1967. À onze heures, Edmond Dupire se pointait, tout excité, à l'appartement de la rue Sherbrooke, et il entraînait Gérald et Monica sur le balcon pour leur montrer, juste au-dessous d'eux, neuf étages plus bas, sagement garée contre le trottoir, son capot démesurément allongé, sa section arrière tronquée, ses sièges baquets de cuir noirs, une Camaro bleue décapotable, flambant neuve. Une semaine plus tôt, Monica lui avait remis près de dix mille dollars, qu'il s'était chargé de blanchir pour acheter cette voiture dont elle rêvait depuis le printemps. Ils sont sortis en courant, Monica s'est assise derrière le volant et a fait ronronner l'énorme V8. Gérald s'est glissé à sa droite. Ils ont roulé sur le pont Jacques-Cartier, sur l'autoroute 20, puis ils ont longé le Richelieu. À partir de Sorel, ils ont filé vers l'est sur la sinueuse 132, traversé le fleuve à Trois-Rivières, se sont rendus jusqu'à Québec par l'ancien chemin du Roy, ont refranchi le fleuve, et emprunté la toute nouvelle autoroute 20. À vingt et une heures, la Camaro roulait lentement sur la *Main*, où elle faisait se retourner toutes les têtes. Gérald, assis sur le dossier de son siège, saluait à la ronde, comme un chef d'État en visite.

* * *

Le samedi 16 septembre. Nébulosité, lourdeur, touffeur. Dans l'après-midi, le thermomètre monte à plus de 25 °C. La Camaro file sur l'autoroute des Laurentides. Cette fois, Bob est assis sur l'étroite banquette arrière, silencieux comme toujours. Ils se rendent à Mont-Tremblant, où ils finissent par trouver le chalet qu'habite Téo, le père de Monica, avec sa deuxième femme, la petite Françoise, qui lui a donné deux fils.

Monica et Françoise, si proches autrefois, ne se sont pas vues depuis huit ans, soit depuis les funérailles de Marie-Ange, la mère de Monica. Elles se regardent avec une sorte de gêne polie. Françoise est plus ronde, elle a des petites rides au coin des yeux. Téo a vieilli lui aussi, il a beaucoup de cheveux blancs. Il dit à sa fille qu'il est heureux. Et quand elle part, il la serre très fort dans ses bras, prend ses joues dans ses mains, la regarde longtemps dans les yeux et lui dit de faire attention à elle.

Ils rentrent à Montréal vers dix-huit heures par le pont Pie-IX. Monica roule lentement jusqu'à la rue Martial, qu'elle emprunte vers l'ouest, sur la droite. Deux rues plus loin, elle dit à Gérald : «La Camaro va être garée juste ici, sur le boulevard Plaza, vers le sud, avec les clés dans le démarreur. Nous autres, on va arriver comme on arrive là exactement, puis on va tourner à droite sur Saint-Vital. Regarde, là-bas, sur ta droite, la Caisse populaire Saint-Vital, au 11117.»

Il s'agit d'une petite construction de pierres et de briques pâles, à deux étages. L'entrée se trouve sur le coin droit. Il y a un petit parc de stationnement, trois érables, et on ne voit pas un chat dans la rue.

Ils savent bien, tous les trois, comme tout le monde du milieu, que cette Caisse populaire est réputée imprenable. Toutes les rues parallèles à Saint-Vital se terminent en cul-de-sac, au nord sur la rivière des Prairies, au sud sur la voie ferrée du Canadien National. D'après tous les experts en la matière, il est pratiquement impossible de se tirer d'un vol perpétré à cet endroit. Dès que l'alarme est donnée, la police n'a qu'à bloquer les quelques rues qui donnent à l'est sur le boulevard Pie-IX et à l'ouest sur la rue Papineau pour que les voleurs soient pris au piège. La Caisse populaire Saint-Vital est l'endroit où il ne faut pas aller. «Sauf pour y faire un dépôt», comme dit en riant Ti-Moineau. Ou pour chercher sa mort.

Ils regardent tous les trois la banque un long moment pendant que la voiture remonte très lentement la rue. Monica rompt le silence.

«Au bout, c'est Henri-Bourassa. On va prendre à droite. Le directeur s'appelle Roméo Préfontaine. Tu l'appelleras par son nom, Gérald. Ça leur fait toujours peur.» Elle leur expose en détail l'itinéraire qu'ils emprunteront après le vol.

Une fois sur Henri-Bourassa, on roulera cinq rues vers l'est, on prendra ensuite l'avenue London en direction sud, jusqu'à la rue Martial, comme on vient de faire ; sur Martial, deux rues en direction ouest. On se trouvera ainsi près de la Camaro, après avoir effectué trois virages à droite. On n'aura jamais passé plus de vingt secondes en ligne droite. Quelqu'un qui partirait de la banque en courant vers Henri-Bourassa n'aurait pas le temps de voir quelle rue aurait ensuite prise la Camaro. De même, l'avenue London qu'on va emprunter vers le sud étant en forte pente ascendante depuis le boulevard Henri-Bourassa jusqu'à la rue Martial, il est impossible pour un observateur placé au bas de cette pente de voir si là-haut la voiture prend à gauche, à droite ou poursuit sa route tout droit.

Ce soir-là, Gérald et Monica décident d'aller au cinéma. Ils envoient Bob acheter *La Presse* pour voir l'horaire. Bob leur en fait la lecture. Le choix est vaste : *La blonde défie le FBI*, avec Doris Day ; *L'Ombre du géant*, avec John Wayne ; *Le Repos du guerrier*, avec Brigitte Bardot ; *Le Retour des Sept*, avec Yul Brynner ; *Grand Prix*, qui est au Cinérama depuis des mois ; et *Bonnie & Clyde*, un nouveau film qui passe en anglais au cinéma York, loin dans l'ouest de la ville. Bob leur montre l'affiche. On y voit cinq personnes, trois hommes et deux femmes, armés ; à leurs pieds, ces mots : «*We rob banks.*» Monica dit : «Ça, c'est une histoire qui doit mal finir. Ça ne m'intéresse pas.» Ils optent donc pour *Grand Prix*.

* * *

Le lundi 18 septembre 1967. Toujours ensoleillé et chaud. L'été se termine en grande beauté.

Dans l'avant-midi, trois bandits ont fait irruption dans une succursale de la Banque Canadienne Impériale de Commerce, à Chomedey. Ils se sont enfuis dans une Buick rouge qu'on a retrouvée rue Cousineau, à Cartierville.

Dans l'après-midi, deux laitiers se font dépouiller à la pointe du revolver par un couple en Chrysler. La femme porte des verres fumés. L'homme est grand. D'abord devant le 11910 de la rue Poincaré, dans le quartier de Bordeaux, vers seize heures trente, ils forcent Jean Groulx, de la laiterie Saint-Laurent, à leur remettre ses recettes de la journée, soit cent soixante-quinze dollars. Trois quarts d'heure plus tard, même jeu sur le chemin de la Côte-Sainte-Catherine, près de la rue de Vimy : un camion de la laiterie J.J. Joubert est intercepté. Butin : quatre cent soixante-quinze dollars. Le chauffeur ne s'est pas défendu. La femme lui a remis deux billets de vingt dollars : «Ça, c'est pour toi.»

En fin de journée, Monica passe voir sa grand-mère Lafontaine, rue Parthenais. Elle est accompagnée du grand Gérald, que Memére aime bien, parce qu'il est beau garçon, qu'il la fait rire et qu'il a ce savoureux accent du Saguenay. Il lui dit : «Vous avez dû en faire tomber, vous, des hommes dans votre jeunesse.» La tante Hélène est là aussi. Elle éprouve un certain ressentiment à l'égard de Monica, qui lui a menti, l'a trahie. Memére, elle, fait comme si de rien n'était. Elle sait que Monica est une bonne fille, qu'elle donne plus qu'elle ne prend.

Puis Gérald et Monica vont retrouver Bob au *Mocambo*, rue Frontenac, où personne n'ignore que Monica Sparvieri est recherchée par tous les corps policiers de la région. Gérald et Bob ont déjà passablement bu quand, vers vingt-trois heures, arrivent Ti-Moineau et Paula. Dès qu'il aperçoit sa belle-sœur, Ti-Moineau pousse Paula à l'autre bout de la salle et ils s'assoient tous les deux de manière à lui tourner le dos. Mais, trente secondes plus tard, il sent une main se poser dans son cou, un souffle chaud à son oreille, un baiser.

«Il faut que tu m'aides, Ti-Moineau. J'ai besoin de toi.

– Tes histoires ne m'intéressent pas, Monica. Tu es trop cinglée, tu es brûlée. Je ne veux plus avoir affaire à toi.

– Je veux que tu m'aides à récupérer mes enfants.

– Continue comme ça et tes enfants vont aller voir leur mère en prison.»

Ti-Moineau est triste et fâché, mais touché aussi, profondément peiné. Il a toujours été proche de Monica, complice. Il l'a aimée comme on aime une sœur. Il l'a toujours trouvée intelligente, vaillante, solide. La voir tout gâcher à cause de ces imbéciles de frères Simard l'enrage. Il s'est tourné vers eux. Ils sont assis dans la pénombre, de l'autre côté de la petite piste de danse, plusieurs bouteilles vides devant eux... Monica s'est accroupie entre sa sœur et son beau-frère, le menton posé sur ses bras accoudés au rebord de la petite table où la serveuse vient d'apporter la bière de Ti-Moineau et la vodka jus d'orange de Paula. Et finalement, sans qu'elle comprenne ce qui la poussait à cet aveu, espérant peut-être convaincre Ti-Moineau, elle chuchote :

«On fait Saint-Vital demain matin.»

Ti-Moineau est tellement abasourdi qu'il ne peut que demander tout doucement, comme s'il parlait à un enfant malade :

«Mais qu'est-ce qui t'est arrivé, Monica? Qu'est-ce que tu cherches?»

Monica reste entre eux deux sans mot dire.

«Je vais y aller, moi, dit enfin Paula. Je vais aller te les chercher, tes enfants. Et je peux te les livrer où tu veux.»

Sa voix est pâteuse déjà. Elle n'en est certainement pas à son premier drink. Et elle a probablement pris des barbituriques.

Monica la regarde, les yeux pleins d'eau.

«Tu sais que c'est pourri, cette caisse-là, hein? lui dit Ti-Moineau.

– J'ai tout calculé. En quarante-cinq secondes, on est sur Pie-IX.

– Ils vont fermer le pont. Ils vont bloquer le viaduc à l'autre bout. Je te jure, tu ne peux pas t'en tirer.»

Il y avait, en fait, trois façons de s'en sortir. Ti-Moineau, qui était, dans ce domaine du vol de banque, bien meilleur stratège qu'exécutant, y avait longuement pensé. Il fallait soit provoquer ou simuler un gros accident avec blessés du côté ouest du secteur, de manière à y attirer les policiers et les ambulanciers, et sortir par Pie-IX, ou vice versa, soit avoir un puissant canot à moteur sur la rivière des Prairies ou, du côté sud du secteur, franchir la voie ferrée en courant et monter dans une voiture de fuite, une fois de l'autre côté.

Les frères Simard étaient en train de se soûler copieusement. La veille d'un coup, Gaston et Ti-Moineau se recueillaient comme de futurs chevaliers à leur veillée d'armes. Ils ne buvaient rien, même pas une bière. Gaston mangeait légèrement, allait faire une longue promenade pour se détendre, et se couchait tôt, même s'il savait qu'il dormirait mal, qu'il se réveillerait en sursaut plusieurs fois avec un poids sur le cœur, qu'il se lèverait avec une vague nausée qui ne le quitterait qu'au moment où il entrerait dans la banque, dans le feu de l'action.

Gérald Simard, lui, n'avait aucun respect pour son métier de voleur… Il ne préparait presque jamais rien. C'était un amateur, au fond. Même Monica le savait. Et elle voulait aller à la Caisse populaire Saint-Vital pour qu'on en finisse. Jamais Ti-Moineau, qui la connaissait bien, ne l'avait vue si triste et désemparée.

L'étau s'était dangereusement resserré autour d'elle. Bob et Gérald rentraient à l'appartement quelques jours plus tôt quand ils ont aperçu plusieurs voitures de police et des hommes à pied qui rasaient les murs. Ils ont rebroussé chemin et sont allés téléphoner à Mme Tremblay, la voisine de palier de Monica. Mme Tremblay a prévenu Monica, qui s'est enfermée dans la cache qu'avait aménagée Mario au fond de la garde-robe.

Les policiers sont montés directement au 903. Quand Mme Tremblay a ouvert, ils avaient déjà leur revolver à la main. Ils sont entrés dans l'appartement en criant : «Monica, t'es cernée, tu ferais mieux de te rendre.» Mme Tremblay tremblait comme une feuille. Elle a dit aux policiers qu'elle gardait les enfants de Monica Burns pendant une semaine, parce que la gardienne de Repentigny était tombée malade. Et qu'elle n'avait aucune idée de l'endroit où se trouvait Monica. Qu'elle n'avait pas de nouvelles d'elle depuis plusieurs jours. Les policiers ont fouillé les deux appartements. Ils ont regardé sous les lits, dans les armoires et les garde-robes.

Une heure plus tard, Monica sortait du building habillée comme Mme Tremblay, portant ses lunettes, sa jupe, ses souliers, une perruque grise. Elle aurait donné cher pour que Mario la voie. Il disait souvent qu'elle aurait fait une actrice de génie. Mais Mario ne saurait même pas que sa cache avait servi. Monica pensait à son frère, à Michael, à Gaston, à tous ces gens qu'elle ne pouvait plus voir, qui étaient maintenant aussi inaccessibles que des morts. Ou peut-être était-ce elle qui venait de mourir ?

Elle s'est rendue à pied chez Bob, rue Garnier. Elle a téléphoné à Paula et lui a rappelé sa promesse de la veille. Et Paula lui a dit de compter sur elle, qu'elle irait lui chercher ses enfants.

55

LE JOUR où elle allait mourir, Monica Sparvieri s'est réveillée de bonne heure. À six heures, elle était assise sur le petit balcon de l'appartement de Bob, qui donnait sur la ruelle où traînaient encore des restes de nuit. Mais la tête des grands arbres baignait déjà dans la lumière du jour. Il ferait beau, très chaud, et ce serait très humide.

Comme tous les matins depuis quelque temps, elle sentait s'agiter en elle une crainte diffuse. Elle pensait à ce que Ti-Moineau lui avait dit la veille au soir au *Mocambo* : que la Caisse populaire Saint-Vital était un endroit pourri, un piège. Gérald dormait encore, étendu de travers sur le canapé où ils avaient passé la nuit tous les deux. Quand il se réveillera, il la fera rire. Et elle sentira la peur et la peine la quitter. Elle le sait. Et c'est ce qui l'inquiète le plus, cet aveuglement qui la frappe tout doucement et immanquablement quand elle se trouve près de lui. C'est alors, sans doute, qu'elle est le plus en danger, quand elle n'a peur de rien, qu'elle ne sent même plus cette sourde envie de pleurer monter en elle. Gérald, s'il éprouve la moindre peur, n'en laisse jamais rien paraître, comme s'il était tout à fait inconscient du danger, comme s'il ne pensait jamais aux conséquences de ses gestes.

Cet après-midi, Monica doit passer chez Paula chercher ses enfants. Mais comment Paula aura-t-elle réussi à les soustraire à l'attention de la police ? Et qui dit qu'elle ne sera pas suivie depuis la rue Mireault ? Qui dit que les policiers ne vont pas faire irruption chez elle dès que Monica y aura mis les pieds ? Et alors ils la jetteront en prison, ils lui arracheront ses enfants. Et Monica pense que tant qu'elle ne les aura pas emmenés au loin, très loin, en lieu sûr, elle ne pourra jamais s'arrêter.

La lourde odeur du bacon et des œufs que prépare Gérald lui chavire le cœur. Il a mis de la musique, il chante avec Ringo Starr « *We all live in a yellow submarine* », et il tape sur le comptoir et sur les murs et sur son frère Bob qui rit avec lui. Et tout semble de nouveau possible et simple. Ils partiront, bien sûr, dès qu'ils auront amassé cent mille dollars. Ils iront vivre aux États-Unis avec les enfants. Ou au Mexique, peut-être. Et la vie là-bas sera paisible et facile. Ils ne braqueront plus jamais de banques, ils n'auront plus d'armes, ils n'auront plus jamais peur.

Edmond Dupire est arrivé vers huit heures. Bob a déplié sur la table du déjeuner le plan des rues de Montréal et on répète ensemble le scénario des opérations. À neuf heures et demie, Gérald quittera l'appartement et prendra un taxi dans la rue pour aller voler une voiture dans le parc de stationnement du centre commercial Versailles, rue Sherbrooke. Une grosse cylindrée, une Chrysler Magnum si possible. Le moteur est très puissant, les portières sont larges, on peut s'y engouffrer rapidement.

À onze heures moins le quart, Gérald roulera, au volant de la voiture volée, dans la 24e Avenue, à Rosemont, un peu au nord de la rue Bélanger. Il viendra se ranger derrière la Camaro, que conduira Dupire avec Monica à sa droite et Bob à l'arrière. Gérald cédera le volant de l'auto volée à Monica ; Bob montera à l'arrière avec les armes, les cagoules, les gants, le sac de toile bleu. Puis Dupire ira tout seul garer la Camaro à l'endroit convenu, sur le boulevard Plaza.

À onze heures précises, à trois rues de là, Monica, Gérald et Bob pénétreront dans la Caisse populaire Saint-Vital. Ils en sortiront quatre minutes plus tard, remonteront à bord de la voiture volée, prendront le boulevard Henri-Bourassa vers l'est, l'avenue London en direction sud, puis reviendront vers l'ouest par la rue Martial jusqu'au boulevard Plaza, où ils monteront à bord de la Camaro. Puis ils rouleront lentement sur le boulevard Plaza, prendront la rue Prieur ou la rue Fleury, déboucheront sur le boulevard Pie-IX et rentreront tranquillement à la maison.

* * *

À onze heures moins le quart, quand Dupire, Monica et Bob arrivent à l'endroit convenu, sur la 24ᵉ Avenue à Rosemont, Gérald s'y trouve déjà, debout sur le trottoir, appuyé contre le capot d'une superbe Chrysler New Yorker 1967 beige au toit de vinyle noir, tout souriant, comme s'ils partaient en piquenique.

Puis ils roulent lentement sur le boulevard Pie-IX en direction nord, Monica au volant, Gérald à sa droite, Bob à l'arrière. Ils tournent à gauche dans la rue Martial et passent devant le marché Martial, qui fait l'angle du boulevard Plaza. Dupire vient de garer la Camaro juste en face (avec une bonne minute d'avance). Ils l'aperçoivent de dos qui descend à pied vers la rue Fleury. Sur le boulevard Saint-Vital, ils enfilent leurs cagoules et les gants chirurgicaux. Bob tend le revolver et le sac de toile bleu à Monica, et le 12 à canon scié à son frère. En passant sa cagoule, Monica a échappé ses verres fumés, qui ont glissé sous la banquette. Bob tente de les ramasser. «Laisse ça, crie-t-elle. On n'a pas le temps de faire le ménage.»

Il est onze heures exactement lorsqu'ils font irruption dans la Caisse populaire Saint-Vital. Bob reste près de la porte pour empêcher toute sortie et faire le guet. Gérald se rend tout de suite dans le bureau du directeur qu'il trouve en train de discuter avec un sociétaire. Il tire un coup de 12 au plafond. Les deux hommes restent assis, tétanisés par la peur, la tête enfoncée dans les épaules jusqu'aux oreilles.

«Tu ne vois pas que c'est un hold-up, Préfontaine? Tu veux que je te fasse un dessin? Allez, debout!»

Il pousse les deux hommes derrière le comptoir, où il fait étendre tout le monde par terre. Il renverse une chaise et une plante verte, arrache les fils des téléphones, casse quelques lampes. Monica entretemps a sauté par-dessus le comptoir et entrepris de vider les tiroirs-caisses. Elle se rend compte bien vite que la recette est fort maigre : trois ou quatre mille dollars, pas plus. Et elle sent de nouveau cette envie de pleurer qui la prend à la gorge. L'une des caissières étendues par terre s'est mise à sangloter. Et Monica lui crie de se taire en frappant sur le comptoir avec son revolver. Gérald la saisit par le bras et l'entraîne au dehors. Ils courent vers la Chrysler restée en marche. Monica prend le volant et démarre avant même que les portières ne soient refermées.

En montant dans la voiture, Bob a mis le pied sur les lunettes de Monica et délogé les deux verres de la monture. Il a ramassé les trois morceaux, qu'il tient dans sa main. Il a peur et il tremble. Ils ont enlevé leur cagoule et leurs gants. Bob tente de replacer les verres dans la monture, mais il n'y parvient pas. Les virages sont trop violents; il est sans cesse ballotté d'une portière à l'autre.

«Bob, passe-moi mes lunettes.»

Il n'a plus que la monture en main. Il vient d'échapper les deux verres. Il se dit : «Elle va être fâchée. Elle va m'engueuler.» Il lui tend tout de même la monture vide. Monica s'en saisit et la tient un moment devant son visage. Puis elle la lance derrière elle avec force. Bob la ramasse, la jette dans le sac contenant l'argent volé. Avec l'un des verres, qu'il vient de retrouver sous la cagoule dont Gérald s'est débarrassé.

* * *

À onze heures six, moins de deux minutes après que les trois comparses furent sortis de la Caisse populaire Saint-Vital, la police de Montréal-Nord était alertée par radio. Deux témoins avaient relevé le numéro de plaque de la Chrysler beige au toit de vinyle noir : 8E-3461.

Deux voitures de police se trouvaient alors dans le secteur. L'agent Michel Anderson, de la police de Montréal-Nord, était au volant du véhicule 21, à l'angle de la rue Prieur et du boulevard Saint-Vital. En moins de trente secondes, il se trouvait devant la Caisse populaire, où on l'informa que la voiture des bandits venait de s'engager sur le boulevard Henri-Bourassa vers l'est, vers le boulevard Pie-IX. Pendant qu'il fonçait dans cette direction, Anderson entendit à la radio les agents Gilles Gamelin et Roland Chrétien rapporter qu'ils se trouvaient à bord d'une auto-patrouille, l'ambulance 29, qui filait sur le boulevard Henri-Bourassa, à la hauteur du boulevard Sainte-Gertrude, en direction ouest. Les deux véhicules de police, l'un venant de l'est, l'autre de l'ouest, devaient donc fatalement coincer la Chrysler. Mais ils se sont rencontrés à la hauteur de l'avenue Pelletier sans que ni l'un ni l'autre l'ait croisée. Elle devait donc avoir quitté le boulevard Henri-Bourassa. Elle ne pouvait s'être dirigée vers le nord ; de ce côté-là, les rues se terminent toutes en cul-de-sac donnant sur la rivière des Prairies. Anderson a fait signe à ses confrères qu'il prendrait l'avenue Pelletier. Gamelin et Chrétien ont emprunté le boulevard Plaza.

Ignorant que l'alerte avait été donnée, Monica remontait l'avenue London, comme prévu. Les trois véhicules roulaient donc à la même hauteur et dans la même direction, sur trois rues parallèles. En haut de la côte, Monica a pris la rue Martial à droite jusqu'au boulevard Plaza, où elle s'est retrouvée face à face avec l'ambulance de la police conduite par l'agent Chrétien. À cinq pas de la Camaro. Elle a immobilisé la Chrysler devant le marché Martial. Gérald a dit : «On a été vendus.»

Quand Gaston faisait un vol, il repassait cent fois son scénario dans sa tête. Et il imaginait le pire : des travaux de voirie imprévus, un accident, un enfant traversant la rue, une panne de la voiture volée, une cheville tordue. Et, si possible, il trouvait une solution de remplacement. Mais il disait souvent que si quelqu'un l'avait vendu à la police, il n'y avait rien à faire.

«Tu as raison, a dit Monica. On a été vendus.»

Devant le marché Martial, les occupants des deux voitures sont restés un moment interdits. Puis Gérald a tiré un coup de 12 en direction des policiers. Les agents Gamelin et Chrétien se sont couchés sur la banquette de l'ambulance. Monica a fait marche arrière. La Chrysler est entrée à reculons dans la cour du marché Martial et est repartie en trombe en direction du boulevard Pie-IX. Mais, en quelques secondes, l'ambulance se trouvait à sa hauteur. Gamelin a eu le temps d'apercevoir le visage de la femme qui était au volant, cheveux noirs, très courts ; à côté d'elle, un homme qui semblait très grand ; et derrière, un autre homme plus petit, presque chauve, qui tenait ses deux mains devant son visage. Mais un camion à remorque roulait en sens inverse. Et l'ambulance a dû se placer derrière la Chrysler.

Parvenue à l'avenue London, Monica a tourné à droite. Elle descend en trombe vers la rue Fleury. Elle voit l'ambulance dans son rétroviseur, à moins de dix mètres, la tête des deux agents. Sitôt sur Fleury, elle s'engage dans la première rue à droite, l'avenue Paris, vers le nord. Et sur Paris, elle file encore à droite, fonçant dans une cour pavée qu'elle a prise pour une ruelle. C'est un cul-de-sac bientôt fermé par l'ambulance de la police, derrière laquelle se cachent les agents Chrétien et Gamelin.

Le trio n'a pas d'autre solution que de prendre la fuite à pied. Si elle se rendait, Monica perdrait ses enfants. Elle le sait. Elle l'a dit à Gérald et à Bob, il y a quelques jours : « Au point où j'en suis, je ne peux plus m'arrêter. » Les voilà qui courent derrière les maisons, dans les petits jardins, les cours, les ruelles.

Les agents Gamelin et Chrétien se sont approchés de la Chrysler et ont constaté qu'il n'y a personne à l'intérieur. Ils suivent de loin les bandits qui fuient vers les avenues London et des Récollets, la femme tenant d'une main un revolver, de l'autre un sac bleu qu'elle passe au plus grand des deux hommes, qui, à deux reprises, s'est retourné pour faire feu dans leur direction.

Des gens sont sortis sur les galeries et les balcons. Ils renseignent les policiers : « Ils ont sauté la clôture »; « Ils se dirigent par là »; « Ils viennent de traverser mon jardin ». Et les fuyards entendent. Et ils pensent : « On ne leur a rien fait. Pourquoi ne nous donneraient-ils pas une chance, pour une fois ? »

* * *

Avenue des Récollets, Albert Tremblay, inspecteur des travaux publics à Montréal-Nord, était assis dans sa Plymouth de l'année juste en face du restaurant Cornelli. Il venait de toucher sa paye et comptait les billets. Soudain, la portière du côté du chauffeur s'est ouverte. Une femme l'a brutalement repoussé, s'est assise derrière le volant et lui a plaqué le canon d'un 38 contre la tempe. « Débarque ! » Avant qu'il n'ait eu le temps de comprendre ce qui se passait, l'autre portière s'était ouverte et il recevait un violent coup sur la tête. Il s'est senti agrippé par le collet de sa chemise, il a roulé sur le trottoir, il a vu sa Plymouth s'éloigner en direction de la rue Prieur.

Gérald et Monica tenteront pour la troisième fois d'atteindre le boulevard Pie-IX. Et ils croiront un moment s'en être sortis. « On les a eus ! disait Monica. On les a eus ! » Les policiers Gamelin et Chrétien avaient en effet abandonné leur voiture avenue Paris. Ils se retrouvaient à pied, sans radio, avenue des Récollets.

Mais le hasard voulut qu'un jeune policier, André Godin, qui venait de finir sa journée et rentrait tranquillement chez lui dans son auto privée, toujours en uniforme et armé, arrive juste à ce moment à l'angle de l'avenue des Récollets et de la rue Fleury. Il voit le petit attroupement autour d'Albert Tremblay et s'approche, intrigué. Gamelin s'avance au milieu de la rue et lui fait signe de suivre la Plymouth qui file vers la rue Prieur. Et le jeune policier part à la poursuite des bandits, qu'il a presque rejoints lorsqu'ils débouchent sur le boulevard Pie-IX. Pendant un moment, il roule juste à côté de la Plymouth, et il voit qu'une femme est au volant. Elle semble seule dans la voiture. Godin pointe son arme sur elle. Leurs regards se croisent une fraction de seconde, il voit remuer les lèvres de la jeune femme. Soudain, quelqu'un se lève sur la banquette arrière, un homme qui pointe sur Godin un fusil à canon scié, mais il ne peut se placer d'aplomb et viser correctement.

À onze heures douze, tous les policiers des postes environnants ont été alertés. Ils viennent de tous côtés, de Saint-Michel, de Montréal, de Montréal-Nord, une dizaine de voitures convergeant vers les lieux de la poursuite, leurs sirènes déchirant l'air, leurs gyrophares comme des fleurs vivement colorées.

Bientôt la voiture du jeune Godin, moins puissante, sera doublée par un véhicule de la police de Montréal-Nord, à bord duquel se trouvent les agents Gilbert Dorion, au volant, et Gérard Boisvert, qui a déjà son arme à la main. Ils se collent à la Plymouth et roulent à plus de cent kilomètres à l'heure. Quand Simard pointe son arme dans leur direction, Dorion donne des coups de volant pour éviter les balles, mais il ne ralentit jamais.

Et soudain la Plymouth se met à zigzaguer dangereusement. Boisvert a atteint le pneu arrière gauche, qui s'écrase sur la jante et commence à s'effilocher en longues lanières. Monica conserve cependant son allure. Elle a mal aux yeux, il y a mille milliards de poignards de lumière lancés de partout, des vitrines, des affiches, des autos, du fond du ciel. Mais elle pense encore qu'elle va s'en sortir. Elle n'a pas le choix. Elle va retrouver ses enfants cet après-midi. Elle passera quelques semaines avec eux à Pointe-Calumet. Elle amassera cent mille dollars, puis ils partiront tous ensemble pour la Floride. Et là-bas, où personne ne les connaît, ils seront tranquilles et heureux.

Mais alors c'est la mort qui s'est mise au volant, qui s'est emparée de Monica, qui l'habite et la mène dans ce train d'enfer.

«Ma mère pensait à moi à ce moment-là, j'en suis sûre, a dit Debbie. Quand elle a compris que tout était fini, qu'elle s'en allait à la mort, elle a pensé à moi, à Steve et à Ti-Nou. Elle s'est dit que dans la mort elle nous protégerait.»

Au croisement de la rue Dickens, la Plymouth percute violemment un autobus de la ligne 99 qui roulait en direction est. Monica s'écrase contre le volant, puis sa tête heurte le pare-brise. Elle retombe sur la banquette, à demi inconsciente.

Puis elle regarde les détectives Boisvert et Dorion s'approcher d'elle. Elle a mal à la tête. Elle a envie de dormir, bien tranquille... De se laisser glisser sur la banquette et de dormir très longtemps... L'un des agents s'est avancé vers la Plymouth accidentée. Il est tout jeune. Il tire deux fois. La première balle traverse le sein droit de Monica. La deuxième lui va directement au cœur. Et la tue. Elle a échappé son revolver et s'est laissée glisser sur la banquette. Elle regarde le jeune policier qui pointe toujours son revolver sur elle. Il ne tire plus. Il la regarde très longtemps, comme s'ils s'étaient déjà vus quelque part...

«Quand la deuxième balle lui a traversé le cœur, c'est encore à nous qu'elle pensait... Je le sais. Et, le soir, elle est venue dans ma chambre. Elle m'a dit que tout était beau, de ne pas m'en faire.»

Plus rien ne bougeait dans la voiture. Boisvert et Dorion se sont approchés encore. Monica était étendue sur le dos. Le haut de son corps avait glissé lentement hors de la voiture par la portière de gauche, qui s'était ouverte au moment de l'impact. L'agent Dorion a contourné la voiture et est allé se pencher sur elle. Il a vu ses yeux se troubler et papilloter un moment. Il l'a vue mourir...

* * *

Sous le choc, Gérald Simard avait été projeté contre Monica. Il avait cependant réussi à sortir de la voiture par la portière arrière gauche et à prendre la fuite à pied sur le boulevard Pie-IX. Il a entendu des cris derrière lui, des coups de feu, deux coups de feu très rapprochés...

Des agents d'un autre véhicule de la police de Montréal-Nord, Lebel et Lamarche, l'ont pris en chasse. Sous les indications de témoins, ils l'ont vite repéré. Il s'était réfugié dans un cabanon derrière une maison du boulevard Pie-IX. Il savait que plusieurs personnes l'avaient suivi du regard. Mais il croyait, il espérait qu'elles se tairaient. Il était à bout de souffle, il avait perdu un soulier, il avait affreusement mal à un genou et à la tête. Il savait qu'il était perdu. Il n'essaierait plus de s'en sortir, mais plutôt de comprendre ce qui s'était passé.

Depuis la sortie de la Caisse populaire Saint-Vital, il ne s'était probablement pas écoulé plus de dix ou douze minutes. Après le choc contre l'autobus, il avait couru, il avait traversé la rue Dickens, puis le boulevard Pie-IX, il y avait eu ces cris derrière lui, des coups de feu, puis il avait traversé un jardin qu'un petit vieux était en train de nettoyer. Il ne restait plus que des citrouilles et quelques fleurs.

Gérald croit maintenant que les policiers qui le chassent vont le descendre. Ils invoqueront la légitime défense. Ils vont entourer le cabanon et le tirer. Comme un rat. Par les interstices des murs de tôle, il voit passer des ombres. Il a laissé sa carabine sur le siège de l'auto. Et son revolver? Il se tâte. Il n'a plus son revolver. Il est seul. Il n'a pas tiré sur eux. Il ne peut plus se défendre. Ils vont le descendre quand même. Il aurait dû courir. Mais son genou est brisé.

Il les entend qui approchent. Une voix de femme a indiqué aux agents Lebel et Lamarche où s'était enfermé le fuyard. Des ombres passent et repassent encore devant le cabanon. L'un des policiers s'est approché et il a ouvert la porte. Pendant qu'un autre, de biais, le couvrait. Et Simard a crié : «Ne tirez pas. Je sors.» Et il est sorti lentement, les mains derrière la tête. Il n'a qu'un soulier, il boite, il a mal, il a chaud, il tremble. Les policiers le font coucher par terre, lui passent les menottes et fouillent nerveusement ses vêtements. L'agent Lamarche va inspecter le cabanon. Puis ils emmènent Gérald vers leur voiture. Il y a plein de gens qui regardent. Ils doivent le soutenir.

Avant de monter dans la voiture de police, Gérald va passer près de la Plymouth. Il verra le corps de Monica qui a glissé hors de l'auto par la portière ouverte, sa tête sur l'asphalte, ses yeux grands ouverts, du sang ruisselant encore sur sa chemise et dans son cou en longues dégoulinades. Les ambulanciers ont posé une civière près d'elle et attendent que le photographe de la police ait fini son travail pour l'emporter. Gérald cherche Bob du regard. Il essaie encore de comprendre, de revoir ce qui s'est passé. Si vite. Trop vite. À quel moment Bob est-il parti? L'ont-ils abattu, lui aussi? Et qui les a trahis? Qui les a vendus?

* * *

On a retrouvé deux revolvers derrière le siège du chauffeur de la Plymouth accidentée : un Iver Johnson de calibre 38 à cinq coups (série 58572) et un Colt 36 à six coups. Sur le siège arrière, un fusil de calibre 12 à canon scié, un soulier de suède noir, pied gauche, une liasse de gants chirurgicaux et quatre cagoules. Et, par terre, une monture de lunettes et un verre fumé (l'autre verre sera retrouvé dans la Chrysler abandonnée, avenue Paris). Sur le siège avant de la Plymouth, un sac de toile bleu contenant trois mille quatre-vingt-deux dollars.

Épilogue

LONGTEMPS Debbie Burns a cherché sa mère dans ses souvenirs et auprès des gens qui l'ont vue vivre et mourir. Elle connaît maintenant toute son histoire par cœur et dans ses moindres détails.

Elle a pensé déjà qu'elle ferait le même genre de vie. Elle avait dix-neuf ans, elle passait son temps au sein d'une bande de voyous et de voleurs. Mais brusquement, un beau jour, ce monde l'a dégoûtée. Elle a changé de vie. Et Katy est née.

Debbie dit aujourd'hui que c'est grâce à sa fille trisomique, qui, elle, ne comprendra jamais rien à cette histoire, qu'elle a pu rompre la chaîne des malheurs et des horreurs qui, depuis quatre générations, empêchait les membres de sa famille de s'approcher du bonheur.

Elle n'a pas eu l'enfant rêvée, belle, brillante et forte comme était sa mère, comme elle imagine qu'était sa mère. Elle lui a cependant donné tout l'amour qui lui avait toujours manqué à elle. Elle lui a donné la mère qu'elle avait si longtemps cherchée pour elle-même. Elle a fait de Katy une enfant heureuse et comblée, sa joie.

IMPRIMÉ AU CANADA